CW01084303

EL LIBRO ESENCIAL DE LA

Pasta

EL LIBRO
ESENCIAL DE LA
Pasta

KÖNEMANN

© 1997 Murdoch Books®, una marca comercial de Murdoch Magazines Pty Ltd.
45 Jones Street, Ultimo, NSW 2007

Edición: Wendy Stephen
Dirección de la edición: Jane Price
Dirección artística: Marylouise Brammer
Diseño: Vivien Valk
Dirección de las recetas: Jody Vassallo
Fotografía (cubierta y apartados especiales): Chris Jones, Luis Martin
Estilismo (cubierta y apartados especiales): Mary Harris, Rosemary Mellish
Estilismo auxiliar (cubierta y apartados especiales): Kerrie Ray, Tracey Port
Fondos (apartados especiales): Sandra Anderson de Painted Vision, Mudgee NSW
Recetas: Jody Vassallo, Kerrie Ray
Texto adicional: Joanne Glynn, Justine Upex, Jody Vassallo
Archivo gráfico: Denise Martin

Todos los derechos reservados. Ninguna parte de esta publicación puede ser reproducida,
almacenada o transmitida de ninguna forma ni por ningún medio, sea éste electrónico,
mecánico, por fotocopia, grabación o cualquier otro, sin la previa
autorización escrita por parte de la editorial.

Título original: *The Essential Pasta Cookbook*

© 1999 de la edición española
Könemann Verlagsgesellschaft mbH, Bonner Str. 126, D–50968 Köln
Traducción del inglés: Gloria Vallès Fitò para LocTeam, S.L., Barcelona
Redacción y maquetación: LocTeam, S.L., Barcelona
Director de producción: Detlev Schaper
Impresión y encuadernación: Leefung Asco Printers
Impreso en China

ISBN 3-8290-1041-9

10 9 8 7 6 5 4 3 2 1

CLASIFICACIÓN POR ESTRELLAS: Las recetas han sido clasificadas según el grado
de dificultad, por lo que en este libro encontrará la siguiente graduación:
✫ Una sola estrella indica que la receta es sencilla y rápida de preparar, ideal para principiantes.
✫✫ Dos estrellas indican que es preciso un poco más de atención o, quizás, algo más de tiempo.
✫✫✫ Las tres estrellas acompañan a las recetas especiales que requieren más tiempo, paciencia
y dedicación. En todo caso, los resultados siempre merecen la pena e incluso los más inexpertos
pueden elaborar estos platos, si siguen los pasos con detenimiento.

NUTRICIÓN: La información sobre el valor nutritivo de cada receta no incluye el
acompañamiento, como el arroz o la pasta, a menos que éste conste en la lista de ingredientes.
Los valores son aproximados, pues los ingredientes pueden variar según la temporada,
la composición de los productos envasados suele ser desconocida y los valores dietéticos,
extraídos de la base de datos NUTTAB95, pueden presentar irregularidades.

LA PASTA, UN MANJAR DIVINO

Por fin hemos descubierto un secreto culinario que los italianos conocen desde hace siglos: es difícil equivocarse con la pasta. No hay nada más simple y atrayente que un poco de mantequilla y unas virutas de parmesano fundiéndose sobre un humeante cuenco de tagliatelle frescos. En las recetas sencillas la pasta no tiene rival: es reconfortante, nutritiva y, sobre todo, sumamente apetitosa.

Se cree que en 1295 Marco Polo trajo de China cintas de pasta, teoría que hace un flaco favor a los antiguos italianos, los cuales ya la consumían con avidez desde los tiempos del Imperio Romano. Según cuenta la leyenda, el propio Cicerón sentía una verdadera pasión por los laganum, unas tiras planas de pasta que hoy en día conocemos como tagliatelle. Ya en la Edad Media, un cuento de Tasso narra como un posadero inventó los tortellini inspirándose en el ombligo de Venus. Así pues, si usted goza de la pasta, está en buena compañía. *Buon appetito.*

CONTENIDO

SECCIONES ESPECIALES

LOS SECRETOS DE LA PASTA

La pasta es un alimento popular por méritos propios: es barata, fácil de preparar (como verá, hemos clasificado la mayoría de nuestras recetas como "fáciles"), es deliciosa y nutritiva y, como se demuestra en este libro, presenta una versatilidad asombrosa. Se puede acompañar con una salsa cremosa de salmón ahumado o servirla tan sólo con queso parmesano o bacon y huevos. También se puede servir fría en ensaladas, caliente en sopas, recién salida del horno, rellena de espinacas y queso ricotta, como postre o incluso como un remedio para la resaca: en Italia, se cree que comiendo espaguetis con ajo y aceite de guindilla antes de acostarse se evitan los efectos de la borrachera. Se puede comer pasta todos los días de la semana, como de hecho lo hacen muchos italianos, sin aburrirse jamás. La pasta combina bien con todo, incluso con panes, hortalizas y ensaladas, por lo que aportamos algunas recetas con estos ingredientes a lo largo del libro.

Evidentemente, hay un acompañamiento típico de muchos platos de pasta: el queso parmesano. Pero, aunque tenga un aspecto tan atractivo en pequeñas virutas o rallado, no caiga en la tentación de añadirlo siempre. Evítelo sobre todo en las salsas de marisco, ya que sus sabores no siempre combinan bien. Si de todas maneras quiere decorar la pasta, adórnela con gremolata como se propone en la página 113.

¿FRESCA O SECA?

Son muchos los que piensan que la pasta fresca debe de ser mejor que la seca, pero no siempre es así, ya que cada salsa acompaña mejor a un determinado tipo de pasta. La pasta fresca se complementa con deliciosas salsas de nata, mantequilla y queso porque su textura tierna absorbe la salsa. La salsa Alfredo es muy apropiada para acompañar platos de pasta fresca casera, como lo es también cubrirla con mantequilla y parmesano rallado. En cambio, elija pasta seca si utiliza una salsa con más cuerpo hecha de tomate. Si la salsa contiene aceitunas, anchoas, guindilla, carne o marisco seguramente tendrá que utilizar pasta seca.

La pasta es una mezcla de harina, agua y, en ocasiones, huevos y aceite. La pasta de trigo integral es más oscura. Si la pasta fresca es de harina de trigo duro se la considera de calidad. Otros tipos de pasta seca se elaboran con harina de alforfón, maíz, arroz o soja. También hay pastas a las que se les ha dado sabor con purés de hierbas, tomate, espinacas u otras hortalizas. La pasta seca se conserva hasta seis meses en un lugar oscuro y seco, dentro de un envase hermético. En cambio, la pasta seca integral tan sólo se conserva durante un mes. Si la envuelve en film transparente, la pasta fresca se conserva en el congelador durante cinco días. Si la envuelve doblemente, se conservará hasta cuatro meses. No la descongele antes de cocerla.

¿QUÉ FORMA ELEGIR?

Existen buenas razones para escoger la salsa según la forma de la pasta. Aunque normalmente cada región prefiere una forma determinada, conviene tener muy en cuenta la capacidad de la pasta para retener y absorber la salsa. Las formas tubulares como las de los penne capturan las salsas espesas, mientras que las pastas alargadas o planas se sirven normalmente con salsas claras y suaves. No obstante, no hay unas reglas fijas, y parte del atractivo de la pasta es probar todos sus fantásticos colores, sabores y formas. Las siguientes páginas contienen fotografías de algunos de los muchos tipos de pasta fresca y seca disponibles.

El mismo nombre de la pasta dice mucho de ella: un nombre que acaba en −ricce indica que la pasta tiene un borde ondulado; en −nidi significa que las tiras se agrupan formando nidos; en −rigate significa dentado y −lisce, de superficie

suave. Aunque su italiano sea prácticamente nulo, puede imaginarse la pasta sólo sabiendo su nombre: los *orecchiette* son como orejas pequeñas; los *eliche* parecen hélices; los *ditali*, dedales; los *conchiglie*, caracolas; los *linguine*, lenguas pequeñas y *vermicelli*, pequeños gusanos. Un nombre que acaba en *–oni* indica un mayor tamaño: los conchiglioni, por ejemplo, son conchiglie grandes. De la misma manera, *–ini* y *–ate* se refieren a versiones más pequeñas, como *farfallini*. Sin embargo, antes de que abundemos demasiado en la importancia de los nombres, cabe señalar que éstos no son los mismos para cada fabricante o en cada libro, por lo que los tortelloni de uno pueden ser los agnolotti de otro. Afortunadamente, esto no representa mayor problema si se aplica algo de sentido común.

¿CUÁNTA PASTA?

Una de las cuestiones más polémicas para los amantes de la pasta es la cantidad de pasta por persona y otra más polémica aún es cuánta salsa conviene añadirle. Como regla general, utilice 60 g de pasta fresca por persona para un primer plato y 125 g para el plato principal, cantidades que aumentan ligeramente si utiliza pasta seca (menos húmeda y más ligera): 90 g para un primer plato y 150 g para un segundo.

Si bien la cantidad de salsa es, por supuesto, cuestión de gustos, el mayor error que cometen los cocineros no italianos es emplear demasiada: la salsa debe recubrir ligeramente la pasta, no empaparla. Cuando mezcle la pasta y la salsa, asegúrese de que no queda una balsa de salsa en el fondo del plato.

CÓMO COCER LA PASTA

El agua empieza a hervir antes si no se le añade sal, por lo que es recomendable añadirla cuando el agua empiece a hervir. Utilice una olla grande para que la pasta tenga espacio suficiente. Agregue la pasta cuando el agua empiece a hervir. Se le puede añadir también una cucharada

de aceite de oliva para evitar que el agua rebose o que la pasta se pegue. Tras añadir la pasta, tape la olla para que el agua vuelva a hervir tan pronto como sea posible. Levante la tapa en cuanto el agua hierva.

La pasta cocida a la perfección debería estar al dente, es decir, dura pero tierna. Es importante escurrir la pasta y verterla directamente en un plato caliente, en la sartén junto a la salsa o de nuevo en la olla. No escurra la pasta demasiado: ha de estar resbaladiza para que la salsa la recubra bien. Nunca la deje reposar en el colador o se volverá una masa pegajosa. Revuelva la pasta con un poco de mantequilla o aceite y evitará que se pegue. También se puede regar con un poco de agua hirviendo y remover suavemente (es aconsejable guardar agua de la cocción por si acaso). Una buena sincronización puede marcar la diferencia entre un simple buen plato de pasta y otro genial. Lea siempre la receta detenidamente y coordine los tiempos de cocción. Intente tener la salsa a punto para cubrir la pasta tan pronto como esté cocida, sobre todo si es pasta fresca (seguirá cociéndose si la deja reposar). Para evitar un exceso de fécula, pase por agua la pasta que utilice para ensaladas frías y revuélvela añadiendo un poco de aceite. Cúbrala y guárdela en el frigorífico hasta el momento de servirla a la mesa.

PÁGINA ANTERIOR:
Pasta con hierba de limón, vieiras y lima (página 165)
ARRIBA: Revuelto de aceitunas verdes y berenjenas (página 120)

PASTA SECA

Tradicionalmente, la pasta larga y fina como los espaguetis se acompaña de salsas ligeras y aceitosas, mientras que la pasta más gruesa y corta es mejor para salsas espesas.

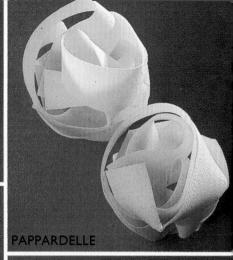

PAPPARDELLE

ESPAGUETIS

LUMACONI O PIPE RIGATE (TIBURONES)

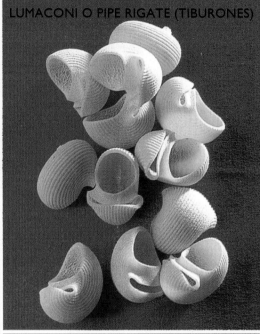

RISSONI

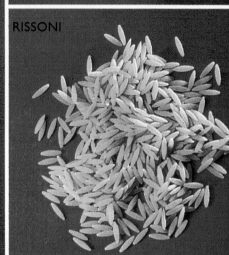

MACARONI O MACCHERONI (FIDEOS)

ANELLI

PENNE O PENNE RIGATE
(MACARRONES)

RIGATONI

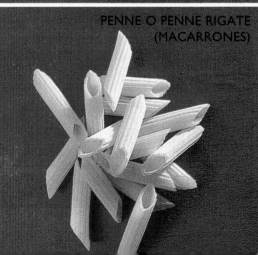

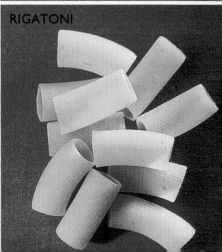

FUSILLI O ELICHE (ESPIRALES)

ORECCHIETTE

CANELONES

FUSILLI O BUCATTI LUNGHI

SARDI O GNOBETTI

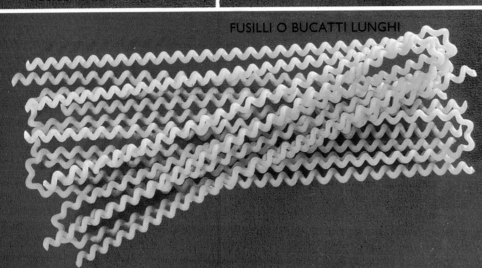

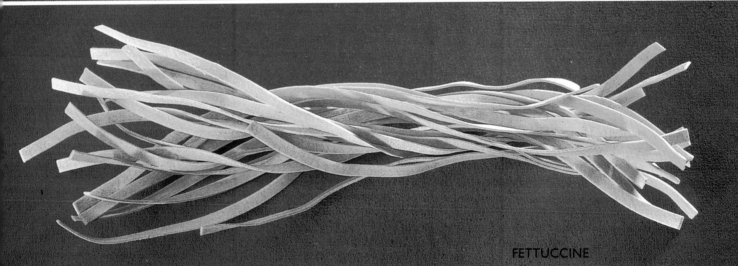

FETTUCCINE

LASAÑA

COTELLI O CAVATAPPI

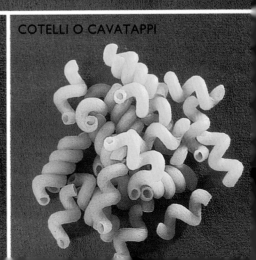

PASSATELLI

CAPELLINI O
PASTA DE CABELLO DE ÁNGEL

RUOTE O ROTELLE

DITALI O DITALINI (PISTONES)

LASAGNETTE O MAFALDINI

FARFALLE (LAZOS)

ÑOQUIS

CRESTI DI GALLO

CAVATIELLI

TAGLIATELLE
(NIDOS DE
CINTAS)

GARGANELLI

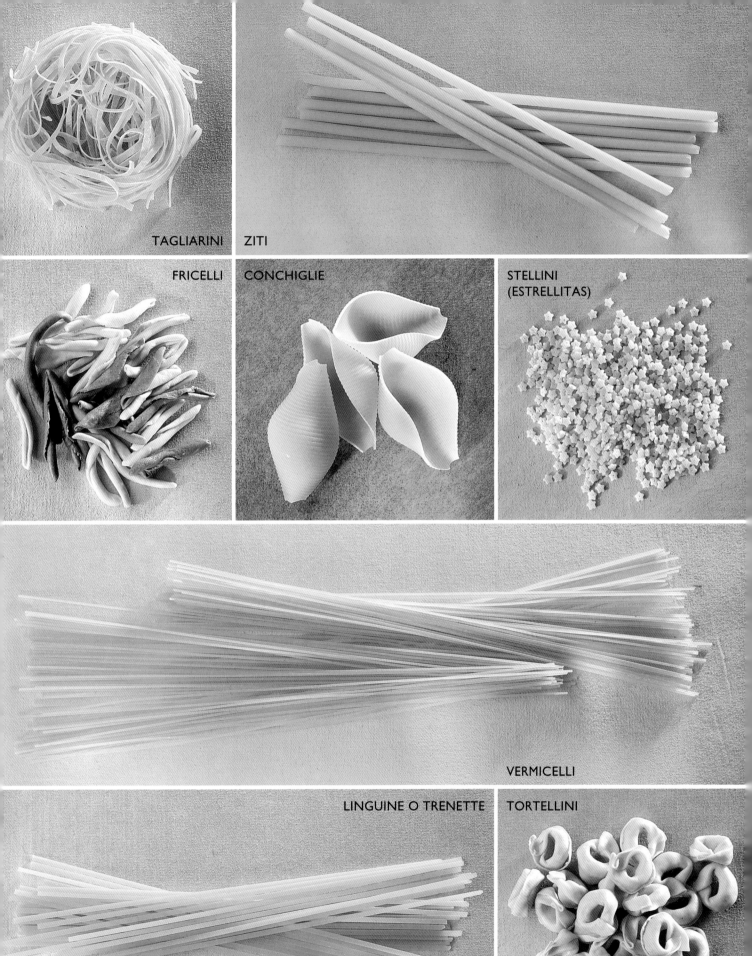

TAGLIARINI

ZITI

FRICELLI

CONCHIGLIE

STELLINI
(ESTRELLITAS)

VERMICELLI

LINGUINE O TRENETTE

TORTELLINI

PASTA FRESCA Resulta

deliciosa napada con salsas cremosas de mantequilla o nata líquida, ya que su textura tierna absorbe los sabores. Elabórela en casa o cómprela en tiendas especializadas.

MALTAGLIATTI

ÑOQUIS

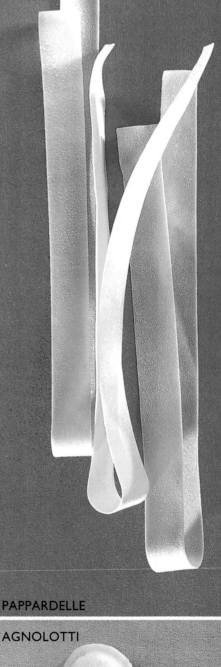

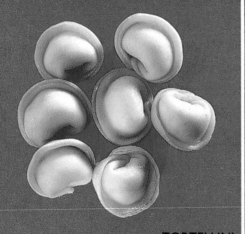

TORTELLINI

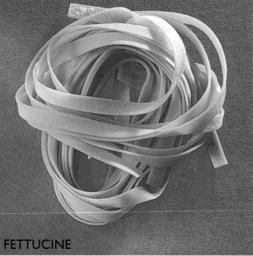

FETTUCINE

PAPPARDELLE

RAVIOLI

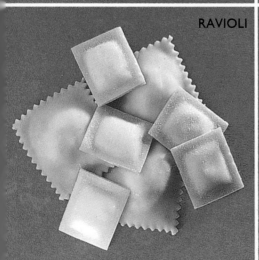

MEZZALUNA

AGNOLOTTI

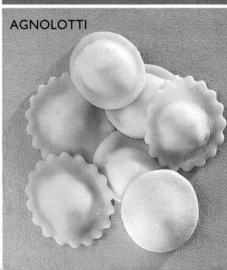

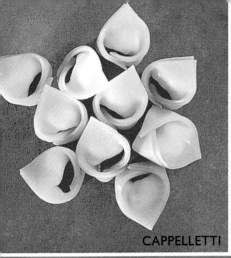

CAPPELLETTI

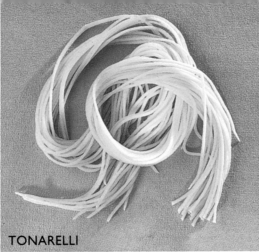

TONARELLI

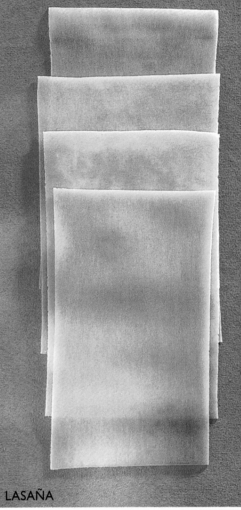

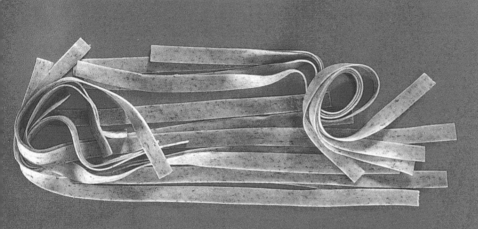

TAGLIATELLE

LASAÑA

QUADRUCCI

GARGANELLI

LINGUINE

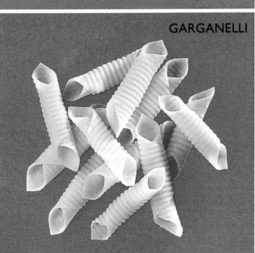

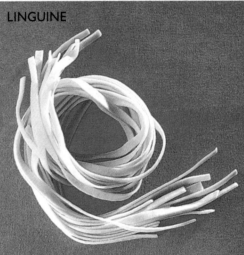

ESPAGUETIS

PANSOTTI

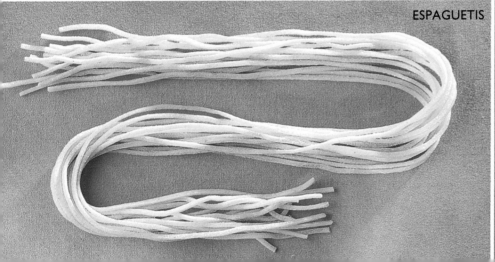

CÓMO HACER PASTA
Preparar pasta es placentero y relajante. Con un poco de práctica y buenos ingredientes pronto elaborará pasta con todo tipo de formas, sabores y texturas.

Aunque hacer pasta no es difícil e incluso puede ser muy relajante, hay algunos consejos que le serán útiles. Uno de los factores que a menudo se pasa por alto es la buena ventilación de la cocina, sin aire acondicionado ni corrientes. Puesto que la humedad también puede dificultar el amasado, no elabore pasta en días lluviosos.

El amasado es una parte importante del proceso, ya que es necesario trabajar el gluten de la harina hasta conseguir una masa tierna pero firme. Amase la pasta hasta que se vuelva plegable y añada harina poco a poco si está demasiado blanda. La pasta casera se conserva hasta 48 horas en el frigorífico si se guarda en un envase hermético. Déle la vuelta para comprobar el grado de humedad. También es posible congelar la pasta, aunque a veces se astilla. No la descongele: viértala directamente en el agua hirviendo. Las láminas de lasaña se conservan mejor si se escaldan y se colocan entre hojas de papel encerado antes de congelarlas o de guardarlas en el frigorífico.

UTENSILIOS
Aunque no se necesitan utensilios especiales para hacer pasta, algunos le ahorrarán tiempo. Trabaje en una superficie amplia, dura y plana. La madera y el mármol son ideales. Si prepara la masa a mano, con un rodillo largo obtendrá una masa más uniforme y necesitará menos golpes. Utilice un cuenco grande de cerámica para preparar la mezcla más fácilmente. Los robots de cocina mezclan la masa rápidamente y reducen el tiempo de amasado. Para cortar la masa se nece-

sita un cuchillo grande y afilado y una rueda dentada. Un raspador resulta útil. Los rodillos mecánicos son muy recomendables, ya que trabajan la masa a la vez que la alisan, consiguen hojas de pasta de buena textura y son fáciles de manejar. Las mejores marcas se caracterizan por su solidez, un agarre firme y rodillos que se ajustan y giran fácilmente.

INGREDIENTES

Los ingredientes de la masa deben estar a temperatura ambiente antes de empezar. La cantidad de huevos y harina depende del tiempo meteorológico, la calidad de la harina, la frescura de los huevos y su tamaño. El aceite facilita el trabajo, pero no es imprescindible.

Utilice harina con salvado, ya que produce una masa dúctil, ligera y de textura uniforme. Algunos fabricantes de pasta recomiendan añadir un poco de sémola de trigo duro para mejorar

el sabor, el color y la textura. Sin embargo, su dureza puede dificultar el trabajo sobre todo en rodillos mecánicos. Si la cantidad de sémola es superior a la de harina, pueden surgir problemas.

MASA BÁSICA

Para hacer masa para 6 personas como primer plato o para 4 como segundo, serán necesarios 300 g de harina, 3 huevos grandes (de 60 g), 30 ml de aceite de oliva (opcional) y una pizca de sal.

1 Para mezclar la masa a mano, vierta la harina en un cuenco grande de cerámica o amontónela sobre una superficie plana dejando un hueco en el centro.

2 Vierta el contenido de los huevos en el hueco añadiendo un poco de aceite (opcional) y una buena pizca de sal. Comience a batir los huevos y el aceite con un tenedor a la vez que añade un poco de harina.

3 Mezcle gradualmente la harina con los huevos trabajándola desde el centro hacia fuera. Con la otra mano, mantenga el montón en su lugar y evite que los huevos se derramen.

4 Trabaje la masa sobre una superficie enharinada, con golpes suaves y ligeros y girándola a la vez que la pliega y aprieta. Ha de ser blanda y plegable pero seca al tacto. Si aún se pega, añada un poco de harina.

5 Amase durante un mínimo de 6 minutos para conseguir una textura suave y elástica y una apariencia ligeramente brillante. Si utiliza sémola de trigo duro, el amasado requerirá 8 minutos como mínimo. Guarde la pasta en una bolsa de plástico sin cerrar o cúbrala con una paño de cocina o un cuenco. Déjela reposar durante 30 minutos. La masa se puede preparar también con un robot de cocina.

CÓMO HACER PASTA

CÓMO CORTAR Y AMASAR LA PASTA A MANO

1 Divida la masa en tres o cuatro partes manejables y cúbralas.

2 Enharine ligeramente la superficie de trabajo. Aplaste una parte y extienda la masa desde el centro hacia fuera con un rodillo largo enharinado.

3 Siga extendiendo siempre desde el centro hacia fuera y girando la masa a menudo. La superficie debe estar siempre enharinada para que la masa no se pegue. Cuando tenga un círculo bien definido, doble la masa por la mitad y pase el rodillo. Repita este proceso siete u ocho veces hasta conseguir un suave círculo de pasta de unos 5 mm de espesor.

4 Con el rodillo, aplane la lámina rápida y suavemente hasta reducir el espesor a 2,5 mm. Cubra las grietas con un poco de pasta del borde y algo de agua para que se pegue.

5 Cuando tenga estas láminas, colóquelas sobre un paño de cocina seco. Si va a cortarlas en tiras o a darles forma, deje que se sequen mientras trabaja las otras. Cúbralas sólo si las va a emplear para elaborar pasta rellena.

6 Para elaborar láminas de lasaña, corte la pasta con las dimensiones que desee. La mejor manera de hacer tiras como las de los fettucine es enrollar cada lámina como un cilindro y cortarlas a intervalos regulares: 8 mm para los tagliatelle, 5 mm para los fettucine o unos 3 cm para los pappardelle. Deseche la pasta sobrante. Deje las tiras, sin que se toquen, sobre un paño de cocina durante un máximo de 10 minutos. También puede colgarlas en un palo de escoba o en una cuchara larga de madera colocada entre dos sillas para que se sequen un poco.

También es posible cortar tiras de la lámina con un cuchillo o una rueda dentada. Para conseguir cortes más precisos, utilice una regla junto a la rueda. Con una rueda dentada en zigzag conseguirá bordes adecuados para pastas como los lasagnette y los farfalle.

No seque la pasta en un sitio frío o seco porque podría romperse; es mejor dejarla secar lentamente.

CÓMO CORTAR Y AMASAR LA PASTA CON UN RODILLO MECÁNICO

1 Fije la máquina firmemente al borde de la superficie de trabajo. Divida la masa

en tres o cuatro partes y enróllela en cilindros. Mantenga tapadas las partes que no trabaja y allane una pasando el rodillo un par de veces. Espolvoréela ligeramente con harina.

2 Con los rodillos en su anchura máxima, pase la masa por la máquina dos o tres veces. Dóblela en tres capas, gírela 90 grados y pásela de nuevo. Si la pasta está húmeda o se engancha, espolvoréela ligeramente con harina hasta que pase suavemente. Repita estos pasos unas ocho o diez veces o hasta conseguir una lámina suave y elástica de aspecto sedoso. En adelante no doble la masa.

3 Reduzca la distancia entre los rodillos en un punto e introduzca la masa en la máquina. Repita este paso reduciendo cada vez más la distancia hasta conseguir una lámina del grosor deseado. En su último ajuste, algunas máquinas producen láminas demasiado finas que acaban rompiéndose. Para solucionar

este inconveniente, escoja la penúltima posición del rodillo e introduzca la masa varias veces. Así saldrá cada vez más fina. Esto también sirve para aquellas máquinas que no afinan suficientemente la pasta en su ajuste más delgado.

4 Cuando tenga las láminas, colóquelas sobre un paño de cocina seco. Déjelas secar durante 10 minutos si va a cortarlas luego o cúbralas si las va a emplear para elaborar pasta rellena.

5 Para elaborar láminas de lasaña, corte la pasta con las dimensiones que desee. Para conseguir tiras más estrechas, escoja los cortadores apropiados de la máquina y haga pasar cada lámina por ellos. Déjelas sobre el paño de cocina hasta que estén listas para cocer. Cúbralas sólo si cree que se secan demasiado. La pasta larga como los tagliatelle se puede colgar en palos de escoba o cucharas largas de madera colocadas entre dos sillas.

CÓMO DARLE FORMA

Para preparar **farfalle** se necesitan láminas de pasta fresca de 2,5 mm de espesor. Con una rueda dentada en zigzag apoyada en una regla, corte rectángulos de 2,5 x 5,5 cm. Dóblelos por el medio hacia el centro formando una pajarita y déjelos sobre un paño de cocina seco de 10 a 12 minutos para que se sequen. Pasados 5 minutos, corrija las láminas torcidas.

Para elaborar los **orecchiette**, utilice masa reposada sin aplanar. Divídala en partes manejables y haga cilindros finos de 1 cm de diámetro. Trabajando con un solo cilindro a la vez, corte rodajas de unos 2,5 mm de grosor. Enrolle cada rodaja entre el pulgar y una tabla de madera ligeramente enharinada. Conseguirá una especie de caracolas en forma de oreja, más gruesas que otros tipos de pasta y con un inconfundible toque casero. Colóquelas sobre un paño de cocina para que se sequen superficialmente.

SALSAS CLÁSICAS

A veces, resulta difícil distinguir si se come pasta con salsa o salsa con pasta. Si bien la diferencia es sutil, según la tradición italiana, la pasta ha de condimentarse con la salsa y no nadar en ella. Prepare estas salsas clásicas utilizando los ingredientes más frescos y viértalas sobre la pasta. Recuerde la filosofía de los italianos con respecto a la salsa ya que, de otro modo, no conseguirá los mejores resultados.

Tras cocer las habas, pélelas. Si le resulta difícil, puede hacerles un pequeño corte o romper la punta.

Con un cuchillo, corte las puntas de las judías. Retire las yemas leñosas de los espárragos.

PRIMAVERA

Tiempo de preparación: 25 minutos
Tiempo de cocción: de 10 a 15 minutos
Para 4 personas

★

500 g de pasta

1 taza (155 g) de habas (pueden ser congeladas)

200 g de judías verdes

155 g de espárragos frescos

30 g de mantequilla

1 taza (250 ml) de nata líquida

60 g de queso parmesano recién rallado

1 En una olla grande con agua hirviendo y sal, cueza la pasta hasta que esté al dente. Escúrrala y devuélvala a la olla. Reserve caliente.

2 En una olla con agua hirviendo, cueza las judías durante 2 minutos. Échelas en agua fría y escúrralas. Pele las habas y deseche el pellejo. Normalmente basta con apretar para que salgan. Si no es suficiente, hágales un pequeño corte.

3 Corte las puntas de las judías y quite las yemas leñosas de los espárragos. Corte los espárragos en tiras cortas.

4 En una sartén de fondo pesado con mantequilla fundida, cueza las hortalizas, la nata líquida y el parmesano a fuego medio durante 3 ó 4 minutos o hasta que las judías y los espárragos adquieran un color verde brillante y estén tiernos. Salpimiente y vierta la salsa sobre los espaguetis. Mezcle bien y sirva enseguida.

NOTA: Aunque normalmente la salsa primavera acompaña a los espaguetis, en la foto aparecen spaghettini, una variante más pequeña de éstos.

VALOR NUTRITIVO POR RACIÓN: *Proteínas 30 g; grasas 35 g; hidratos de carbono 95 g; fibra dietética 12 g; colesterol 105 mg; 3420 kJ (815 cal)*

POMODORO

Tiempo de preparación: 15 minutos
Tiempo de cocción: de 10 a 15 minutos
Para 4 personas

⭐

500 g de pasta
1½ cucharadas de aceite de oliva
1 cebolla picada muy fina
2 latas de 400 g de tomates triturados
¼ taza (7 g) de hojas de albahaca frescas

1 En una olla grande con agua hirviendo y sal, cueza la pasta hasta que esté al dente. Escúrrala y devuélvala a la olla. Reserve caliente.
2 En una sartén grande con aceite caliente, cueza la cebolla a fuego medio hasta que esté transparente. Añada el tomate triturado y remueva durante 5 ó 6 minutos a fuego lento o hasta que la salsa se reduzca ligeramente y se espese. Sazone con sal y pimienta recién molida. Agregue las hojas de albahaca y cueza durante un minuto más. Vierta la salsa sobre la pasta caliente y mézclelas bien. Sirva enseguida. Condimente con parmesano recién rallado, si así lo desea.
NOTA: Aunque esta salsa se suele servir con tagliatelle, en la ilustración aparece con fettucine.

VALOR NUTRITIVO POR RACIÓN: *Proteínas 20 g; grasas 10 g; hidratos de carbono 95 g; fibra dietética 10g; colesterol 5 mg; 2295 kJ (545 cal)*

PASO A PASO

Con un cuchillo afilado, parta la cebolla por la mitad y córtela en aros finos, pero sin que se desprendan de la raíz.

Seguidamente, córtela en una dirección y después en la opuesta para conseguir dados pequeños.

PASO A PASO

Tras quitarle la piel, corte las lonchas de bacon en dados.

Ralle un poco de nuez moscada con la parte más fina del rallador.

BOLOÑESA CLÁSICA

Tiempo de preparación: 25 minutos
Tiempo de cocción: 3 horas como mínimo
Para 4 personas

50 g de mantequilla

180 g de lonchas gruesas de bacon sin piel y cortadas a dados

1 cebolla grande picada fina

1 zanahoria picada fina

1 tallo de apio picado fino

400 g de carne magra picada

150 g de hígados de pollo picados finos

2 tazas (500 ml) de caldo de buey

1 taza (250 ml) de concentrado de tomate

1/2 taza (125 ml) de vino tinto

1/4 cucharadita de nuez moscada recién rallada

500 g de pasta

queso parmesano recién rallado para servir

1 Caliente la mitad de la mantequilla en una sartén de fondo pesado. Añada el bacon y fríalo hasta que esté dorado. Agregue la cebolla, la zanahoria y el apio y fríalos a fuego lento durante 8 minutos, removiendo de vez en cuando.

2 Suba el fuego, añada la mantequilla restante y, cuando la sartén esté caliente, agregue la carne picada. Deshaga los grumos con un tenedor y remueva hasta que esté dorada. Agregue los hígados de pollo y remueva hasta que cambien de color. Incorpore el caldo de buey, el tomate, el vino, la nuez moscada y sal y pimienta al gusto.

3 Cuando vuelva a hervir, tape y deje cocer a fuego lento de 2 a 5 horas, añadiendo caldo si la salsa se reseca.

4 En una olla grande con agua hirviendo y sal, cueza la pasta hasta que esté al dente. Escúrrala bien y repártala en los boles precalentados. Vierta la salsa por encima y parmesano recién rallado.

NOTA: La salsa boloñesa solía acompañar los tagliatelle pero aquí la servimos con espaguetis.

VALOR NUTRITIVO POR RACIÓN: *Proteínas 45 g; grasas 35 g; hidratos de carbono 95 g; fibra dietética 9 g; colesterol 145 mg; 3860 kJ (920 cal)*

ALFREDO

Tiempo de preparación: 10 minutos

Tiempo de cocción: 15 minutos

Para 4 a 6 personas

500 g de pasta

90 g de mantequilla

1 ¹/₂ tazas (150 g) de queso parmesano recién rallado

1 ¹/₄ tazas (315 ml) de nata líquida

3 cucharadas de perejil picado

1 En una olla grande con agua hirviendo y sal, cueza la pasta hasta que esté al dente. Escúrrala y devuélvala a la olla.

2 Mientras la pasta se cuece, caliente la mantequilla en una sartén a fuego lento. Agregue el queso parmesano y la nata líquida y llévelo al punto de ebullición sin dejar de remover. Baje el fuego y cueza a fuego lento hasta que la salsa se espese ligeramente. Agregue el perejil fresco y salpimiente al gusto. Remueva todo bien.

3 Vierta la salsa y revuelva para que recubra la pasta. Este plato se puede decorar con hierbas picadas o ramitas de hierbas frescas como el tomillo.

NOTA: Normalmente, los fettucine se sirven con esta salsa, como muestra la foto, aunque se puede utilizar cualquier otro tipo de pasta. Es una salsa muy fácil de preparar y debe elaborarse justo antes de que la pasta esté cocida.

VALOR NUTRITIVO POR RACIÓN (6): *Proteínas 20 g; grasas 40 g; hidratos de carbono 60 g; fibra dietética 4 g; colesterol 125 mg; 2875 kJ (685 cal)*

PASO A PASO

Conviene rallar el parmesano justo antes de utilizarlo. De lo contrario, pierde sabor y se seca.

Utilice un cuchillo grande y afilado para picar el perejil. La manera más fácil de hacerlo es apoyando la punta del cuchillo e ir girando.

PASO A PASO

Pique las hortalizas en trozos pequeños antes de incorporarlas al aceite caliente.

Corte también los tomates en trozos pequeños antes de añadirlos junto al perejil, el azúcar y el agua.

NAPOLITANA

Tiempo de preparación: 20 minutos
Tiempo de cocción: 1 hora
Para 4 personas

2 cucharadas de aceite de oliva

1 cebolla picada fina

1 zanahoria picada fina

1 tallo de apio picado fino

500 g de tomates muy maduros picados

2 cucharadas de perejil fresco picado

2 cucharaditas de azúcar

500 g de pasta

1 En una sartén de fondo pesado con aceite caliente, añada la cebolla, la zanahoria y el apio. Tape la sartén y cueza durante 10 minutos a fuego lento, removiendo de vez en cuando.
2 Incorpore el tomate, el perejil, el azúcar y ¹/₂ taza (125 ml) de agua. Llévelo a ebullición,

baje el fuego, tape y deje cocer a fuego lento durante 45 minutos, removiendo de vez en cuando. Sazone con sal y pimienta negra recién molida al gusto. Si fuera necesario, añada hasta ³/₄ taza (185 ml) de agua para conseguir la consistencia deseada.

3 Unos 15 minutos antes de servir, cueza la pasta en una olla grande con agua hirviendo y sal hasta que esté al dente. Escúrrala y devuélvala a la olla. Vierta la salsa sobre la pasta y remueva con suavidad; sírvala en cuencos o en platos individuales.

NOTA: Normalmente, esta salsa acompaña a los espaguetis, pero puede utilizar cualquier otro tipo de pasta. En la foto aparecen penne rigate. Se puede concentrar la salsa prolongando la cocción. Guárdela en el frigorífico y añada agua o caldo para aclararla cuando la vuelva a calentar.

VALOR NUTRITIVO POR RACIÓN (6): *Proteínas 10 g; grasas 7 g; hidratos de carbono 65 g; fibra dietética 6 g; colesterol 0 mg; 1540 kJ (365 cal)*

CARBONARA
(SALSA CREMOSA CON BACON Y HUEVO)

Tiempo de preparación: 15 minutos
Tiempo de cocción: 25 minutos
Para 4 a 6 personas

8 lonchas de bacon

500 g de pasta

4 huevos

½ taza (50 g) de queso parmesano recién rallado

1¼ tazas (315 ml) de nata líquida

1 Quite la piel al bacon y córtelo en tiras finas. Fríalo en una sartén de fondo pesado hasta que esté crujiente. Déjelo escurrir sobre papel de cocina.

2 En una olla grande con agua hirviendo y sal, cueza la pasta hasta que esté al dente. Escúrrala y devuélvala a la olla.

3 Mientras la pasta se cuece, bata los huevos, el parmesano y la nata líquida en un cuenco hasta conseguir una mezcla uniforme. Añada el bacon y remueva. Vierta la salsa sobre la pasta caliente y remueva suavemente hasta que la salsa recubra la pasta.

4 Caliéntelo todo a fuego muy lento durante ½ ó 1 minuto o hasta que se espese ligeramente. Puede añadir pimienta negra molida al gusto.

NOTA: Aunque tradicionalmente este plato se prepara con fettucine, puede utilizar cualquier otro tipo de pasta. En la foto aparecen tagliatelle.

VALOR NUTRITIVO POR RACIÓN (6): *Proteínas 30 g; grasas 35 g; hidratos de carbono 60 g; fibra dietética 4 g; colesterol 225 mg; 2895 kJ (690 cal)*

PASO A PASO

Fría las tiras de bacon en una sartén de fondo pesado y remueva para que no se quemen.

Después de batir los huevos con el parmesano y la nata líquida, añada el bacon escurrido y mézclelo todo.

PASO A PASO

En un robot de cocina, triture los piñones, la albahaca, el ajo, la sal y el queso durante 20 segundos.

Con el robot de cocina en marcha, vierta el aceite de modo que la mezcla vaya espesando al tiempo que se vuelve más homogénea.

PESTO

Tiempo de preparación: de 10 a 15 minutos
Tiempo de cocción: ninguno
Para 4 a 6 personas

★

500 g de pasta

3 cucharadas de piñones

2 tazas (100 g) de hojas frescas de albahaca

2 dientes de ajo pelados

1/2 cucharadita de sal

3 cucharadas de parmesano recién rallado

2 cucharadas de queso pecorino recién rallado (opcional)

1/2 taza (125 ml) de aceite de oliva

1 En una olla grande con agua hirviendo y sal, cueza la pasta hasta que esté al dente. Escúrrala y devuélvala a la olla. Reserve caliente.

2 Unos 5 minutos antes de que la pasta esté lista, eche los piñones en una sartén de fondo pesado a fuego lento y remueva durante 2 ó 3 minutos o hasta que estén dorados. Déjelo enfriar. Triture los piñones, las hojas de albahaca, el ajo, la sal y el queso en un robot de cocina, durante 20 segundos. Rebañe la mezcla que vaya a parar a las paredes del tazón.

3 Con el robot de cocina en marcha, vierta lentamente el aceite de modo que la mezcla vaya espesando al tiempo que se vuelve más homogénea. Añada pimienta negra recién molida al gusto. Remueva la salsa con la pasta caliente hasta que la recubra.

NOTA: Aunque los linguine se sirven tradicionalmente con esta salsa, puede elegir la pasta que prefiera. La salsa al pesto se puede preparar incluso una semana antes y guardarse en el frigorífico, en un envase hermético. Compruebe que el envase esté bien cerrado y selle la superficie con film transparente o vierta algo de aceite por encima, para que la salsa no se oscurezca.

VALOR NUTRITIVO POR RACIÓN (6): *Proteínas 15 g; grasas 30 g; hidratos de carbono 60 g; fibra dietética 5 g; colesterol 8 mg; 2280 kJ (540 cal)*

AMATRICIANA
(SALSA PICANTE DE BACON Y TOMATE)

Tiempo de preparación: 45 minutos
Tiempo de cocción: 20 minutos
Para 4 a 6 personas

6 lonchas finas de pancetta o 3 lonchas
   de bacon

1 kg de tomates muy maduros

500 g de pasta

1 cucharada de aceite de oliva

1 cebolla pequeña picada muy fina

2 cucharaditas de guindilla fresca picada fina

virutas de queso parmesano para servir

1 Corte la pancetta o el bacon en trocitos. Marque una cruz en la base de los tomates. Déjelos en agua hirviendo durante 1 ó 2 minutos, escúrralos y sumérjalos en agua fría un momento.

Pele los tomates a partir de la cruz. Córtelos por la mitad, despepítelos y píquelos.

2 En una olla grande con agua hirviendo y sal, cueza la pasta hasta que esté al dente. Escúrrala y devuélvala a la olla.

3 Unos 5 minutos antes de que la pasta esté cocida, caliente el aceite en una sartén de fondo pesado. Añada la pancetta o el bacon, la cebolla y la guindilla y remueva a fuego medio durante 3 minutos. Incorpore el tomate y salpimiente al gusto. Baje el fuego y cueza otros 3 minutos. Vierta la salsa sobre la pasta y remueva bien. Decore con virutas de parmesano. También puede añadir pimienta negra molida al gusto.

NOTA: Se cree que este plato procede del pueblo de Amatrice, donde el bacon es un apreciado producto autóctono. Pruebe a utilizar tomates de los llamados "de pera" en lugar de los normales. Tienen una pulpa firme, pocas pepitas y un sabor delicioso una vez cocidos. Aquí son bucatini, pero puede utilizar cualquier otro tipo de pasta.

VALOR NUTRITIVO POR RACIÓN (6): *Proteínas 15 g; grasas 9 g; hidratos de carbono 60 g; fibra dietética 6 g; colesterol 15 mg; 1640 kJ (390 cal)*

PASO A PASO

Saque los tomates del agua fría y pélelos en sentido descendente desde la cruz.

Córtelos por la mitad, despepítelos con una cucharilla y pique la pulpa.

BOSCAIOLA CREMOSA

Tiempo de preparación: 15 minutos
Tiempo de cocción: de 20 a 25 minutos
Para 4 personas

★

500 g de pasta

6 lonchas de bacon sin piel y picado

200 g de champiñones botón cortados
en láminas

2 1/2 tazas (600 ml) de nata líquida

2 cebolletas cortadas en rodajas

1 cucharada de perejil fresco picado

1 En una olla grande con agua hirviendo y sal,
cueza la pasta hasta que esté al dente. Escúrrala
y devuélvala a la olla. Reserve caliente.
2 Mientras cuece la pasta, caliente una cucharada
de aceite en una sartén grande y fría el bacon y
los champiñones. Remueva todo durante 5 minutos o hasta que el bacon se dore.

3 Añada un poco de nata líquida y rasque el
fondo de la sartén con una cuchara de madera
para desprender los trozos de bacon pegados.
4 Agregue la nata líquida restante, llévelo a ebullición y cueza a fuego alto durante 15 minutos
o hasta que la salsa tenga el espesor necesario
para que se adhiera al dorso de una cuchara de
madera. Añada las cebolletas y remueva. Vierta
la salsa sobre la pasta y remuévalo todo. Sirva
aderezado con el perejil.
NOTA: Aunque esta salsa normalmente acompaña a los espaguetis, puede utilizar cualquier otro
tipo de pasta. En la foto aparecen casereccie. Si
no tiene 15 minutos para reducir la salsa, puede
espesarla con 2 cucharaditas de harina de maíz
mezcladas con una cucharada de agua. Remueva
hasta que la mezcla hierva y espese. Boscaiola
significa leñador, y es que los leñadores recogían,
tradicionalmente, champiñones.

VALOR NUTRITIVO POR RACIÓN: *Proteínas 30 g;
grasas 60 g; hidratos de carbono 95 g; fibra dietética 8 g;
colesterol 200 mg; 4310 kJ (1025 cal)*

PASO A PASO

Añada un poco de nata
líquida y rasque el fondo de
la sartén con una cuchara
de madera para desprender
el bacon pegado.

Cueza la salsa a fuego vivo
hasta que se pegue al dorso
de una cuchara de madera.

PUTTANESCA
(SALSA CON ALCAPARRAS, ACEITUNAS Y ANCHOAS)

Tiempo de preparación: 20 minutos
Tiempo de cocción: 20 minutos
Para 4 personas

500 g de pasta

2 cucharadas de aceite de oliva

3 dientes de ajo majados

2 cucharaditas de perejil fresco picado

$^1/_4$ ó $^1/_2$ cucharadita de guindilla en copos
   o en polvo

2 latas de 425 g de tomate triturado

1 cucharada de alcaparras

3 filetes de anchoas

$^1/_4$ taza (45 g) de aceitunas negras

queso parmesano recién rallado para servir

1 En una olla con agua hirviendo y sal, cueza la pasta hasta que esté al dente. Escúrrala y devuélvala a la olla. Reserve caliente.

2 Mientras la pasta se cuece, caliente el aceite en una sartén grande de fondo pesado. Agregue el ajo, el perejil y la guindilla y cueza a fuego medio durante 1 minuto, sin dejar de remover.

3 Añada el tomate y caliéntelo todo hasta que rompa a hervir. Tape la olla, baje el fuego y cueza a fuego lento, durante 5 minutos.

4 Incorpore las alcaparras, las anchoas y las aceitunas y remueva otros 5 minutos. Sazónelo al gusto y remueva suavemente para que la salsa se distribuya de manera uniforme. Sirva enseguida con parmesano recién rallado.

NOTA: Aunque esta salsa suele acompañar a los espaguetis, puede utilizar cualquier otro tipo de pasta. Los lasagnette que aparecen en la foto dan al plato un aspecto original.

VALOR NUTRITIVO POR RACIÓN: *Proteínas 20 g; grasas 15 g; hidratos de carbono 95 g; fibra dietética 9 g; colesterol 8 mg; 2510 kJ (595 cal)*

PASO A PASO

Coloque un diente de ajo sobre la tabla, apoye un cuchillo de hoja plana encima y déle un golpe seco con el canto de la mano.

Añada una pizca de sal al ajo y píquelo grueso. Con el cuchillo inclinado, aplaste el ajo.

Corte las guindillas por la mitad y quíteles la punta. Protéjase las manos con guantes de goma.

Pique las guindillas finamente. Si quiere conseguir un sabor más suave, retire las pepitas y la piel.

ARRABIATTA
(SALSA PICANTE DE TOMATE)

Tiempo de preparación: 30 minutos
Tiempo de cocción: 50 minutos
Para 4 personas

★

½ taza (75 g) de tocino

2 ó 3 guindillas rojas frescas

2 cucharadas de aceite de oliva

1 cebolla grande picada fina

1 diente de ajo picado fino

500 g de tomates muy maduros picados finos

500 g de pasta

2 cucharadas de perejil fresco picado

queso parmesano o pecorino recién rallado
 para servir

1 Con un cuchillo grande, corte el tocino en dados pequeños. Para no irritarse las manos al picar las guindillas, es conveniente llevar guantes de goma. En una sartén grande de fondo pesado con aceite caliente, cueza el tocino, la guindilla, la cebolla y el ajo a fuego lento, durante 8 minutos, removiendo de vez en cuando.

2 Agregue el tomate picado junto con ½ taza (125 ml) de agua y sazone con sal y pimienta negra recién molida al gusto. Tape la olla y cueza a fuego lento durante 40 minutos o hasta que la salsa espese.

3 Cuando la salsa ya esté casi lista, cueza la pasta en una olla grande con agua hirviendo y sal hasta que esté al dente. Escúrrala y devuélvala a la olla.

4 Agregue el perejil a la salsa. Pruébela y sazónela de nuevo si es necesario. Vierta la salsa en la olla y remueva suavemente. Sirva con queso parmesano o pecorino recién rallado espolvoreado por encima.

NOTA: Aunque normalmente esta salsa acompaña a los penne rigate, puede utilizar cualquier otro tipo de pasta.

VALOR NUTRITIVO POR RACIÓN: *Proteínas 20 g; grasas 25 g; hidratos de carbono 95 g; fibra dietética 9 g; colesterol 20 mg; 2880 kJ (685 cal)*

MARINARA

Tiempo de preparación: 50 minutos
Tiempo de cocción: 30 minutos
Para 4 personas

1 cebolla picada

2 dientes de ajos majados

1/2 taza (125 ml) de vino tinto

2 cucharadas de concentrado de tomate

1 lata de 425 g de tomate triturado

1 taza (250 ml) de salsa de tomate preparada

1 cucharadita de albahaca y 1 de orégano frescos picados

12 mejillones limpios sin barbas

30 g de mantequilla

125 g de calamares pequeños en aros

125 g de filetes de pescado blanco sin espinas

200 g de gambas crudas peladas y limpias, pero con la cola intacta

500 g de pasta

1 En una sartén con aceite caliente, fría la cebolla y el ajo a fuego lento de 2 a 3 minutos. Suba el fuego, añada el vino, el concentrado de tomate, el tomate y la salsa de tomate. Deje cocer a fuego lento de 5 a 10 minutos o hasta que la salsa se espese; remueva de vez en cuando. Añada las hierbas y sazone al gusto. Mantenga caliente.

2 Mientras cuece la salsa, hierva 1/2 taza (125 ml) de agua en una cacerola. Agregue los mejillones, tape y cuézalos al vapor de 3 a 5 minutos o hasta que cambien de color y se abran. Deseche los cerrados y reserve el resto. Vierta el líquido de la cocción sobre la salsa de tomate y remueva.

3 En una sartén con mantequilla, saltee los calamares, el pescado y las gambas por tandas, de 1 a 2 minutos o hasta que estén cocidos. Agregue el marisco a la salsa de tomate caliente y remueva.

4 En una olla grande con agua hirviendo y sal, cueza la pasta hasta que esté al dente. Escúrrala, vierta la salsa de marisco sobre la pasta y sirva.

NOTA: Esta salsa suele servirse con espaguetis.

VALOR NUTRITIVO POR RACIÓN: *Proteínas 40 g; grasas 10 g; hidratos de carbono 100 g; fibra dietética 10 g; colesterol 205 mg; 2840 kJ (675 cal)*

PASO A PASO

Retire las barbas de los mejillones y deseche los abiertos. Rasque las conchas para eliminar la suciedad y la arena.

Tras retirar los espadones, corte los calamares en aros finos.

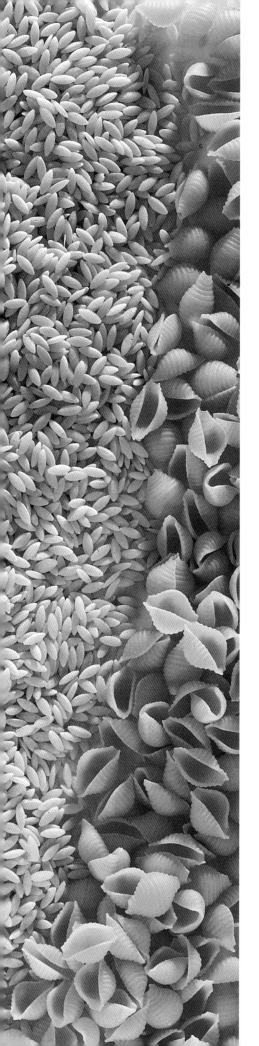

SOPAS

La sopa alimenta el espíritu, ya que proporciona calor y sosiego y nos trae el recuerdo de cenas invernales. Para preparar la mejor sopa, cueza sus ingredientes preferidos en un sabroso caldo y añada como colofón un puñado de pasta. Los conchiglie y los fusilli pueden convertir una sopa en un guiso, mientras que los tortellini o los ravioli hacen de un consomé claro un plato principal. Incluso existen pastas muy pequeñas ideales para la sopa. De hecho, la pasta y la sopa se complementan tan bien como los macaroni y la minestrone.

agua en una cacerola grande y honda. Cuézalo todo durante 10 minutos a fuego lento. Retire la piel de limón y lleve todo a ebullición.

3 Incorpore los tortellini y el perejil y sazone con pimienta negra. Cueza durante 6 ó 7 minutos o hasta que la pasta esté al dente. Decore con las tiras finas de piel de limón.

NOTA: Puede utilizarse albahaca fresca picada en lugar de perejil. Espolvoree con un poco de parmesano recién rallado si lo desea

VALOR NUTRITIVO POR RACIÓN (6): *Proteínas 10 g; grasas 2 g; hidratos de carbono 45 g; fibra dietética 4 g; colesterol 10 mg; 1060 kJ (250 cal)*

SOPA DE POLLO, PUERROS Y GARBANZOS

Tiempo de preparación: 15 minutos
Tiempo de cocción: 20 minutos
Para 4 personas

☆

4 tazas (1 litro) de caldo de pollo

125 de pasta pequeña

20 g de mantequilla

1 puerro cortado en rodajas

1 diente de ajo majado

$^1/_2$ taza (110 g) de garbanzos cocidos

1 cucharada de harina

2 cucharadas de perejil plano fresco picado

una pizca de pimienta de Cayena

200 g de carne de pollo cocida y picada

1 Lleve a ebullición el caldo de pollo en una cacerola grande. Agregue la pasta y cuézala hasta que quede tierna. Retire la pasta con una espumadera. Mantenga el caldo en el fuego.

2 Mientras tanto, caliente la mantequilla en una cacerola, agregue el puerro y el ajo y remueva hasta que quede dorado pero no marrón. Incorpore los garbanzos, remueva durante un minuto y espolvoree con la harina. Fría durante 10 segundos e introduzca el caldo hirviendo de manera gradual.

3 Añada el perejil, la pimienta de Cayena y sal y pimienta negra al gusto. Agregue la pasta y la carne de pollo en la sartén y llévelo a ebullición antes de servir.

VALOR NUTRITIVO POR RACIÓN: *Proteínas 15 g; grasas 8 g; hidratos de carbono 30 g; fibra dietética 4 g; colesterol 50 mg; 1075 kJ (255 cal)*

CALDO AL LIMÓN CON TORTELLINI

Tiempo de preparación: 10 minutos
Tiempo de cocción: 20 minutos
Para 4–6 personas

☆

1 limón

$^1/_2$ taza (125 ml) de vino blanco de buena calidad

1 lata de 440 g de consomé de pollo

375 g de tortellini frescos o secos rellenos de ternera o pollo

4 cucharadas de perejil fresco picado

1 Con un pelapatatas, corte tiras anchas de piel de limón. Elimine la parte blanca con un cuchillo pequeño y afilado y corte tres de los trozos en tiras finas. Reserve para decorar.

2 Mezcle las tiras anchas de piel de limón, el vino blanco, el consomé y 3 tazas (750 ml) de

ARRIBA: Caldo al limón con tortellini

MINESTRONE

Tiempo de preparación:
30 minutos + una noche en remojo
Tiempo de cocción: 3 horas
Para 6 a 8 personas

250 g de judías borlotti secas puestas
en remojo la noche anterior

2 cebollas picadas

2 dientes de ajos majados

3 lonchas de bacon picadas

4 tomates "Roma" (también llamados
de "pera") pelados y picados

3 cucharadas de perejil fresco picado

9 tazas (2,25 litros) de caldo vegetal o de carne

1/4 taza (60 ml) de vino tinto

1 zanahoria picada

1 nabo cortado en dados

2 patatas cortadas en dados

2 calabacines en rodajas

3 cucharadas de concentrado de tomate
(doble concentrado)

1/2 taza (80 g) de guisantes

1/2 taza (80 g) de macaroni

parmesano rallado y pesto para acompañar

1 Escurra las judías, aclárelas y cúbralas con agua
fría en una olla. Llévelas a ebullición. Cuézalo a
fuego lento durante 15 minutos. Escurra.

2 Caliente 2 cucharadas de aceite de oliva en
una sartén de fondo pesado y fría la cebolla, el
ajo y el bacon sin dejar de remover hasta que la
cebolla quede transparente y el bacon dorado.

3 Agregue el tomate, el perejil, las judías, el caldo y el vino tinto, tape y cueza a fuego lento
durante 2 horas. Añada zanahoria, nabo, patata y
el concentrado. Tape y cueza otros 20 minutos.

4 Incorpore las hortalizas y la pasta. Tape y cueza a fuego lento hasta que queden tiernos. Sazone y sirva con parmesano y pesto por encima.
Puede decorar el plato con hierbas aromáticas.

VALOR NUTRITIVO POR RACIÓN (8): *Proteínas 15 g;
grasas 7 g; hidratos de carbono 35 g; fibra dietética 8 g;
colesterol 8 mg; 1135 kJ (270 cal)*

JUDÍAS BORLOTTI

Las judías borlotti o judías
rojas, son unas judías grandes y arriñonadas muy
apreciadas en el norte y el
centro de Italia. Tienen un
sabor parecido a las nue-
ces y una carne cremosa
ideal para sopas y guisos,
pero también se pueden
utilizar en ensaladas o
purés. Se encuentran frescas en primavera y verano,
pero también las hay secas
o en conserva.

ARRIBA: Minestrone

SOPA DE TIRABEQUES, GAMBAS Y PASTA

Tiempo de preparación: 30 minutos
Tiempo de cocción: 15 minutos
Para 4 personas

12 gambas grandes crudas

100 gramos de tirabeques

1 cucharada de aceite

2 cebollas picadas

6 tazas (1,5 litros) de caldo de pollo

1/2 cucharadita de jengibre fresco rallado

200 g de pasta de cabello de ángel
    o spaghetinni

hojas frescas de albahaca

ABAJO: Sopa de tirabeques, gambas y pasta

1 Pele y limpie las gambas pero deje la cola intacta. Corte las puntas de los tirabeques y córtelos en trozos pequeños si son demasiado grandes.

2 En una olla con aceite caliente, cueza la cebolla a fuego lento hasta que quede tierna. Añada el caldo de pollo y hágalo hervir.

3 Incorpore el jengibre fresco, los tirabeques, las gambas y la pasta. Cueza a fuego medio durante 4 minutos. Salpimiente y sirva enseguida decorado con hojas frescas de albahaca.

VALOR NUTRITIVO POR RACIÓN: *Proteínas 20 g; grasas 6 g; hidratos de carbono 40 g; fibra dietética 4 g; colesterol 85 mg; 1255 kJ (300 cal)*

CALDO CON RISSONI Y CHAMPIÑONES

Tiempo de preparación: 15 minutos
Tiempo de cocción: de 20 a 25 minutos
Para 4 personas

90 g de mantequilla

2 dientes de ajos majados

2 cebollas grandes en rodajas

375 g de champiñones en láminas finas

5 tazas (1,25 litros) de caldo de pollo

125 g de rissoni

1 1/4 tazas (315 ml) de nata líquida

1 Derrita la mantequilla en una olla grande a fuego lento. Añada el ajo y la cebolla y cueza durante 1 minuto. Agregue las láminas de champiñón y cueza a fuego lento durante 5 minutos sin que se doren. Reserve unas cuantas láminas para decorar. Añada el caldo de pollo y deje cocer durante 10 minutos.

2 Mientras tanto, cueza los rissoni en una olla grande con agua hirviendo y sal hasta que estén al dente. Escúrralos y reserve.

3 Deje que el caldo con los champiñones se enfríe un poco, después trabájelo en un robot de cocina o una batidora hasta que la textura quede fina.

4 Vierta esta mezcla en la olla, agregue los rissoni y la nata líquida, removiendo. Caliéntelo todo bien y salpimiente al gusto. Sirva en una sopera o en cuencos individuales. Decore con los champiñones restantes.

VALOR NUTRITIVO POR RACIÓN: *Proteínas 10 g; grasas 55 g; hidratos de carbono 30 g; fibra dietética 5 g; colesterol 165 mg; 2660 kJ (635 cal)*

PUERROS
Al igual que las cebollas, los puerros pertenecen a la familia de los *allium*. Son apreciados por su sabor delicado y ligeramente dulce y se utilizan tanto crudos como cocidos. Los bulbos de los puerros son cilíndricos, no redondos. Entre sus hojas, planas, recias y muy compactas, suele depositarse arena, por lo que conviene limpiarlas bien después de desechar las puntas verdes. Sólo se utiliza la parte blanca y tierna.

SOPA DE JUDÍAS Y SALCHICHAS

Tiempo de preparación: 25 minutos
Tiempo de cocción: 40 minutos
Para 4 a 6 personas

4 salchichas

2 cucharaditas de aceite de oliva

2 puerros en rodajas

1 diente de ajo majado

1 zanahoria grande cortada en dados pequeños

2 tallos de apio cortado en rodajas

2 cucharadas de harina

2 pastillas de caldo de carne desmenuzadas

8 tazas (2 litros) de agua caliente

1/2 taza (125 ml) de vino blanco

125 de conchiglie (caracolas)

450 g de judías secas variadas cocidas

1 Corte las salchichas en trozos pequeños y fríalas en una cacerola grande de fondo pesado con aceite caliente durante 5 minutos o hasta que estén doradas; no deje de remover. Retire de la cacerola y deje escurrir sobre servilletas de papel.

2 Agregue los puerros, el ajo, la zanahoria y el apio y fría durante 2 ó 3 minutos o hasta que queden tiernos removiendo de vez en cuando.

3 Añada la harina y remueva durante 1 minuto. Agregue las pastillas de caldo, el agua y el vino de manera gradual y remueva. Lleve a ebullición, baje el fuego y cueza lentamente durante 10 minutos.

4 Incorpore la pasta y los guisantes. Suba el fuego y cueza de 8 a 10 minutos o hasta que la pasta esté tierna. Devuelva las salchichas a la cacerola y salpimiente al gusto. Sirva con perejil fresco picado, si lo desea.

NOTA: Puede utilizar guisantes secos si lo prefiere. Póngalos en un cuenco, cúbralos con agua y déjelos en remojo durante toda la noche. Escúrralos y viértalos en una olla grande con suficiente agua para cubrirlos bien. Lleve a ebullición, baje el fuego y cueza lentamente durante 1 hora. Escúrralos bien antes de añadirlos a la sopa.

VALOR NUTRITIVO POR RACIÓN (6): *Proteínas 15 g; grasas 10 g; hidratos de carbono 30 g; fibra dietética 9 g; colesterol 20 mg; 1145 kJ (270 cal)*

ARRIBA: Sopa de judías y salchichas

1 Incorpore el pollo, la zanahoria, el apio y el puerro en una cacerola grande de fondo pesado. Aparte el pollo a un lado y añada las claras a las hortalizas. Con un batidor, bátalas durante un minuto hasta que queden espumosas (utilice una cacerola que no se ralle con el batidor).

2 Caliente el caldo en otra cacerola y añádalo gradualmente a la primera sin dejar de batir para montar las claras. Siga batiendo y hágalo hervir lentamente. Con una cuchara, haga un hueco en la clara montada y cueza a fuego lento durante 30 minutos, sin remover.

3 Recubra un colador grande con un paño de cocina húmedo o una doble capa de muselina. Cuele el caldo a un cuenco limpio (deseche el pollo y las hortalizas). Sazone con sal, pimienta y tabasco al gusto. Reserve.

4 Para la pasta de cilantro: Tamice la harina en un cuenco y haga un hueco en el centro. Bata el huevo y el aceite y viértalos en el hueco. Mézclelo todo para conseguir una masa blanda y trabájela sobre una superficie ligeramente enharinada durante 2 minutos hasta que esté suave.

5 Divida la masa en cuatro partes iguales. Extienda una parte con el rodillo hasta que quede muy fina y cúbrala con hojas de cilantro distribuidas de manera uniforme. Extienda otra parte, colóquela sobre las hojas y pase suavemente el rodillo sobre las dos capas. Repita estos pasos con la pasta y el cilantro restantes.

6 Corte en cuadrados las hojas de pasta. Puede dejar reposar y desecar la pasta si no la va a utilizar inmediatamente. Para preparar la sopa, lleve a ebullición el caldo de pollo, añada la pasta y cueza a fuego lento durante 1 minuto. Sirva enseguida.

NOTA: Las claras de huevo en el caldo vegetal y de pollo hacen que el caldo se vuelva muy claro y que pierda el aspecto turbio del caldo de pollo. A esto se le llama aclarar el caldo. Cuando cuele el caldo con una muselina o un paño de cocina, no apriete la parte sólida o de lo contrario el caldo se enturbiará. Conviene hacer un agujero en la espuma de las claras para evitar que el caldo hierva demasiado.

VALOR NUTRITIVO POR RACIÓN: *Proteínas 25 g; grasas 5 g; hidratos de carbono 20 g; fibra dietética 5 g; colesterol 95 mg; 920 kJ (220 cal)*

CILANTRO FRESCO

El cilantro o perejil chino se utiliza en todas las cocinas del mundo. Y todas las partes de la planta son comestibles: las semillas secas se utilizan en Asia y Oriente Medio por su fragancia, y molidas son la base del curry en polvo. En la cocina mexicana, las hojas frescas se utilizan con frecuencia, mientras que en Tailandia se aprovechan tanto los tallos y las raíces como las hojas.

ARRIBA: Caldo picante de pollo con pasta de cilantro

CALDO PICANTE DE POLLO CON PASTA DE CILANTRO

Tiempo de preparación: 1 hora
Tiempo de cocción: 50 minutos
Para 4 personas

350 g de muslos o alas de pollo
    sin piel

2 zanahorias picadas finas

2 tallos de apio picados finos

2 puerros pequeños picados finos

3 claras de huevo

6 tazas (1,5 litros) de caldo de pollo
salsa tabasco

Pasta de cilantro

1/2 taza (60 g) de harina

1 huevo

1/2 cucharadita de aceite de sésamo

90 g de hojas de cilantro

SOPA DE TOMATE CON PASTA Y ALBAHACA

Tiempo de preparación: 25 minutos
Tiempo de cocción: de 35 a 40 minutos
Para 4 personas

3 tomates grandes muy maduros (unos 750 g)

2 cucharadas de aceite de oliva

1 cebolla picada fina

1 diente de ajo majado

1 pimiento rojo pequeño picado fino

4 tazas (1 litro) de caldo vegetal o de pollo

1/4 taza (60 g) de concentrado de tomate (doble concentrado)

1 cucharadita de azúcar

1/4 taza (15 g) de hojas frescas de albahaca

1 taza (155 g) de conchiglie o macarrones

1 Corte una cruz pequeña en la parte superior de los tomates. Sumérjalos en agua hirviendo de 1 a 2 minutos y luego en agua fría. Pélelos en sentido descendente desde la cruz y deseche la piel. Despepítelos y píquelos gruesos. En una cazuela grande con aceite caliente, fría la cebolla, el ajo y el pimiento rojo removiendo durante 10 minutos o hasta que estén tiernos. Agregue el tomate y cueza otros 10 minutos.

2 Incorpore el caldo, el concentrado de tomate y el azúcar y salpimiente al gusto. Tape la cazuela y cueza a fuego lento durante 15 minutos. Retire del fuego y añada las hojas de albahaca. Deje enfriar un poco y triture la mezcla por tandas en un robot de cocina o una batidora hasta que quede fina. Devuelva la mezcla a la cazuela y caliente ligeramente.

3 Mientras se hace la sopa, cueza la pasta en una olla grande con agua hirviendo y sal hasta que esté al dente. Escúrrala, añádala a la sopa y caliente bien. Decore con hojas de albahaca si lo desea.

NOTA: La albahaca se añade al final de la cocción para que no pierda sabor.

VALOR NUTRITIVO POR RACIÓN: *Proteínas 10 g; grasas 10 g; hidratos de carbono 40 g; fibra dietética 5 g; colesterol 0 mg; 1200 kJ (285 cal)*

ALBAHACA

Aunque existen muchas variedades de esta hierba aromática como condimento, la más utilizada es la albahaca dulce. La albahaca tiene un papel importante en las cocinas italiana y asiática, especialmente en la indonesia. Suele utilizarse fresca y se añade en el último momento; tan sólo se emplea seca en platos con sabores fuertes y que requieren una cocción prolongada. Las hojas de albahaca presentan un alto contenido de humedad y se estropean con facilidad. Por lo tanto, es mejor trocearlas que picarlas; cuanto menos se corten, menos se ennegrecerán.

IZQUIERDA: Sopa de tomate con pasta y albahaca

BRÉCOL

El brécol pertenece a la familia de la col. De hecho, es de la misma variedad que la coliflor, *botrytis*, nombre que en griego significa "en forma de racimo" como un puñado de uvas. Además de aportar color y sabor a un plato, el brécol tiene un gran valor nutritivo, puesto que contiene una cantidad considerable de vitaminas y minerales esenciales. Es fácil de hervir o de preparar al vapor, pues se cuece de manera rápida y uniforme. Se puede preparar en puré y los ramilletes dan consistencia a ensaladas y sofritos.

ARRIBA: Sopa de gambas y albahaca (superior), sopa de brécol

SOPA DE GAMBAS Y ALBAHACA

Tiempo de preparación: 45 minutos
Tiempo de cocción: de 15 a 20 minutos
Para 4 personas

2 cucharadas de aceite de oliva

20 g de mantequilla

2 dientes de ajo

1 cebolla roja pequeña cortada en aros finos

2 tallos de apio cortados en juliana

3 zanahorias pequeñas cortadas en juliana

1 cucharada de perejil fresco picado fino

1 ½ cucharadas de albahaca fresca picada fina

una pizca de pimienta de Cayena

500 g de gambas crudas, limpias y peladas

½ taza (125 ml) de jerez semi-seco

4 tazas (1 litro) de caldo de pollo

70 g de conchiglie

3 cucharadas de nata líquida

1 Caliente el aceite y la mantequilla en una cazuela grande y fría la cebolla y los dientes de ajo pelados de 2 a 3 minutos a fuego lento.
2 Añada el apio y la zanahoria y fríalos hasta que se doren pero sin que queden oscuros. Agregue el perejil, la albahaca y la pimienta de Cayena. Remueva un poco, incorpore las gambas y revuélvalo todo bien. Retire los dientes de ajo.
3 Vierta el jerez, suba el fuego y cueza durante 2 o 3 minutos. Agregue el caldo de pollo, llévelo a ebullición y baje el fuego. Cueza a fuego lento durante 5 minutos.
4 Agregue los conchiglie y cueza a fuego lento hasta que la pasta esté al dente. Vierta la nata líquida, remueva y sazone con sal y pimienta negra recién molida al gusto.

VALOR NUTRITIVO POR RACIÓN: *Proteínas 25 g; grasas 20 g; hidratos de carbono 20 g; fibra dietética 5 g; colesterol 270 mg; 1710 kJ (410 cal)*

SOPA DE BRÉCOL

Tiempo de preparación: 15 minutos
Tiempo de cocción: 20 minutos
Para 4 personas

2 cucharadas de aceite de oliva

1 cebolla grande en aros finos

50 g de prosciutto o jamón sin ahumar cortado en dados

1 diente de ajo majado

5 tazas (1,25 litros) de caldo de pollo

50 g de stellini u otros tipos de pasta pequeña

250 g de brécol, la parte superior en ramilletes pequeños y los tallos tiernos en juliana

queso parmesano recién rallado para servir

1 En una cazuela grande con aceite caliente, fría la cebolla, el prosciutto y el ajo durante 4 o 5 minutos a fuego lento.
2 Vierta el caldo de pollo y llévelo a ebullición. Baje ligeramente el fuego y cueza 10 minutos con la cazuela ligeramente destapada.
3 Agregue los stellini y el brécol y cueza hasta que la pasta esté al dente y el brécol crujiente por fuera pero tierno por dentro. Sazone con sal y pimienta negra recién molida, al gusto. Sirva con el parmesano rallado en cuencos precalentados.

VALOR NUTRITIVO POR RACIÓN: *Proteínas 10 g; grasas 15 g; hidratos de carbono 10 g; fibra dietética 5 g; colesterol 10 mg; 850 kJ (250 cal)*

SOPA DE BACON Y GUISANTES

Tiempo de preparación: 20 minutos
Tiempo de cocción: 15 minutos
Para 4 a 6 personas

⭐

4 lonchas de bacon

50 g de mantequilla

1 cebolla grande picada fina

1 tallo de apio en rodajas finas

8 tazas (2 litros) de caldo de pollo

1 taza (155 g) de guisantes congelados

250 g de rissoni

2 cucharadas de perejil fresco picado

1 Quite la corteza y la grasa al bacon y córtelo en trozos pequeños.

2 En una cacerola grande de fondo pesado con mantequilla fundida, fría el bacon, la cebolla y el apio a fuego lento durante 5 minutos; remueva de vez en cuando. Agregue los guisantes, tape la cacerola y cueza a fuego lento otros 5 minutos. Suba el fuego, vierta los rissoni y deje cocer.

3 Salpimiente al gusto y sirva con el perejil picado por encima.

VALOR NUTRITIVO POR RACIÓN (6): *Proteínas 10 g; grasas 10 g; hidratos de carbono 35 g; fibra dietética 5 g; colesterol 35 mg; 1130 kJ (270 cal)*

OTRAS SUGERENCIAS

PAN DE HIERBAS Para elaborar pan de hierbas, mezcle 125 g de mantequilla ablandada, 1/2 taza (30 g) de hierbas picadas y un diente de ajo picado fino. Corte una barra de pan en rebanadas sin que lleguen a desprenderse y úntelas con la mantequilla. Vuelva a juntarlas en una barra, envuelva con papel de aluminio y hornee a 180ºC durante 30 minutos o hasta que quede crujiente. Siempre puede omitir el ajo, si así lo prefiere.

APIO

Aunque da sabor a muchos platos, el apio también es delicioso al natural, braseado, cocido o fresco en ensaladas. Todos los tallos son fibrosos pero es probable que deba retirar los de fuera, que son más oscuros, para picarlos e incluirlos sobre todo en guisados, mientras que los más claros y tiernos se pueden comer crudos. No es preciso quitar las hebras de los corazones de apio, pues resultan ideales para brasear. Las semillas secas de la planta son un buen condimento por su aroma y su ligero sabor amargo.

ARRIBA: Sopa de bacon y guisantes

BERENJENAS

La berenjena, una de las hortalizas más atractivas que existen, nos ofrece un sorprendente abanico de formas y colores: puede ser grande y bulbosa, delgada y parecida a un dedo o pequeña y redonda como un tomate "cherry". Los colores, que a veces forman franjas, van del púrpura oscuro al verde o el blanco. Elíjalas con la piel lisa y brillante y la pulpa firme pero no dura.

ARRIBA: Sopa de pasta y ratatouille

SOPA DE PASTA Y RATATOUILLE

Tiempo de preparación: 25 minutos + reposo
Tiempo de cocción: 40 minutos
Para 6 personas

1 berenjena mediana

2 cucharadas de aceite de oliva

1 cebolla grande picada

1 pimiento rojo grande picado

1 pimiento verde grande picado

2 dientes de ajo majados

3 calabacines en rodajas

2 latas de 400 g de tomate triturado

1 cucharadita de hojas secas de orégano

$^1/_2$ cucharadita de hojas secas de tomillo secas

4 tazas (1 litro) de caldo vegetal

$^1/_2$ taza (45 g) de fusilli

virutas de queso parmesano para servir

1 Trocee la berenjena. Para eliminar su sabor amargo, disponga los trozos en un colador y sálelos abundantemente. Reserve durante 20 minutos, aclárelos bien y séquelos con servilletas de papel.

2 En una cacerola grande de fondo pesado con aceite caliente, cueza la cebolla a fuego medio durante 10 minutos o hasta que esté tierna y ligeramente dorada. Añada los pimientos, el ajo, los calabacines y la berenjena y sofría durante 5 minutos.

3 Agregue el tomate, las hierbas y el caldo vegetal. Llévelo a ebullición, baje el fuego y cueza a fuego lento durante 10 minutos o hasta que las hortalizas estén tiernas. Incorpore los fusilli y cueza otros 15 minutos o hasta que la pasta quede tierna. Sirva con virutas de parmesano.

NOTA: Pruebe esta deliciosa sopa servida con pan italiano.

VALOR NUTRITIVO POR RACIÓN: *Proteínas 5 g; grasas 5 g; hidratos de carbono 20 g; fibra dietética 5 g; colesterol 0 mg; 640 kJ (150 cal)*

SOPA AL PESTO
(SOPA VEGETAL CON SALSA DE ALBAHACA)

Tiempo de preparación: 1 hora
Tiempo de cocción: de 35 a 40 minutos
Para 8 personas

3 ramitas de perejil fresco

1 ramita grande de romero fresco

1 ramita grande de tomillo fresco

1 ramita grande de mejorana fresca

1 hoja de laurel

1/4 taza (60 ml) de aceite de oliva

2 cebollas en aros finos

1 puerro en rodajas finas

375 g de calabaza en trozos pequeños

250 g de patatas en trozos pequeños

1 zanahoria cortada por la mitad a lo largo
  y luego en rodajas finas

2 calabacines pequeños en rodajas finas

1 cucharadita de sal

8 tazas (2 litros) de agua o caldo vegetal

1/2 taza (80 g) de habas frescas o congeladas

1/2 taza (80 g) de guisantes frescos o congelados

2 tomates muy maduros pelados y picados

1/2 taza (80 g) de macaroni o conchiglie

Pesto

1/2 taza (25 g) de hojas frescas de albahaca

2 dientes de ajo grandes, majados

1/2 cucharadita de pimienta negra

1/3 taza (35 g) de parmesano recién rallado

1/3 taza (80 g) de aceite de oliva

1 Con un cordel, ate el perejil, el romero, el tomillo, la mejorana y la hoja de laurel. En una olla de fondo pesado, cueza la cebolla y el puerro a fuego lento durante 10 minutos o hasta que estén tiernos.

2 Agregue el manojo de hierbas, la calabaza, la patata, la zanahoria, los calabacines, la sal y el agua o el caldo. Tape y deje cocer a fuego lento durante 10 minutos o hasta que las verduras estén casi tiernas.

3 Añada las habas, los guisantes, los tomates y la pasta. Tape y cueza durante otros 15 minutos o hasta que las verduras estén muy tiernas y la pasta cocida (agregue agua si es preciso). Retire las hierbas. Mientras la sopa se cuece, prepare el pesto.

4 Para el pesto: triture la albahaca, el ajo, la pimienta y el queso con un robot de cocina durante 20 segundos o hasta que estén muy picadas. Con el robot en marcha, vierta el aceite de forma gradual hasta obtener una masa fina. Rocíe con un poco de pesto y sirva.

NOTA: Esta sopa es muy nutritiva, por lo que la recomendamos como plato principal. Puede prepararla con las hortalizas del tiempo que más le apetezcan. Sírvala con rebanadas de pan fresco, panecillos o pan al estilo libanés.

VALOR NUTRITIVO POR RACIÓN: *Proteínas 5 g; grasas 20 g; hidratos de carbono 20 g; fibra dietética 5 g; colesterol 5 mg; 1150 kJ (275 cal)*

HABAS

Las habas son las legumbres más utilizadas en Europa. Sólo la propia haba es comestible. Las habas más pequeñas se pueden comer crudas. Cuando maduran, su piel se endurece, por lo que conviene pelarlas salvo que se utilicen en estofados o sopas, donde se las cocerá hasta que estén tiernas. Las habas son fáciles de pelar una vez se han hervido o cocido al vapor. Las habas secas tienen un sabor inconfundible, una pulpa harinosa y un color apagado.

ARRIBA: Sopa al pesto

PASTA Y JUDÍAS

Aunque la combinación de pasta y judías puede resultar extraña, ambas tienen una afinidad gastronómica reconocida. En Italia cada región tiene su propia receta de *pasta e fagioli* con la especialidad de pasta local y sus judías preferidas mezcladas con hortalizas, salchichas e incluso queso parmesano. La combinación de pasta y judías resulta altamente proteica, por lo que constituye un buen plato vegetariano.

ABAJO: Sopa de pasta y judías

SOPA DE PASTA Y JUDÍAS

Tiempo de preparación:
  20 minutos + una noche en remojo
Tiempo de cocción: 1 hora 25 minutos
Para 4 a 6 personas

250 g de judías borlotti puestas en remojo
  la noche anterior
1 hueso de rodilla de jamón
1 cebolla picada
una pizca de canela molida
una pizca de pimienta de Cayena
2 cucharaditas de aceite de oliva
2 tazas (500 ml) de caldo de pollo
125 g de tagliatelle (al natural o de espinacas)
  troceados

1 Escurra y aclare las judías borlotti. Cúbralas con agua fría en una olla y llévelas a ebullición. Remueva, baje el fuego y cuézalas durante 15 minutos.

2 Escurra las judías y viértalas en una olla grande. Añada el hueso de jamón, la cebolla, la canela, la pimienta de Cayena, el aceite de oliva y el caldo y cubra con agua fría. Tape bien la olla y cueza a fuego lento durante 1 hora o hasta que las habas estén cocidas y empiecen a espesar el caldo. Retire el corvejón y separe la carne. Píquela y devuélvala a la olla. Deseche el hueso.

3 Corrija de sal si es preciso. Haga hervir la sopa, vierta los tagliatelle y cuézalos hasta que estén al dente. Retire la olla del fuego y deje reposar durante 1 a 2 minutos. Sirva el plato decorado con hierbas aromáticas frescas, si lo desea.

VALOR NUTRITIVO POR RACIÓN (6): *Proteínas 15 g; grasas 3 g; hidratos de carbono 40 g; fibra dietética 6 g; colesterol 4 mg; 1025 kJ (245 cal)*

SOPA DE POLLO Y PASTA

Tiempo de preparación: 20 minutos
Tiempo de cocción: 20 minutos
Para 4 personas

2 pechugas de pollo

90 g de setas

2 cucharadas de aceite de oliva

1 cebolla cortada en daditos

180 g de espaguetis troceados

6 tazas (1,5 litros) de caldo de pollo

1 taza (35 g) de hojas frescas de albahaca
   troceadas

1 Corte las pechugas de pollo en daditos y trocee las setas. En una cacerola con aceite caliente,
fría la cebolla hasta que esté tierna y dorada.
Añada el pollo, las setas, los espaguetis y el caldo
y lleve todo a ebullición.
2 Cueza a fuego lento durante 10 minutos.
Agregue las hojas frescas de albahaca y remueva.
Sazone con sal y pimienta negra recién molida
al gusto.
NOTA: Esta sopa es muy espesa, por lo que
puede añadir algo de caldo para aclararla.
Es preferible consumirla enseguida.

VALOR NUTRITIVO POR RACIÓN: *Proteínas 20 g;
grasas 10 g; hidratos de carbono 35 g; fibra dietética 4 g;
colesterol 30 mg; 1380 kJ (330 cal)*

SOPA DE AJO, PASTA Y PESCADO

Tiempo de preparación: 30 minutos
Tiempo de cocción: 40 minutos
Para 4 a 6 personas

4 cucharadas de aceite de oliva

1 puerro cortado en rodajas

de 20 a 30 dientes de ajo en láminas finas

2 patatas picadas

2 litros de caldo de pescado

1/2 taza (75 g) de pasta pequeña

10 calabacines amarillos pequeños en mitades

2 calabacines en rodajas gruesas

300 g de filetes de abadejo en trozos grandes

1 ó 2 cucharadas de zumo de limón

2 cucharadas de albahaca fresca en tiras

1 En una cacerola grande con aceite caliente,
cueza el puerro, el ajo y las patatas a fuego
medio durante 10 minutos. Agregue 500 ml
de caldo y cueza otros 10 minutos.
2 Déjelo enfriar ligeramente y tritúrelo por
tandas con un robot de cocina o una batidora.
3 Vierta el caldo restante en la cacerola y hágalo
hervir. Agregue la pasta, el calabacín y el calabacín amarillo junto con el puré y cueza a fuego
lento durante 15 minutos.
4 Cuando la pasta esté tierna, incorpore el pescado y cueza durante 5 minutos o hasta que esté
tierno. Agregue el zumo de limón y la albahaca
y salpimiente al gusto.

VALOR NUTRITIVO POR RACIÓN (6): *Proteínas 15 g;
grasas 15 g; hidratos de carbono 20 g; fibra dietética 4 g;
colesterol 35 mg; 1165 kJ (275 cal)*

*ARRIBA: Sopa
de pollo y pasta*

CALABAZAS

Las calabazas pertenecen a la familia de los calabacines. Debido a su gran contenido en agua, se cuecen más rápidamente que las patatas u otras hortalizas. Cuando cueza calabazas para elaborar puré, pruebe a hornearlas en lugar de hervirlas. De esta manera se consigue una textura más firme, mientras que el sabor de la calabaza se acentúa y recuerda al de las nueces.

*ARRIBA: Sopa
campesina de pasta*

SOPA CAMPESINA DE PASTA Y CALABAZA

Tiempo de preparación: 25 minutos
Tiempo de cocción: 20 minutos
Para 4 a 6 personas

★

700 g de calabaza

2 patatas

1 cucharada de aceite de oliva

30 g de mantequilla

1 cebolla grande picada

2 dientes de ajo majados

12 tazas (3 litros) de caldo de pollo preparado

125 g de stellini o rissoni

perejil fresco picado para servir

1 Pele la calabaza y las patatas y córtelas en daditos. Caliente el aceite y la mantequilla en una cacerola grande. Agregue la cebolla y el ajo y cueza a fuego lento durante 5 minutos, sin dejar de remover.

2 Incorpore la calabaza, la patata y el caldo de pollo. Suba el fuego, tape la sartén y cueza durante 10 minutos o hasta que las hortalizas queden tiernas.

3 Añada la pasta y cuézala durante 5 minutos o hasta que esté tierna, removiendo de vez en cuando. Espolvoree con el perejil y sirva enseguida.

NOTA: Según el tipo de calabaza que utilice, obtendrá un sabor más o menos dulce. Para conseguir el mejor sabor y evitar que la sopa quede salada, elija un caldo de pollo de buena calidad.

VALOR NUTRITIVO POR RACIÓN (6): *Proteínas 5 g; grasas 10 g; hidratos de carbono 35 g; fibra dietética 5 g; colesterol 15 mg; 1000 kJ (240 cal)*

SOPA DE CORDERO Y FUSILLI

Tiempo de preparación: 25 minutos
Tiempo de cocción: 40 minutos
Para 6 a 8 personas

500 g de carne magra de cordero
  cortada en dados
2 cebollas picadas finas
2 zanahorias cortadas en dados
4 tallos de apio cortados en dados
1 lata de 425 g de tomate triturado
8 tazas (2 litros) de caldo de carne
500 g de fusilli
perejil fresco picado
  para decorar

1 En una cacerola grande con un poco de aceite caliente, fría el cordero por tandas hasta que esté dorado. Cuando esté lista, retire cada tanda y déjela escurrir sobre servilletas de papel. Añada la cebolla y cuézala durante 2 minutos o hasta que esté tierna. Devuelva la carne a la sartén.
2 Agregue la zanahoria, el apio, el tomate y el caldo de carne. Remueva y haga hervir todo. Baje el fuego, tape y cueza a fuego lento durante 15 minutos.
3 Incorpore los fusilli. Remueva un poco para que la pasta no se pegue a la cacerola. Cueza a fuego lento otros 10 minutos o hasta que la carne esté tierna y la pasta cocida. Sirva el plato con perejil fresco picado por encima.

VALOR NUTRITIVO POR RACIÓN (8): *Proteínas 25 g; grasas 5 g; hidratos de carbono 50 g; fibra dietética 5 g; colesterol 40 mg; 1400 kJ (330 cal)*

CALDO DE CARNE

El caldo de carne de ternera es la base de muchas sopas y acentúa el sabor de guisos y estofados. Un buen caldo también se puede tomar como consomé ligero. Reducido a concentrado, se utiliza como un condimento para salsas. El caldo de ternera y de pollo se utilizan en recetas de cordero y cerdo, porque el cordero da un sabor fuerte y el cerdo, un suave sabor dulzón.

ARRIBA: Sopa de cordero y fusilli

ANTIPASTO

¿Existe acaso alguna manera mejor de abrir el apetito? El antipasto, que se podría traducir literalmente como "antes de la pasta", tiene su origen en los banquetes de la antigua Roma y resulta ideal para cualquier fiesta.

FRITTATA DE SALAMI Y PATATA

En una sartén antiadherente de 20 cm de diámetro, vierta 2 cucharadas de aceite y fría 2 patatas cortadas en daditos. Agregue 50 g de salami italiano picante cortado grueso y fríalo removiendo de vez en cuando durante 10 minutos o hasta que la patata esté tierna. Incorpore 8 huevos poco batidos y cueza a fuego medio otros 10 minutos. Déle la vuelta como a una tortilla de patatas y cuézala durante 3 minutos más o hasta que esté firme. Retírela de la sartén y déjela enfriar un poco antes de cortarla en porciones. Para 6 a 8 personas.

VALOR NUTRITIVO POR RACIÓN (8): *Proteínas 8 g; grasas 10 g; hidratos de carbono 4 g; fibra dietética 1 g; colesterol 185 mg; 660 kJ (155 cal)*

MEJILLONES RELLENOS

Limpie 500 g de mejillones y elimine los barbas. Deseche los abiertos. Cueza los mejillones en agua hirviendo durante 3 minutos o hasta que se abran (deseche los cerrados). Escurra y deje enfriar. Retire la valva superior y coloque los mejillones en una fuente de horno. Precaliente el horno a 200°C. En una sartén

con 1 cucharada de aceite de oliva, fría una cebolla picada fina hasta que se dore. Agregue 2 tomates maduros picados y 2 dientes de ajo majados. Retire del fuego y sazone al gusto. Vierta un poco de salsa sobre cada concha. Mezcle 1 taza (80 g) de pan recién rallado y 20 g de queso parmesano rallado fino y esparza por encima. Hornee durante 10 minutos o hasta que el pan rallado quede crujiente. Para 6 a 8 personas.

VALOR NUTRITIVO POR RACIÓN (8):
Proteínas 15 g; grasas 5 g; hidratos de carbono 8 g; fibra dietética 1 g; colesterol 65 mg; 545 kJ (130 cal)

GALLETAS DE POLENTA CON CHORIZO Y SALSA

Haga hervir 3 tazas (750 ml) de agua en una cacerola. Añada gradualmente 3/4 taza (110 g) de polenta (harina de maíz) y remueva a fuego medio hasta que la mezcla se despegue de los bordes de la cacerola. Agregue 100 g de queso cheddar rallado, 50 g de mozzarella rallada y una cucharada de orégano fresco picado. Remueva la mezcla y distribúyala en una bandeja engrasada de unos 28 x 18 cm. Déjela enfriar durante 2 horas o hasta que esté firme. Corte galletas de unos 5 cm de diámetro con un cortapastas, úntelas con aceite y hornéelas hasta que se doren. Corte 4 rodajas finas de chorizo y dórelas por ambas caras en una sartén antiadherente. Vierta salsa de tomate en conserva sobre las galletas y añada un pedazo de chorizo. Decore con hojas frescas de orégano. Para 6 a 8 personas.

VALOR NUTRITIVO POR RACIÓN (8):
Proteínas 9 g; grasas 15 g; hidratos de carbono 10 g; fibra dietética 1 g; colesterol 30 mg; 945 kJ (225 cal)

SARDINAS A LA BARBACOA

Mezcle 3 cucharadas de zumo de limón, 2 cucharadas de aceite de oliva y 1 ó 2 dientes de ajo pelados y partidos. Unte una parrilla precalentada con un poco de aceite y ase 20 filetes de sardinas plateadas a fuego alto. Mientras se cuecen, úntelas con la mezcla de limón. Disponga las 20 sardinas en una fuente para servir.

VALOR NUTRITIVO POR SARDINA:
Proteínas 3 g; grasas 4 g; hidratos de carbono 0 g; fibra dietética 0 g; colesterol 15 mg; 220 kJ (50 cal)

ARRIBA, DESDE LA IZQUIERDA:
Frittata de salami y patata, mejillones rellenos, galletas de polenta con chorizo y salsa, sardinas a la barbacoa

ANTIPASTO

BERENJENAS Y PIMIENTOS A LA PARRILLA

Corte una berenjena grande en rodajas de 1 cm. Corte 2 pimientos rojos por la mitad, quíteles la membrana y despepítelos. Coloque los pimientos rojos con la piel hacia arriba bajo el grill caliente y áselos durante 8 minutos o hasta que la piel se vuelva negra y rugosa. Retírelos del horno y cúbralos con un paño de cocina húmedo. Una vez fríos, pélelos y corte la pulpa en tiras gruesas. Unte las rodajas de berenjena con aceite de oliva abundante y áselas a fuego medio hasta que adquieran un color dorado intenso. Déles la vuelta con cuidado, unte la otra cara y áselas hasta que estén doradas. No ponga el fuego demasiado alto, pues una cocción lenta permite que el azúcar de la berenjena se caramelice. Mezcle las berenjenas y los pimientos en una ensaladera y aderécelos con 2 dientes de ajo majados, 2 cucharadas de aceite de oliva virgen extra, una pizca de sal y 2 cucharadas de perejil fresco picado. Tape la ensalada y déjela macerar en el frigorífico durante toda la noche. Sirva este plato a temperatura ambiente. Para 4 a 6 personas.

VALOR NUTRITIVO POR RACIÓN (6): *Proteínas 1 g; grasas 15 g; hidratos de carbono 3 g; fibra dietética 2 g; colesterol 0 mg; 670 kJ (160 cal)*

BOLAS DE PESTO Y BOCCONCINI

En un robot de cocina, triture la mezcla de 1 taza (50 g) de hojas frescas de albahaca, 3 cucharadas de piñones y de queso parmesano recién rallado, y dos dientes de ajo. Con el robot en marcha, añada 1/3 taza (80 ml) de aceite de oliva de forma gradual y mezcle hasta conseguir una pasta. Vierta ésta en un cuenco y añada 300 g de bocconcini pequeño. Remueva con suavidad, tape y deje macerar en el frigorífico durante 2 horas. Para 4 a 6 personas.

VALOR NUTRITIVO POR RACIÓN (6): *Proteínas 15 g; grasas 30 g; hidratos de carbono 1 g; fibra dietética 1 g; colesterol 35 mg; 1400 kJ (335 cal)*

TOMATES BALSÁMICOS ASADOS

Precaliente el horno a 160°C. Corte 500 g de tomate de pera por la mitad. Colóquelos sobre una bandeja antiadherente y úntelos con aceite de oliva virgen extra. Espolvoree con sal y rocíe con 2 cucharadas de vinagre balsámico. Áselos durante 1 hora, regándolos cada 15 minutos con otras 2 cucharadas de vinagre. Para 6 a 8 personas.

VALOR NUTRITIVO POR RACIÓN (8):
Proteínas 1 g; grasas 2 g; hidratos de carbono 1 g; fibra dietética 1 g; colesterol 0 mg; 135 kJ (30 cal)

BRUSCHETTA

Corte 1 barra de pan en rebanadas gruesas. Pique 500 g de tomates maduros en dados muy pequeños. Corte 1 cebolla roja en daditos. En un cuenco, mezcle el tomate, la cebolla y 2 cucharadas de aceite de oliva. Sazone con sal y pimienta negra recién molida al gusto. Tueste ligeramente las rebanadas y frótelas con un diente de ajo entero mientras aún estén calientes. Extienda un poco de la mezcla de tomate por ambas caras y sirva las bruschettas calientes y decoradas con albahaca fresca. Para 6 a 8 personas.

VALOR NUTRITIVO POR RACIÓN (8):
Proteínas 6 g; grasas 6 g; hidratos de carbono 30 g; fibra dietética 3 g; colesterol 0 mg; 875 kJ (210 cal)

BUÑUELOS DE COLIFLOR

Corte 300 g de coliflor en ramilletes grandes. Cuézalos en una olla grande con agua hirviendo y sal hasta que estén tiernos. Procure no cocerlos demasiado o, de lo contrario, se desmenuzarán. Escúrralos bien y déjelos enfriar un poco. Corte 200 g de queso fontina en daditos e introdúzcalo entre los ramilletes. Bata 3 huevos en un cuenco y sumerja en ellos los ramilletes. Rebócelos en 1/4 taza (40 g) de pan rallado y fríalos por tandas hasta que se doren y estén crujientes. Sírvalos bien calientes. Para 4 a 6 personas.

VALOR NUTRITIVO POR RACIÓN (6):
Proteínas 15 g; grasas 30 g; hidratos de carbono 5 g; fibra dietética 1 g; colesterol 120 mg; 1440 kJ (340 cal)

ARRIBA, DESDE LA IZQUIERDA:
Berenjenas y pimientos a la parrilla, bolas de pesto y bocconcini, tomates balsámicos asados, bruschetta, buñuelos de coliflor

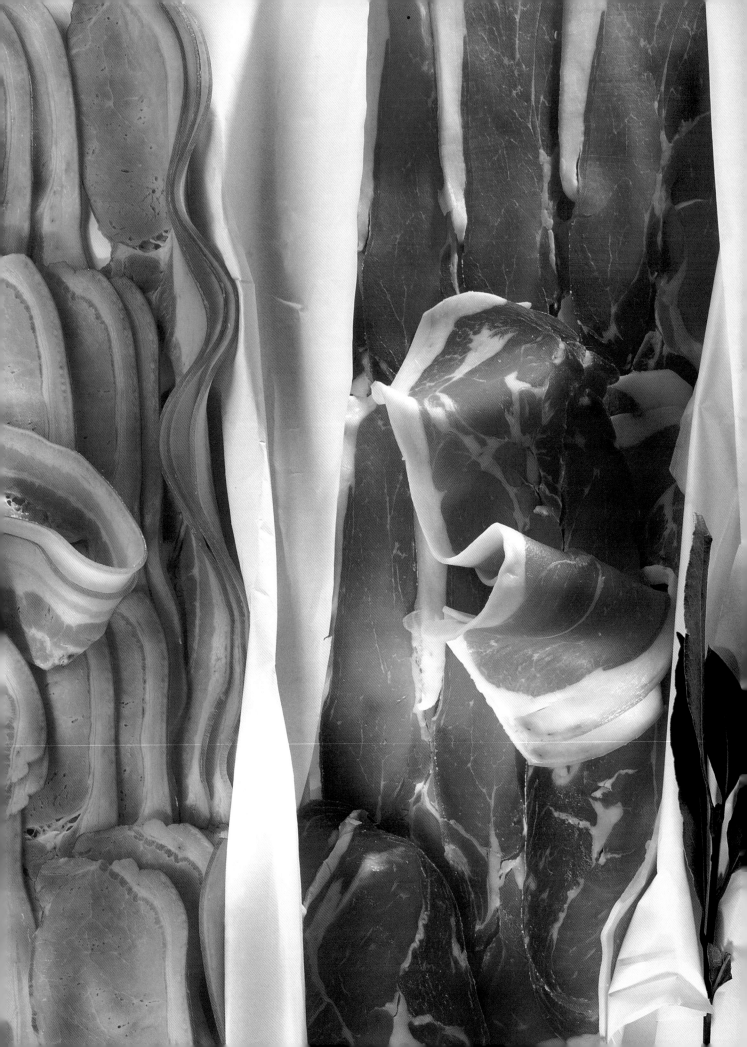

PASTA CON CARNE

No cabe duda de que los espaguetis a la boloñesa es el plato de pasta más internacional. Esta sencilla combinación de pasta, salsa y carne picada resulta exquisita, y es el plato favorito de muchas familias. Aunque por lo general se prepara con carne de ternera, en Bolonia también se suele añadir carne de cerdo e incluso de cordero. Las carnes condimentadas unidas a tomates, verduras y vino convierten un sencillo plato de pasta en una comida abundante, nutritiva y realmente deliciosa.

ESPAGUETIS A LA BOLOÑESA

Éste es uno de los platos de pasta más conocidos que existe y prácticamente todas las familias tienen su propia receta. En este libro encontrará tres versiones distintas de este clásico tan apreciado: la tradicional (página 24), preparada con hígado de pollo y que requiere varias horas de dedicación, la rápida (página 60) y esta receta (izquierda), que resulta ideal para las reuniones familiares.

ARRIBA: Espaguetis a la boloñesa

ESPAGUETIS A LA BOLOÑESA

Tiempo de preparación: 20 minutos
Tiempo de cocción: 1 hora 40 minutos
Para 4 a 6 personas

2 cucharadas de aceite de oliva

2 dientes de ajo majados

1 cebolla grande picada

1 zanahoria picada

1 tallo de apio picado

500 g de carne de ternera picada

2 tazas (500 ml) de caldo de carne

1 1/2 tazas (375 ml) de vino tinto

2 latas de 425 g de tomate triturado

1 cucharadita de azúcar

1/4 taza (7 g) de perejil fresco picado

500 g de espaguetis

queso parmesano recién rallado para servir

1 Caliente el aceite en una sartén grande y honda, añada el ajo, la cebolla, las zanahorias y el apio y remueva durante 5 minutos a fuego lento hasta que las hortalizas se doren.

2 Suba el fuego, agregue la carne picada y remueva deshaciendo los grumos con un tenedor hasta que se dore. Incorpore el caldo, el vino, el tomate, el azúcar y el perejil.

3 Lleve la mezcla a ebullición, baje el fuego y cueza a fuego lento durante 1 1/2 horas, removiendo de vez en cuando. Sazone al gusto.

4 Mientras se hace la salsa, y poco antes de servir, cueza la pasta en una olla grande con agua hirviendo y sal hasta que esté al dente. Escúrrala y repártala entre varios platos. Vierta la salsa sobre la pasta y espolvoree con el parmesano recién rallado.

VALOR NUTRITIVO POR RACIÓN (6): *Proteínas 30 g; grasas 20 g; hidratos de carbono 65 g; fibra dietética 5 g; colesterol 55 mg; 2470 kJ (590 cal)*

TAGLIATELLE A LA CREMA CON TERNERA Y VINO

Tiempo de preparación: 15 minutos
Tiempo de cocción: 20 minutos
Para 4 personas

500 g de escalopes de ternera cortados
  en tiras finas

harina sazonada con sal y pimienta

60 g de mantequilla

1 cebolla cortada en aros

1/2 taza (125 ml) de vino blanco seco

3 ó 4 cucharadas de caldo de carne o de pollo

2 ó 3 tazas (170 ml) de nata líquida

600 g de tagliatelle normales o de espinacas
  (o una mezcla de ambos)

queso parmesano recién rallado

1 Reboce las tiras de ternera con la harina condimentada. En una sartén con la mantequilla fundida, fría rápidamente las tiras de ternera hasta que estén doradas. Retírelas con una espumadera y resérvelas.

2 Incorpore la cebolla y remueva de 8 a 10 minutos hasta que esté tierna y dorada. Vierta el vino y cuézalo rápidamente para que se reduzca. Agregue el caldo y la nata líquida y salpimiente al gusto. Reduzca la salsa de nuevo y añada la ternera hacia el final de la cocción.

3 Mientras tanto, cueza los tagliatelle en una olla grande con agua hirviendo y sal hasta que estén al dente. Escúrralos y páselos a un plato precalentado.

4 Añada 1 cucharada de parmesano a la salsa y remueva. Vierta la salsa sobre la pasta y decórela con un poco de parmesano. Puede añadir hierbas picadas al plato para darle más sabor y como decoración adicional.

NOTA: El complemento ideal de este plato es una ensalada mixta. Si prefiere una salsa más ligera, no utilice nata líquida, pues no por ello perderá en sabor.

VALOR NUTRITIVO POR RACIÓN: *Proteínas 45 g; grasas 35 g; hidratos de carbono 75 g; fibra dietética 5 g; colesterol 205 mg; 3355 kJ (800 cal)*

OTRAS SUGERENCIAS

CALABAZA ASADA CON SALVIA
Precaliente el horno a 220°C. Corte una calabaza en daditos y báñelos en aceite de oliva. Páselos a una fuente de horno, esparza 2 cucharadas de salvia fresca picada por encima y salpimiente al gusto. Hornéelos durante unos 20 minutos o un poco más, si desea que se doren. Espolvoree con un poco de salvia fresca y sirva.

PEPINO CON SEMILLAS DE SÉSAMO TOSTADAS
Corte un pepino en rodajas finas y sazónelo. Añada 2 cucharadas de aceite de sésamo y 1 cucharada de semillas de sésamo tostadas; revuelva. Deje reposar 20 minutos antes de servir.

VINO BLANCO
El vino blanco aporta un toque especial a los platos. Sin embargo, debe utilizarse con moderación y cocerlo hasta que se evapore el alcohol, para que su sabor no destaque. El vino para cocinar debería tener la calidad de un buen vino de mesa. Los vinos secos no afrutados se emplean en platos salados, sobre todo en los de marisco. En cambio, para las recetas dulces se escogen vinos generosos o licores, y no vinos blancos dulces.

ARRIBA: Tagliatelle con ternera, vino y nata líquida

PASTA CON RABO DE BUEY Y APIO

Tiempo de preparación: 20 minutos
Tiempo de cocción: 3 horas 45 minutos
Para 4 personas

★

1,5 kg de rabo de buey troceado

¹/₄ taza (30 g) de harina sazonada

¹/₄ taza (60 g) de aceite de oliva

1 cebolla picada fina

2 dientes de ajo majados

2 tazas (500 ml) de caldo de carne

1 lata de 425 g de tomate triturado

1 taza (250 ml) de vino blanco seco

6 clavos de especia enteros

2 hojas de laurel

3 tallos de apio picados finos

500 g de penne

30 g de mantequilla

3 cucharadas de queso parmesano recién
  rallado

*ARRIBA: Pasta con
rabo de buey y apio*

1 Precaliente el horno a 160°C.

2 Reboce el rabo de buey con la harina sazonada y elimine el exceso de la misma. Caliente la
mitad del aceite en una cacerola grande y dore la
carne por tandas a fuego alto. Pásela a una fuente
resistente al calor.

3 Limpie la cacerola con servilletas de papel.
Caliente el aceite, añada la cebolla y el ajo y
cuézalos a fuego lento hasta que la cebolla esté
tierna. Añada el caldo, el tomate, el vino, los
clavos, las hojas de laurel, la sal y la pimienta.
Remueva hasta que rompa el hervor y viértalo
sobre la carne.

4 Tape y hornee de 2¹/₂ a 3 horas. Agregue
el apio y vuelva a hornear, destapado, durante
30 minutos. Casi al final de la cocción, hierva
la pasta en una olla grande con agua hirviendo
y sal hasta que esté al dente. Escúrrala, añádale
la mantequilla y el parmesano y revuelva. Sirva
la carne y la salsa junto con la pasta.

NOTA: La harina sazonada se obtiene añadiendo
a la harina común, por ejemplo, hierbas aromáticas, sal, pimienta y mostaza en polvo .

VALOR NUTRITIVO POR RACIÓN: *Proteínas 50 g;
grasas 70 g; hidratos de carbono 100 g; fibra dietética 10 g;
colesterol 110 mg; 5200 kJ (1240 cal)*

ESPAGUETIS CON SALAMI Y PIMIENTO

Tiempo de preparación: 15 minutos
Tiempo de cocción: 55 minutos
Para 4 a 6 personas

2 cucharadas de aceite de oliva

1 cebolla grande picada fina

2 dientes de ajo majados

150 g de salami picante cortado en tiras

2 pimientos rojos grandes picados

1 lata de 825 g de tomate triturado

½ taza (125 ml) de vino blanco seco

500 g de espaguetis

1 Caliente el aceite en una sartén grande de fondo pesado y fría la cebolla, el ajo y el salami durante 5 minutos a fuego medio sin dejar de remover. Agregue los pimientos, tape la sartén y deje cocer todo durante 5 minutos más.

2 Incorpore el tomate y el vino blanco seco y deje que hierva. Tape la sartén, baje el fuego y cueza a fuego lento durante 15 minutos. Destape y cueza otros 15 minutos o hasta que la salsa se espese y adquiera la consistencia deseada. Salpimiente al gusto.

3 Unos 15 minutos antes de que la salsa esté lista, cueza los espaguetis en una olla grande con agua hirviendo y sal, hasta que estén al dente. Escúrralos y devuélvalos a la olla. Mezcle la mitad de la salsa con la pasta y sirva los platos con la salsa restante por encima.

VALOR NUTRITIVO POR RACIÓN (6): *Proteínas 20 g; grasas 15 g; hidratos de carbono 70 g; fibra dietética 5 g; colesterol 25 mg; 2150 kJ (510 cal)*

OTRAS SUGERENCIAS

ENSALADA DE PATATA Cueza 1 kg de patatas "baby" con piel en agua hirviendo. Escúrralas y déjelas enfriar. En un cuenco grande, mezcle bien 2 cucharadas de mayonesa con otras 2 de nata agria y 4 cebolletas picadas finas. Añada las patatas y remueva para que queden recubiertas con la salsa. Sazónelas con una pizca de pimienta de Cayena.

SALAMI

El salami es un embutido crudo y curado que se vende con diversos sabores, mezclas de carnes y formas. Puede ser suave o intenso, fresco o muy curado, duro o blando, con la carne más o menos picada. Las carnes más empleadas son el cerdo, la grasa de cerdo y la ternera en distinta proporción, aunque a veces también se utiliza carne de caza. Normalmente, el salami se cura con sal, si bien algunas variedades de regiones montañosas se curan al aire. Es importante no cocerlo demasiado, para que no suelte toda la grasa.

ABAJO: Espaguetis con salami y pimiento

ACEITE DE OLIVA VIRGEN EXTRA

El aceite de oliva virgen extra se obtiene del primer prensado de olivas poco maduras, en el que no se calienta el fruto (prensado en frío) ni se emplean productos químicos. Este aceite espeso y de color intenso casi no tiene acidez y a menudo no ha sido filtrado. Sin embargo, la normativa de la Unión Europea estipula que el único requisito que un aceite de oliva debe cumplir para convertirse en virgen extra es tener una acidez inferior al 1%. Por lo tanto, a las grandes empresas productoras españolas, italianas y francesas les resulta más rentable rectificar aceites de menor calidad hasta conseguir el nivel de acidez exigido. Resulta irónico que los granjeros y las pequeñas cooperativas consideren demasiado costoso el refinado y se aferren a los métodos tradicionales. Es prácticamente imposible que el consumidor pueda ver la diferencia, por lo que la única manera de juzgar la calidad de un aceite es catándolo.

ARRIBA: Espaguetis rápidos a la boloñesa

ESPAGUETIS RÁPIDOS A LA BOLOÑESA

Tiempo de preparación: 15 minutos
Tiempo de cocción: 30 minutos
Para 4 personas

2 cucharaditas de aceite de oliva virgen extra

75 g de bacon o pancetta picados finos

400 g de carne magra picada

2 tazas (500 g) de salsa preparada de tomate para pasta

2 cucharaditas de vinagre de vino tinto

2 cucharaditas de azúcar

1 cucharadita de orégano seco

500 g de espaguetis

queso parmesano recién rallado para servir

1 Caliente el aceite en una sartén grande y fría el bacon o la pancetta hasta que estén ligeramente dorados. Agregue la carne picada y dórela bien, a fuego alto, a la vez que deshace los grumos con un tenedor.

2 Añada la salsa para pasta, el vinagre de vino, el azúcar y el orégano seco y deje que hierva. Baje el fuego y cueza durante 15 minutos. Remueva a menudo para que la salsa no se pegue al fondo de la sartén.

3 Unos 10 minutos antes de que la salsa esté lista, cueza los espaguetis en una olla grande con agua hirviendo y sal. Escúrralos y repártalos en cuatro cuencos. Vierta una cantidad generosa de salsa boloñesa por encima y sirva el plato espolvoreado con parmesano recién rallado.

VALOR NUTRITIVO POR RACIÓN: *Proteínas 40 g; grasas 30 g; hidratos de carbono 100 g; fibra dietética 10 g; colesterol 150 mg; 3505 kJ (835 cal)*

GRATINADO DE PASTA Y CARNE

Tiempo de preparación: 20 minutos
Tiempo de cocción: 2 horas
Para 8 personas

2 cucharadas de aceite de oliva

1 cebolla grande picada

1 kg de carne de ternera picada

1/4 taza (60 ml) de vino tinto

700 ml de salsa de tomate especial para pasta

2 pastillas de caldo de pollo desmenuzadas

2 cucharadas de perejil fresco picado fino

500 g de bucatini

2 claras de huevo poco batidas

2 cucharadas de pan seco rallado

Salsa de queso

50 g de mantequilla

2 cucharadas de harina

2 1/2 tazas (600 ml) de leche

2 yemas de huevo poco batidas

1 taza (125 g) de queso cheddar rallado

1 Caliente el aceite en una cacerola de fondo pesado y fría la cebolla a fuego medio durante 2 minutos o hasta que esté tierna. Agregue la carne picada y, con el fuego alto, vaya removiendo hasta que se dore y casi todo el líquido se haya evaporado.

2 Añada el vino, la salsa y las pastillas de caldo y deje que rompa el hervor. Tape, baje el fuego y cueza durante 1 hora, removiendo de vez en cuando. Retire la cacerola del fuego, agregue el perejil y deje enfriar.

3 Para la salsa de queso: En una cacerola mediana funda la mantequilla a fuego lento, añada la harina y remueva durante 1 minuto o hasta que se dore y no queden grumos. Retire del fuego e incorpore la leche de forma gradual, sin dejar de remover, y cueza a fuego medio durante 5 minutos o hasta que la salsa hierva y comience a espesar. Cueza a fuego lento 1 minuto más. Retire del fuego y deje enfriar un poco. Añada las yemas de huevo y el queso y remueva.

4 Precaliente el horno a 180°C. En una olla grande con agua hirviendo y sal, cueza los bucatini hasta que estén al dente. Escúrralos, páselos por agua fría y escúrralos de nuevo. Mézclelos con las claras de huevo. Extienda la mitad de los bucatini en una fuente de horno untada con aceite. Cúbralos con la mezcla de carne.

5 Mezcle los bucatini restantes con la salsa de queso y extiéndalos sobre la carne. Espolvoree con el pan rallado y hornee durante 45 minutos.

VALOR NUTRITIVO POR RACIÓN: *Proteínas 40 g; grasas 30 g; hidratos de carbono 80 g; fibra dietética 5 g; colesterol 160 mg; 3210 kJ (765 cal)*

OTRAS SUGERENCIAS

ENSALADA DE JUDÍAS A LA VINAGRETA Revuelva los cannellini cocidos o las judías blancas con una vinagreta hecha a base de aceite de nuez, vinagre balsámico y un diente de ajo majado. Añada 2 cucharadas de perejil fresco picado fino, 4 cebolletas picadas finas y un puñado de albahaca troceada. salpimiente bien. Antes de servir, déjelo reposar durante 10 minutos para que las judías absorban el sabor.

ARRIBA: Gratinado de pasta y carne

CHORIZO

El chorizo es un embutido duro condimentado con especias, de color rojo intenso y textura gruesa. Se elabora principalmente con carne y grasa de cerdo a los que se añade ajo y pimentón. Algunos tipos de chorizo se consumen crudos y otros, con menos grasa, son ideales para estofados y sopas. Puede sustituirlo por pepperoni italiano o cualquier otro embutido picante de carne firme con cebolla.

ARRIBA: Rigatoni con chorizo y tomate

RIGATONI CON CHORIZO Y TOMATE

Tiempo de preparación: 15 minutos
Tiempo de cocción: de 20 a 25 minutos
Para 4 personas

2 cucharadas de aceite de oliva

1 cebolla cortada en aros

250 g de chorizo en rodajas

1 lata de 425 g de tomate triturado

1/2 taza (125 ml) de vino blanco seco

1/2 o 1 cucharadita de guindilla picada (opcional)

375 g de rigatoni

2 cucharadas de perejil fresco picado

2 cucharadas de queso parmesano recién rallado

1 En una sartén con aceite caliente, fría la cebolla a fuego lento, removiendo, hasta que esté tierna.

2 Agregue el chorizo y cuézalo de 2 a 3 minutos, revolviendo a menudo. Incorpore el tomate, el vino y la guindilla y salpimiente al gusto. Remueva y deje hervir. Baje el fuego y cueza lentamente de 15 a 20 minutos.

3 Mientras se hace la salsa, cueza los rigatoni en una olla grande con agua hirviendo y sal hasta que estén al dente. Escúrralos y devuélvalos a la olla. Vierta la salsa sobre la pasta caliente y revuelva bien. Sirva el plato espolvoreado con una mezcla de perejil fresco picado y parmesano rallado.

VALOR NUTRITIVO POR RACIÓN: *Proteínas 25 g; grasas 30 g; hidratos de carbono 70 g; fibra dietética 5 g; colesterol 50 mg; 2990 kJ (715 cal)*

ZITI CON HORTALIZAS Y SALCHICHA

Tiempo de preparación: 30 minutos
Tiempo de cocción: 40 minutos
Para 4 personas

1 pimiento rojo
1 pimiento verde
1 berenjena pequeña en rodajas
1/4 taza (60 ml) de aceite de oliva
1 cebolla cortada en aros
1 diente de ajo majado
250 g de chipolata en rodajas
1 lata de 425 g de tomate triturado
1/2 taza (125 ml) de vino tinto
1/4 taza (35 g) de olivas negras sin hueso,
   partidas por la mitad
1 cucharada de albahaca fresca picada
1 cucharada de perejil fresco picado
500 g de ziti
queso parmesano recién rallado para servir

1 Corte los pimientos en trozos grandes y planos. Deseche la membrana y las pepitas. Colóquelos en una bandeja con la piel hacia arriba y áselos bajo el grill durante 8 minutos o hasta que la piel se vuelva negra y rugosa. Retírelos del horno y cúbralos con un paño húmedo. Una vez fríos, pélelos, pique la pulpa y resérvelos.
2 Unte la berenjena con un poco de aceite. Ásela bajo el grill hasta que esté dorada por ambas caras, untándola con más aceite si es preciso. Reserve.
3 Caliente el aceite restante en una sartén y fría la cebolla y el ajo a fuego lento, removiendo, hasta que la cebolla esté tierna. Agregue la chipolata y cueza todo hasta que se dore.
4 Incorpore el tomate, el vino, las olivas, la albahaca y el perejil, y salpimiente al gusto. Deje que rompa el hervor, baje el fuego y cueza durante 15 minutos. Añada las hortalizas y caliente bien.
5 Mientras la salsa se cuece, cueza los ziti en una olla grande con agua hirviendo y sal hasta que estén al dente. Escúrralos y devuélvalos a la olla. Revuelva las hortalizas y la salsa con la pasta caliente y sirva con el parmesano por encima.
NOTA: Los ziti son una pasta tubular muy apropiada para este plato, pero puede sustituirlos por fettucine o espaguetis si así lo prefiere.

VALOR NUTRITIVO POR RACIÓN: *Proteínas 30 g; grasas 35 g; hidratos de carbono 105 g; fibra dietética 10 g; colesterol 35 mg; 3760 kJ (900 cal)*

OTRAS SUGERENCIAS

ESPÁRRAGOS CON MANTEQUILLA DE AVELLANAS AL LIMÓN
Cueza ligeramente los espárragos frescos al vapor o al microondas hasta que estén tiernos. En una sartén pequeña, caliente un poco de mantequilla hasta que adquiera el tono de las nueces y añádale avellanas tostadas picadas gruesas y ralladuras finas de limón. Viértala sobre los espárragos y sirva enseguida.

MAZORCAS DE MAÍZ CON AJO Y CEBOLLINO
Hierva, o cueza al vapor o al microondas, las mazorcas de maíz con el cascabillo. Deseche éste y corte las mazorcas en tres, agregue aceite de oliva virgen extra, mantequilla, ajo majado y cebollinos frescos picados. Salpimiéntelas abundantemente.

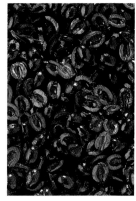

ARRIBA: Ziti con hortalizas y salchicha

VINO TINTO

Cuando quiera enriquecer el sabor de un plato, utilice vino tinto. Su aroma acre y robusto lo convierte en el complemento perfecto de carnes rojas y caza, y su color lo hace ideal para salsas de tomate y fondos de cocción. Se utiliza muy raramente en combinación con productos lácteos para hacer salsas cremosas. El vino tinto más apropiado para cocinar es el joven, equilibrado y con cuerpo, y que resulta igualmente válido como vino de mesa.

ABAJO: Rigatoni con salsa de rabo de buey a la italiana

RIGATONI CON SALSA DE RABO DE BUEY A LA ITALIANA

Tiempo de preparación: 25 minutos
Tiempo de cocción: 2 horas
Para 4 personas

2 cucharadas de aceite de oliva

1,5 kg de rabo de buey troceado

2 cebollas grandes en aros

4 dientes de ajo picados

2 tallos de apio en rodajas finas

2 zanahorias en rodajas finas

2 ramitas grandes de romero

$^1/_4$ taza (60 ml) de vino tinto

$^1/_4$ taza (60 g) de concentrado de tomate (doble concentrado)

4 tomates pelados y picados

6 tazas (1,5 litros) de caldo de carne

500 g de rigatoni o ditaloni

1 En una cacerola grande de fondo pesado con aceite caliente, dore el rabo de buey. Retírelo del fuego y resérvelo. Añada la cebolla, el ajo, el apio y la zanahoria y remueva durante 3 a 4 minutos o hasta que la cebolla comience a dorarse.

2 Devuelva la carne a la cacerola junto con el romero y el vino tinto. Tape y cueza durante 10 minutos agitando la cacerola de vez en cuando para que la carne no se pegue al fondo. Agregue el concentrado de tomate y el tomate picado junto con 2 tazas (500 ml) de caldo de carne. Destape y cueza a fuego lento durante 30 minutos removiendo la mezcla de vez en cuando.

3 Añada 2 tazas más de caldo de carne y continúe la cocción otros 30 minutos. Añada 1 taza de caldo y cueza durante 30 minutos más. Por último, agregue el caldo restante y cueza hasta que el rabo esté tierno y la carne se desprenda del hueso. El líquido debería haberse reducido y la salsa debería resultar espesa.

4 Justo antes de que la carne esté lista, cueza la pasta en una olla grande con agua hirviendo y sal hasta que esté al dente. Sirva la carne y la salsa sobre la pasta caliente.

NOTA: Para conseguir un sabor diferente, añada 250 g de bacon a la mezcla de cebolla, ajo y hortalizas cocidas. Repita el resto de los pasos.

VALOR NUTRITIVO POR RACIÓN: *Proteínas 50 g; grasas 55 g; hidratos de carbono 100 g; fibra dietética 10 g; colesterol 90 mg; 4600 kJ (1100 cal)*

OTRAS SUGERENCIAS

ENSALADA DE PEPINO CON ESPECIAS Pele un pepino largo, córtelo en rodajas y dispóngalas en una fuente. Mezcle una cebolleta picada fina con dos cucharadas de vinagre de arroz o de vino blanco, 1 cucharadita de miel, 1 cucharada de aceite de sésamo y una guindilla roja picada fina. Rocíe este aliño sobre las rodajas de pepino y espolvoree con 3 cucharadas de cacahuetes tostados y picados.

SETAS CON AJO Y ENELDO Fría champiñones de botón en una mezcla de aceite de oliva y mantequilla. Añada ajo picado fino y cebolletas en rodajas y cueza hasta que los champiñones estén dorados y tiernos. Escurra bien, páselos por un poco de eneldo fresco picado y sazone con sal y pimienta negra molida, al gusto.

SALCHICHAS
FRESCAS ITALIANAS
Las mejores salchichas italianas se caracterizan por su textura gruesa y una condimentación adecuada. Están elaboradas con diversas combinaciones de carne y grasa de cerdo y de ternera, y de la calidad de éstos dependen su sabor y textura. Si quiere emplearlas en salsas o estofados, elíjalas compactas, con una buena proporción entre carne y grasa y una textura uniforme. Puede eliminar la piel antes de cocerlas sin que se deformen. Las salchichas italianas se venden en establecimientos especializados.

RIGATONI CON JUDÍAS Y SALCHICHAS

Tiempo de preparación: 25 minutos
Tiempo de cocción: 30 minutos
Para 4 a 6 personas

1 cucharada de aceite de oliva

1 cebolla grande picada

2 dientes de ajo majados

4 salchichas italianas picadas

1 lata de 825 g de tomate triturado

1 lata de 425 g de judías borlotti
  o arriñonadas escurridas

2 cucharadas de albahaca fresca picada

1 cucharada de salvia fresca picada

1 cucharada de perejil fresco picado

500 g de rigatoni

queso parmesano recién rallado
  para servir

1 Caliente el aceite en una cacerola de fondo pesado y fría la cebolla, el ajo y las salchichas a fuego medio durante 5 minutos, removiendo de vez en cuando.

2 Agregue el tomate, las judías, la albahaca, la salvia y el perejil y salpimiente al gusto. Baje el fuego y cueza lentamente durante 20 minutos.

3 Mientras se hace la salsa, cueza la pasta en una olla grande con agua hirviendo y sal hasta que esté al dente. Escúrrala, repártala entre varios cuencos y vierta la salsa por encima. Espolvoree con parmesano y sirva enseguida.

NOTA: También puede emplear judías secas: déjelas en remojo una noche, escúrralas y páselas a una olla. Cúbralas bien de agua, haga hervir y cuézalas durante 20 minutos o hasta que estén tiernas. Puede sustituir los rigatoni por conchiglie grandes, que retienen bien la salsa.

VALOR NUTRITIVO POR RACIÓN (6): *Proteínas 25 g; grasas 30 g; hidratos de carbono 75 g; fibra dietética 10 g; colesterol 60 mg; 2810 kJ (670 cal)*

ARRIBA: Rigatoni con judías y salchichas

FIAMBRES Aunque Italia es famosa por la pasta,

para los italianos, sus fiambres y sus salamis son también una parte fundamental de

su cocina y cada región defiende apasionadamente las virtudes de su propia especialidad.

La PANCETTA es la versión italiana del bacon pero sin corteza. La carne se sazona con sal, pimienta y especias diversas: nuez moscada, enebro, clavos y canela, según el gusto de quien lo prepara. Se deja curar durante 2 semanas, se enrolla fuertemente y se embute en una tripa similar a la del salami. Su sabor no es tan salado como el del prosciutto, aunque ambos se pueden comer crudos. La

pancetta es muy apreciada por el toque que confiere a los platos, pues su rico sabor dulce es realmente único.

El PROSCIUTTO son los cuartos traseros del cerdo curados con sal y al aire. La sal absorbe la humedad de la carne y con el tiempo se obtiene un sabor suave y delicado. El curado del prosciutto puede durar hasta 18 meses y las variedades más

selectas compiten de igual a igual con el jamón de Parma más genuino. Las lonchas de prosciutto deben consumirse enseguida, ya que después de cortadas van perdiendo sabor. Retire del frigorífico 1 hora antes de servir. El sabor característico del jamón de Parma se debe a la alimentación de los cerdos, que comen el suero que sobra al elaborar los quesos. Se suele servir con melón e higos.

La MORTADELA de Bolonia debe su nombre al mortero utilizado para picar la carne. Se condimenta con pimienta en grano, olivas rellenas, pistachos y ajo; presenta franjas de grasa y puede medir hasta 40 cm de diámetro. Suele incluirse en pizzas, bocadillos o en los tortellini.

SALAMI

Es un embutido seco a base de carne de cerdo picada y condimentado con ajo, hierbas aromáticas y especias. Se cree que es originario de Salamis (Chipre); muchos salamis italianos toman su nombre de las localidades donde se elaboran. También se produce salami en Dinamarca, España, Hungría, Austria y Alemania.

El CACCIATORE se elabora con carne de cerdo y de ternera, ajo y especias. Su sabor puede variar del suave al picante.

El MILANO SALAMI es un salami italiano de sabor suave elaborado con carne magra de cerdo, ternera y grasa de cerdo. Tiene una textura fina y viene condimentado con ajo, pimienta y vino.

El FINOCCHIONA TOSCANA es un tipo de salami elaborado con carne de cerdo y condimentado con semillas de hinojo. Puede tener un sabor suave o picante.

El PEPPERONI es un embutido italiano seco elaborado con carne picada de cerdo y de ternera, y con pimienta abundante. Se emplea en pizzas y en las salsas para pasta.

La COPPA es la paletilla de cerdo curada. Contiene más grasa que el prosciutto y se vende embutido en una tripa, como el salami. Suele servirse como parte del antipasto.

El SPECK es la parte grasa de una pierna de cerdo ahumada y salada. Se encuentra en porciones pequeñas. Su origen es austriaco, y se puede cortar en lonchas como aperitivo o en daditos para añadir sabor a los guisos.

El CHORIZO es un embutido español de textura gruesa que se presenta en múltiples variedades, aunque siempre se elabora con carne de cerdo y se condimenta con pimentón. Se puede consumir en rodajas, frito, en salsas para pasta, o bien incluirlo en el picadillo de la paella.

EN EL SENTIDO DE LAS AGUJAS DEL RELOJ DESDE SUPERIOR IZQUIERDA: Pierna de prosciutto, pancetta, prosciutto en lonchas, milano, finocchiona toscana, coppa, cacciatore, speck, chorizo, pepperoni y mortadella

PASTA CON CARNE DE CERDO, PIMENTÓN Y SEMILLAS DE AMAPOLA

Tiempo de preparación: 15 minutos
Tiempo de cocción: de 15 a 20 minutos
Para 4 personas

500 g de pappardelle

20 g de mantequilla

1 ¹/₂ cucharadas de aceite vegetal

1 cebolla cortada en aros finos

1 diente de ajo majado

2 cucharaditas de pimentón dulce

una pizca de pimienta de Cayena

500 g de carne magra de cerdo (de pernil,
   por ejemplo), en filetes delgados

1 cucharada de perejil fresco picado fino

1 cucharada de oporto u otro vino tinto
   encabezado

1 cucharada de concentrado de tomate
   (doble concentrado)

300 g de nata agria

150 g de champiñones botón cortados
   en láminas

2 cucharaditas de semillas de amapola

2 cucharadas de perejil fresco picado

1 En una olla grande con agua hirviendo y sal,
cueza los pappardelle hasta que estén al dente.
Escúrralos y devuélvalos a la olla.

2 En una sartén, caliente la mantequilla y ¹/₂ cucharada de aceite y fría la cebolla a fuego lento
de 6 a 8 minutos o hasta que esté tierna. Agregue el ajo, el pimentón dulce, la pimienta de
Cayena, la carne de cerdo y el perejil y sazone
con pimienta negra molida, al gusto. Saltee la
carne a fuego alto hasta que esté cocida. Añada
el oporto, deje hervir y remueva unos 10 segundos. Vierta el concentrado de tomate y la nata
agria y remueva bien. Añada los champiñones
y rectifique de sal y especias. Baje el fuego al
mínimo.

3 Vierta el aceite restante y las semillas de
amapola sobre la pasta caliente y mézclelo todo.
Disponga la carne sobre la pasta, decore el plato
con perejil fresco y sirva.

VALOR NUTRITIVO POR RACIÓN: *Proteínas 40 g;
grasas 45 g; hidratos de carbono 65 g; fibra dietética 6 g;
colesterol 170 mg; 3525 kJ (840 cal)*

*ARRIBA: Pasta con carne
de cerdo, pimentón y
semillas de amapola*

RAVIOLI TURCOS

Tiempo de preparación: I hora
Tiempo de cocción: 30 minutos
Para 4 a 6 personas

Relleno

I cucharada de aceite

I cebolla pequeña rallada fina

I guindilla roja picada fina

I cucharadita de canela molida

I cucharadita de clavos de especia molidos

500 g de carne de cordero picada fina

2 cucharaditas de ralladura de limón

2 cucharaditas de enebro fresco picado

3 cucharadas de perejil de hoja plana fresco, picado

Salsa

I taza (250 ml) de caldo de pollo

2 tazas (500 ml) de yogur natural

4 dientes de ajo majados

I 1/3 tazas (215 g) de harina

1/3 taza (50 g) de harina integral

1/2 taza (125 ml) de agua

I huevo

I yema de huevo

1/2 taza de hojas de menta frescas picadas finas

I Para el relleno: En una sartén grande con aceite caliente, cueza la cebolla, la guindilla y las especias a fuego medio durante 5 minutos o hasta que la cebolla esté dorada. Añada la carne picada y cueza a fuego lento hasta que se dore; vaya removiendo para deshacer los grumos. Retírela del fuego, agregue la ralladura de limón y las hierbas picadas y remueva. Deje enfriar.

2 Para la salsa: Haga hervir el caldo de pollo en una cacerola hasta que se reduzca a la mitad. Retírelo del fuego y bátalo con el yogur y el ajo; salpimiente al gusto.

3 Mezcle la harina, el agua, el huevo y la yema en un robot de cocina hasta conseguir una masa suave. Extiéndala sobre una superficie enharinada. Si la masa resulta demasiado pegajosa, añada algo más de harina (es mucho más fácil añadir harina a una masa demasiado líquida que huevo a una masa seca).

4 Divida la masa en cuatro partes, ajuste los rodillos de la máquina de hacer pasta a la anchura máxima, espolvoréelos con harina abundante y pase la masa. Dóblela en 3 pliegues de manera que la anchura se mantenga y que la longitud se reduzca a un tercio.

5 Pase la masa por la máquina y vuelva a doblarla como se indica más arriba. Gire la pasta 90 grados y pásela por la máquina. Realice esta operación 10 veces como mínimo, espolvoreando la máquina y la masa con harina, si es preciso. Cuando la pasta esté suave, reduzca el ajuste de los rodillos una posición y haga pasar la pasta por la máquina. Siga reduciendo la distancia entre los rodillos hasta que la pasta tenga 1 mm de espesor. Tápela y resérvela. Repita estos pasos con la pasta restante.

6 Corte la masa en cuadrados de 12 cm y coloque 1 cucharada de relleno en el centro. Moje los bordes con un poco de agua y doble cada cuadrado formando un triángulo. Una las puntas para sellarlas y coloque los ravioli sin superponerse en una fuente de horno enharinada. Cúbralos mientras hace los ravioli restantes.

7 En una olla grande con agua hirviendo y sal, cueza los ravioli por tandas durante 3 minutos o hasta que estén al dente. Escúrralos y nápelos con la salsa. Decore con la menta picada.

VALOR NUTRITIVO POR RACIÓN (6): *Proteínas 25 g; grasas 20 g; hidratos de carbono 30 g; fibra dietética 3 g; colesterol 120 mg; 1595 kJ (380 cal)*

YOGUR NATURAL

El yogur es originario de los Balcanes y se elabora mediante la fermentación de la leche de vaca o de oveja. Inicialmente se utilizaba como medicamento, pero hoy en día es apreciado por su sabor fresco y ligeramente agrio, y se emplea en la cocina por la variedad de sabores que su acidez produce. Para elaborar yogur, la leche se trata con un cultivo lácteo activo. A temperaturas controladas, se consigue así una fermentación natural. La cuajada resultante es bastante firme, suave y de un color blanco claro. El yogur fresco se conserva de 4 a 5 días en el frigorífico.

ABAJO: Ravioli turcos

JENGIBRE
El jengibre es un rizoma, la raíz de una planta tropical originaria de Bengala y la Costa Malabar, al sur de India. Se utiliza para condimentar alimentos salados y para dar más sabor a platos tanto dulces como salados. El jengibre tiene un sabor fresco y picante a la vez, y su pulpa es muy firme. Su fragancia, limpia y aromática, se acentúa al calentarlo. Cuanto más crece el jengibre antes de la cosecha, más intenso se vuelve su sabor, pero también resulta más fibroso, lo que puede complicar la tarea de picarlo o rallarlo. Al comprar jengibre fresco, compruebe siempre que sea firme al tacto, no presente puntos blandos ni una consistencia esponjosa. Puede conservarlo en el frigorífico, envuelto en papel y dentro de una bolsa de plástico.

PÁGINA SIGUIENTE:
Salteado de carne y guindilla con spaghettini (superior), cordero a la marroquí y pimientos asados con fusilli

SALTEADO DE CARNE Y GUINDILLA CON SPAGHETTINI

Tiempo de preparación: 40 minutos
Tiempo de cocción: 20 minutos
Para 4 personas

500 g de spaghettini
3 cucharadas de aceite de cacahuete
1 cebolla cortada en aros
1 diente de ajo majado
1/2 cucharadita de jengibre fresco picado fino
1/4 cucharadita de guindilla en copos
400 g de carne magra de ternera
  (cadera) cortada en tiras finas
1 1/2 cucharadas de salsa de soja
unas gotas de aceite de sésamo
155 g de brotes de soja limpios
1 cucharada colmada de cilantro fresco picado

1 En una olla grande con agua hirviendo y sal, cueza los espaghettini hasta que estén al dente. Escúrralos, devuélvalos a la olla y cúbralos con agua fría. Escúrralos y devuélvalos a la olla de nuevo. Vierta 1 cucharada de aceite de cacahuete sobre la pasta y remueva.
2 Caliente 1 cucharada de aceite de cacahuete en una sartén grande o un wok y fría la cebolla hasta que esté tierna pero sin que llegue a dorarse. Agregue el ajo, el jengibre y la guindilla en copos y revuelva. Añada la carne y saltéela a fuego alto hasta dorarla.
3 Añada la salsa de soja, el aceite de sésamo, los brotes de soja y el cilantro. Rectifique de sal, pimienta y guindilla, si es preciso, y siga removiendo hasta que todos los ingredientes estén calientes. Vierta un poco de aceite de cacahuete en el wok o la sartén, añada la pasta y caliéntelo todo rápidamente a fuego alto sin dejar de remover. Disponga la carne sobre los spaghettini.
NOTA: Como todos los salteados, este plato requiere mucha atención y esmero al freír a fuego alto. Aunque es muy tentador tomar atajos, conviene pasar los spaghettini por agua fría para detener la cocción y conseguir que la pasta tenga el sabor y la textura deseados.

VALOR NUTRITIVO POR RACIÓN: *Proteínas 35 g; grasas 20 g; hidratos de carbono 70 g; fibra dietética 7 g; colesterol 65 mg; 2455 kJ (585 cal)*

CORDERO A LA MARROQUÍ Y PIMIENTOS ASADOS CON FUSILLI

Tiempo de preparación: 25 minutos + 1 noche en adobo
Tiempo de cocción: 25 minutos
Para 4 a 6 personas

500 g de filetes de cordero
3 cucharaditas de comino molido
1 cucharada de cilantro molido
2 cucharaditas de pimienta de Jamaica molida
1 cucharada de canela molida
1/2 cucharadita de pimienta de Cayena molida
4 dientes de ajo majados
1/3 taza (80 ml) de aceite de oliva
1/2 taza (125 ml) de zumo de limón
2 pimientos rojos
400 g de fusilli
1/4 taza (60 ml) de aceite de oliva virgen extra
2 cucharaditas de harissa
150 g de lechuga oruga

1 Corte los filetes por la mitad si son demasiado largos. En un cuenco, mezcle el comino, el cilantro, la pimienta de Jamaica, la canela, la pimienta de Cayena, el ajo, el aceite de oliva y la mitad del zumo de limón. Agregue la carne, recúbrala con la mezcla, tape y refrigere durante toda la noche.
2 Trocee los pimientos y retire la membrana y las pepitas. Colóquelos bajo el grill con la piel hacia arriba y áselos durante 8 minutos o hasta que la piel se vuelva negra y rugosa. Retírelos del horno y cúbralos con un paño de cocina húmedo. Una vez fríos, pélelos y córtelos en rodajas finas.
3 En una olla grande con agua hirviendo y sal, cueza los fusilli hasta que estén al dente. Escurra.
4 Escurra el cordero. Caliente 1 cucharada de aceite de oliva virgen extra en una sartén grande y saltee el cordero a fuego alto hasta que esté a su gusto. Cubra con papel de aluminio y reserve.
5 En la misma sartén, caliente 1 cucharadita de aceite y cueza la harissa a fuego medio unos instantes. Viértala junto con el aceite restante y el zumo de limón en un tarro pequeño con tapa de rosca y agite bien. Sazone al gusto.
6 Corte los filetes de cordero en láminas finas y revuelva con la pasta caliente, el pimiento y la oruga. Aliñe con la mezcla de harissa y sirva.

VALOR NUTRITIVO POR RACIÓN (6): *Proteínas 25 g; grasas 30 g; hidratos de carbono 50 g; fibra dietética 5 g; colesterol 55 mg; 2365 kJ (565 cal)*

MEJORANA

La mejorana (*majorana hortensis*), también conocida como mejorana silvestre o tomillo blanco, está muy relacionada con el orégano. Sin embargo, la mejorana es más suave, su sabor más sutil y su aroma fresco y fragante. Se utiliza en sopas y platos de pescado y combina bien con la mayoría de las hortalizas. Es fácil de cultivar y de desecar. Para obtener los mejores resultados al secarla, corte las ramas justo antes de que broten las flores, ya que entonces la mejorana posee todo su aroma.

ARRIBA: Rigatoni con salami y hierbas aromáticas

RIGATONI CON SALAMI Y HIERBAS AROMÁTICAS

Tiempo de preparación: 35 minutos
Tiempo de cocción: 40 minutos
Para 4 personas

20 g de mantequilla

1 cucharada de aceite de oliva

1 cebolla cortada en aros finos

1 zanahoria cortada en juliana

1 hoja de laurel

75 g de lonchas de bacon picadas

200 g de salami italiano picante, sin piel y cortado en lonchas

1 lata de 400 g de tomate de pera pelado

1/2 taza (125 ml) de caldo de carne o de pollo

400 g de rigatoni

1 cucharada de hojas frescas de orégano o mejorana

1 Caliente el aceite y la mantequilla en una sartén grande y fría la cebolla, la zanahoria y la hoja de perejil hasta que la cebolla se vuelva transparente y esté tierna. Añada el bacon picado y las lonchas de salami y cueza, removiendo a menudo, hasta que se doren.

2 Exprima la mitad de los tomates en el fregadero, triture la pulpa con la mano y agréguela a la sartén. Añada el resto entero y desmenúcelo con la cuchara mientras remueve. Salpimiente al gusto y cueza durante 30 minutos a fuego medio añadiendo el caldo a medida que la salsa espese.

3 En una olla grande con agua hirviendo y sal, cueza los rigatoni hasta que estén al dente. Escúrralos y páselos a un plato precalentado. Añada el orégano o la mejorana y la salsa. Revuelva todo ligeramente y sirva.

NOTA: Para garantizar el éxito de esta salsa, utilice salami de buena calidad. Las hierbas también han de ser frescas para obtener el mejor sabor.

VALOR NUTRITIVO POR RACIÓN: *Proteínas 25 g; grasas 25 g; hidratos de carbono 75 g; fibra dietética 10 g; colesterol 65 mg; 2755 kJ (660 cal)*

ALBÓNDIGAS CON FUSILLI

Tiempo de preparación: 35 minutos
Tiempo de cocción: 35 minutos
Para 4 personas

750 g de carne de cerdo y de ternera picada

1 taza (80 g) de pan recién rallado

3 cucharadas de queso parmesano recién
   rallado

1 cebolla picada fina

2 cucharadas de perejil fresco picado

1 huevo batido

1 diente de ajo majado

piel y zumo de 1/2 limón

1/4 taza (30 g) de harina sazonada

2 cucharadas de aceite de oliva

500 g de fusilli

Salsa

1 lata de 425 g de concentrado de tomate
   (passata)

1/2 taza (125 ml) de caldo de carne

1/2 taza (125 ml) de vino tinto

2 cucharadas de perejil fresco picado

1 diente de ajo majado

1 En un cuenco grande, mezcle la carne picada, el pan rallado, el parmesano, la cebolla, el perejil, el huevo, el ajo, la piel y el zumo de limón. Salpimiente al gusto, amase cucharadas de la mezcla en forma de bolas y páselas por la harina sazonada.

2 En una sartén grande con aceite caliente, fría las albóndigas hasta que estén doradas. Retírelas de la sartén y déjelas escurrir sobre servilletas de papel. Elimine el exceso de grasa y de jugo de carne de la sartén.

3 Para la salsa: En la misma sartén, mezcle el concentrado de tomate, el caldo, el vino, la albahaca, el ajo, la sal y la pimienta, y caliente hasta que rompa el hervor.

4 Baje el fuego y devuelva las albóndigas a la sartén. Cuézalas a fuego lento de 10 a 15 minutos.

5 Mientras las albóndigas y la salsa acaban de hacerse, cueza los fusilli en una olla grande con agua hirviendo y sal hasta que estén al dente. Escúrralos y sírvalos con las albóndigas y la salsa por encima.

VALOR NUTRITIVO POR RACIÓN: *Proteínas 60 g; grasas 35 g; hidratos de carbono 115 g; fibra dietética 10 g; colesterol 170 mg; 4110 kJ (980 cal)*

OTRAS SUGERENCIAS

ENSALADA DE REMOLACHA, QUESO DE CABRA Y PISTACHO

Hierva, cueza al vapor o al microondas 1 kg de remolachas pequeñas previamente peladas hasta que estén bastante tiernas. Déjelas enfriar ligeramente y córtelas en cuartos. Disponga hojas de oruga en un plato. Cúbralas con la remolacha, 1 cebolla roja cortada en aros finos, 100 g de queso de cabra desmenuzado y 100 g de pistachos tostados y picados gruesos. Para preparar el aliño, mezcle 3 cucharadas de vinagre de frambuesa, 1 cucharadita de mostaza de Dijon, otra de miel y 1/3 taza (80 ml) de aceite. Rocíelo sobre los ingredientes de la ensalada y sirva enseguida.

HARINA SAZONADA

Por lo general, la harina sazonada es harina a la que se le ha añadido sal, aunque a veces también se le puede incluir pimienta y otras especias o hierbas aromáticas. Se utiliza para aderezar la carne y las hortalizas antes de chamuscarlas y luego brasearlas; proporciona una cobertura uniforme que se dora bien, ayuda a espesar las salsas y realza el sabor del plato.

ARRIBA: Albóndigas con fusilli

MACCHERONI

Los *maccheroni* son un tipo de pasta corto y tubular. Pueden ser bastante cortos y finos o gruesos y con hasta 4 cm de longitud, pero siempre son huecos. Reciben distintos nombres según su tamaño. Asimismo, el nombre de un mismo tipo de *maccheroni* puede variar de una región a otra de Italia. Entre las muchas historias inverosímiles que describen los orígenes de los *maccheroni*, sólo algo es seguro: los *maccheroni* se llaman así desde el año 1041, cuando este nombre se aplicaba a personas de pocas luces.

ARRIBA: Penne con prosciutto

PENNE CON PROSCIUTTO

Tiempo de preparación: 15 minutos
Tiempo de cocción: 25 minutos
Para 4 personas

1 cucharada de aceite de oliva
6 lonchas finas de prosciutto picadas
1 cebolla picada fina
1 cucharada de romero fresco picado
1 lata de 825 g de tomate triturado
500 g de penne o macarrones
$^{1}/_{2}$ taza (50 g) de queso parmesano recién rallado

1 Caliente el aceite en una sartén de fondo pesado y fría el prosciutto y la cebolla a fuego lento durante 5 minutos o hasta que estén dorados, removiendo de vez en cuando.
2 Añada el romero y el tomate y salpimiente al gusto. Cueza a fuego lento durante 10 minutos.
3 Mientras se hace la salsa, cueza la pasta en una olla grande con agua hirviendo y sal hasta que esté al dente. Escúrrala, repártala entre varios platos y sírvala con la salsa y el parmesano rallado.
NOTA: El romero, utilizado con frecuencia en la cocina mediterránea, confiere un sabor característico a este plato.

VALOR NUTRITIVO POR RACIÓN: *Proteínas 20 g; grasas 9 g; hidratos de carbono 65 g; fibra dietética 6 g; colesterol 20 mg; 1725 kJ (410 cal)*

CORDERO CON COMINO, HUEVOS Y TAGLIATELLE

Tiempo de preparación: 40 minutos
Tiempo de cocción: 1 hora 15 minutos
Para 4 personas

20 g de mantequilla

1 cebolla grande picada fina

2 dientes de ajo majados

1 cucharadita de jengibre fresco picado fino

3/4 cucharadita de guindilla en copos, cúrcuma,
   garam masala y comino molido

600 g de carne de cordero picada

2 tomates grandes muy maduros picados

1/2 cucharadita de azúcar

1 cucharada de zumo de limón

3 cucharadas de cilantro fresco picado fino

1 guindilla roja pequeña picada fina (opcional)

350 g de tagliatelle

1 cucharada de aceite vegetal

3 huevos duros picados

1 En una sartén grande con mantequilla fundida, cueza la cebolla, el ajo y el jengibre a fuego medio hasta que la cebolla éste tierna, pero no dorada. Agregue la guindilla en copos, la cúrcuma, el garam masala y el comino, y remueva.

2 Añada la carne picada, suba el fuego y cuézala hasta que esté bien dorada, removiendo de vez en cuando. Agregue el tomate, el azúcar, una pizca generosa de sal y 1 taza (250 ml) de agua y revuélvalo todo. Baje el fuego, tape la sartén y cueza lentamente de 50 a 60 minutos o hasta que la salsa espese y se vuelva más oscura. Suba el fuego y añada el zumo de limón, 2 cucharadas de cilantro picado y la guindilla roja. Rectifique de sal, destape y cueza de 2 a 3 minutos.

3 En una olla grande con agua hirviendo y sal, cueza los tagliatelle hasta que estén al dente. Escúrralos, devuélvalos a la olla, añada el aceite y revuelva. Páselos a platos precalentados y vierta cucharadas de la salsa de cordero por encima. Sírvalos con el huevo duro y el cilantro fresco restante por encima.

VALOR NUTRITIVO POR RACIÓN: *Proteínas 45 g; grasas 35 g; hidratos de carbono 65 g; fibra dietética 7 g; colesterol 275 mg; 3270 kJ (780 cal)*

GARAM MASALA

El garam masala es una mezcla de especias molidas propia de la cocina india. Se conserva hasta 3 meses en un lugar fresco y resguardado de la luz, dentro de un envase hermético. Aunque seguramente existen tantas variedades de garam masala como cocineros hay en India, todas contienen cardamono, clavos de especia, nuez moscada y canela. Otros ingredientes pueden ser el comino, el cilantro o la pimienta negra en grano. En Cachemira también se acostumbra a utilizar el comino negro.

ARRIBA: Cordero con comino, huevos y tagliatelle

ALBÓNDIGAS STROGANOFF

Tiempo de preparación: 40 minutos
Tiempo de cocción: de 20 a 25 minutos
Para 4 personas

500 g de maccheroni

750 g de carne magra de ternera picada

2 dientes de ajo majados

2 ó 3 cucharadas de harina

1 cucharadita de pimentón dulce

2 cucharadas de aceite

50 g de mantequilla

1 cebolla grande cortada en aros finos

250 g de champiñones botón partidos

2 cucharadas de concentrado de tomate
   (doble concentrado)

2 ó 3 cucharaditas de mostaza de Dijon

1/4 taza (60 ml) de vino blanco

1/2 taza (125 ml) de caldo de carne

3/4 taza (185 g) de nata agria

3 cucharadas de perejil fresco picado fino

*ARRIBA: Albóndigas
Stroganoff*

1 En una olla grande con agua hirviendo y sal, cueza los maccheroni hasta que estén al dente.
2 Mezcle con las manos la carne picada, un poco de sal y pimienta machacada en un cuenco. Amase 2 cucharaditas colmadas de carne picada para cada albóndiga y déles forma. Sobre una superficie limpia o una hoja de papel encerado, mezcle la harina con el pimentón y pimienta negra recién molida; espolvoree con ella las albóndigas.
3 Caliente el aceite y la mitad de la mantequilla en una sartén. Cuando espumee, fría por tandas las albóndigas a fuego medio hasta que se doren. Retírelas de la sartén y déjelas escurrir.
4 Derrita la mantequilla restante en la misma sartén y fría la cebolla hasta que esté tierna. Agregue los champiñones, revuelva y deje cocer hasta que estén tiernos. Vierta la mezcla de concentrado de tomate, mostaza, vino y caldo. Devuelva las albóndigas a la sartén y caliéntelas ligeramente. Deje romper el hervor, baje el fuego y cueza durante 5 minutos, removiendo de vez en cuando. Sazone al gusto, espolvoree con un poco de perejil y sirva las albóndigas con la pasta.

VALOR NUTRITIVO POR RACIÓN: *Proteínas 60 g; grasas 50 g; hidratos de carbono 100 g; fibra dietética 10 g; colesterol 205 mg; 4615 kJ (1095 cal)*

PASTA CON CORDERO Y HORTALIZAS

Tiempo de preparación: 20 minutos
Tiempo de cocción: 20 minutos
Para 4 personas

2 cucharadas de aceite

1 cebolla grande picada

2 dientes de ajo majados

500 g de carne de cordero picada

125 g de sombrerillos de champiñones pequeños, en mitades

1 pimiento rojo sin semillas picado

150 g de habas peladas

1 lata de 440 g de tomate triturado

2 cucharadas de concentrado de tomate (doble concentrado)

500 g de penne

125 g de queso feta

2 cucharadas de albahaca fresca troceada

1 Caliente el aceite a fuego medio en una sartén de fondo pesado y saltee la cebolla y el ajo durante 2 minutos o hasta que empiecen a dorarse. Añada la carne picada y saltee a fuego alto durante 4 minutos o hasta que esté bien dorada y todo el líquido se haya evaporado. Deshaga los grumos con un tenedor mientras cuece la carne.

2 Incorpore los champiñones, el pimiento rojo, las habas, el tomate sin escurrir y el concentrado de tomate. Deje que rompa el hervor, baje el fuego, tape la sartén y cueza durante 10 minutos o hasta que las hortalizas estén tiernas. Remueva de vez en cuando.

3 Mientras se hace la salsa, cueza la pasta en una olla grande con agua hirviendo y sal hasta que esté al dente. Escúrrala y repártala entre varios platos. Nápela con la salsa y esparza el queso desmenuzado y la albahaca por encima.

NOTA: Esta salsa se puede preparar con hasta dos días de antelación. Guárdela en el frigorífico cubierta con film transparente. Caliente la salsa y cueza la pasta justo antes de servir. No es apta para congelar.

VALOR NUTRITIVO POR RACIÓN: *Proteínas 50 g; grasas 30 g; hidratos de carbono 100 g; fibra dietética 15 g; colesterol 100 mg; 3730 kJ (890 cal)*

AJO

El ajo es una planta liliácea bulbosa y el miembro de sabor más penetrante de toda la familia *allium,* que incluye cebollas y puerros. Recién cosechado tiene un sabor marcado y pungente que se suaviza y pierde intensidad a medida que el bulbo se seca. El ajo tiene un elevado contenido de aceite, de ahí la intensidad de su aroma. Cuanto más fresco es el bulbo, más aceite contiene y más fuerte es su sabor. Si se usa con moderación, el ajo realza sabores que de otra manera resultarían insípidos; cocido a fuego lento da cuerpo a los platos. Además, posee propiedades medicinales y estimula la secreción de jugos gástricos, por lo que actúa como digestivo y condimento a la vez.

ARRIBA: Pasta con cordero y hortalizas

PASTA
CON POLLO

En tiempos pasados la tradición mandaba que no se sirviera pollo con la pasta. En la actualidad, sin embargo, podemos echar la vista atrás y preguntarnos "¿Y por qué no?". En compañía de hierbas aromáticas, especias, tomates o champiñones, el pollo casa a la perfección con la pasta, sobre todo como relleno de tortellini o ravioli. La versatilidad de esta ave queda patente en innovadoras recetas de albóndigas, lasaña e incluso de salsa boloñesa, platos que habitualmente se preparan con otros tipos de carne.

HOJAS DE LAUREL

El laurel simboliza la fama y la victoria. Y desde la Grecia clásica se ha condecorado a atletas victoriosos, poetas y estadistas con coronas de laurel. Su uso como condimento data de la misma época, si bien en aquel entonces las hojas de laurel se utilizaban preferentemente en platos dulces. En la actualidad se incluyen sobre todo en adobos o escabeches o para potenciar el sabor de salsas blancas, sopas y estofados.

ARRIBA: Espaguetis con albóndigas de pollo

ESPAGUETIS CON ALBÓNDIGAS DE POLLO

Tiempo de preparación: 45 minutos + reposo
Tiempo de cocción: 1 hora 30 minutos
Para 4 a 6 personas

500 g de carne de pollo picada

60 g de queso parmesano recién rallado

2 tazas (160 g) de pan blanco rallado

2 dientes de ajo majados

1 huevo

1 cucharada de perejil fresco de hoja plana, picado

1 cucharada de salvia fresca picada

3 cucharadas de aceite vegetal

500 g de espaguetis

2 cucharadas de orégano fresco picado

Salsa de tomate

1 cucharada de aceite de oliva

1 cebolla picada fina

2 kg de tomates muy maduros, picados

2 hojas de laurel

1 taza (30 g) de hojas frescas de albahaca

1 cucharadita de pimienta negra molida gruesa

1 En un cuenco grande, mezcle la carne picada de pollo, el parmesano, el pan rallado, el ajo, el huevo y las hierbas. Sazone con sal y pimienta negra recién molida al gusto. Tome cucharadas de la mezcla, forme bolas y déjelas enfriar durante 30 minutos para que queden firmes.

2 En una sartén poco honda fría las bolas por tandas en aceite caliente, hasta que estén doradas. Déles la vuelta a menudo agitando suavemente la sartén. Déjelas escurrir sobre servilletas de papel.

3 Para la salsa de tomate: En una sartén grande con aceite caliente, fría la cebolla de 1 a 2 minutos hasta que esté tierna. Agregue el tomate y las hojas de laurel, tape la sartén y deje que rompa el hervor, removiendo de vez en cuando. Baje el fuego al mínimo, tape parcialmente la sartén y cueza de 50 a 60 minutos.

4 Mezcle las albóndigas con la salsa, las hojas de albahaca y al pimienta negra recién molida. Destape y cueza a fuego lento de 10 a 15 minutos.

5 Mientras se hace la salsa, cueza los espaguetis en una olla grande con agua hirviendo y sal hasta que estén al dente. Escúrralos y devuélvalos a la olla. Revuelva la pasta con un poco de salsa y sírvala acompañada de más salsa y las albóndigas. Espolvoree el plato con orégano fresco picado y un poco más de parmesano, si lo prefiere.

VALOR NUTRITIVO POR RACIÓN: *Proteínas 40 g; grasas 20 g; hidratos de carbono 85 g; fibra dietética 10 g; colesterol 95 mg; 2915 kJ (670 cal)*

TORTELLINI DE POLLO CON SALSA DE TOMATE

Tiempo de preparación: I hora + 30 minutos de reposo de la masa
Tiempo de cocción: 30 minutos
Para 4 personas

Pasta

2 tazas (250 g) de harina
3 huevos
I cucharada de aceite de oliva

Relleno

20 g de mantequilla
90 g de pechuga de pollo troceada
2 lonchas de panceta picadas
1/2 taza (50 g) de queso parmesano recién rallado
1/2 cucharadita de nuez moscada
I huevo poco batido

Salsa de tomate

1/3 taza (80 ml) de aceite de oliva
I 1/2 kg de tomates muy maduros, pelados y picados
1/4 taza (7 g) de orégano fresco picado
1/2 taza (50 g) de queso parmesano rallado

100 g de bocconcini en lonchas finas

I Para la pasta: Vierta la harina y una pizca de sal en un cuenco y haga un hueco en el centro. Bata los huevos, el aceite y 1 cucharada de agua en un tazón. Añada gradualmente la mezcla de huevo a la harina y revuélvalo todo hasta obtener una masa firme. Forme con ella una bola y añada un poco más de agua, si es preciso.

2 Trabaje la masa sobre una superficie enharinada durante 5 minutos o hasta que esté suave y elástica. Pásela a un cuenco untado con aceite, cubra con film transparente y déjela 30 minutos.

3 Para el relleno: Funda la mantequilla en una sartén y fría los dados de pollo hasta que estén dorados, sin dejar de remover. Escúrralos y déjelos enfriar un poco. Triture el pollo y la panceta con un robot de cocina hasta conseguir una masa fina. Pásela a un cuenco y añada el parmesano, el huevo y la nuez moscada. Salpimiente al gusto y reserve.

4 Sobre una superficie ligeramente enharinada, extienda bien la masa con un rodillo, hasta dejarla muy fina. Con un cortapastas enharinado, corte círculos de 5 cm de diámetro y póngales 1/2 cucharadita de relleno en el centro. Moje los bordes con un poco de agua, dóblelos por la mitad para formar semicírculos y pegue los bordes presionando ligeramente. Enrolle los tortellini alrededor del dedo y pegue las puntas.

5 Para la salsa de tomate: En una sartén con aceite caliente, cueza el tomate y el orégano a fuego alto durante 10 minutos. Añada el parmesano, remueva bien y reserve.

6 En una olla grande con agua hirviendo y sal, cueza los tortellini en dos tandas de 6 minutos o hasta que estén al dente. Escúrralos y devuélvalos a la olla. Caliente la salsa de tomate, viértala sobre los tortellini y revuelva bien. Reparta los tortellini en platos individuales y añada queso bocconcini por encima. Deje que éste se funda un poco antes de servir.

VALOR NUTRITIVO POR RACIÓN: *Proteínas 40 g; grasas 55 g; hidratos de carbono 55 g; fibra dietética 5 g; colesterol 300 mg; 3660 kJ (875 cal)*

TORTELLINI Y CAPPELLETTI

Los fabricantes suelen vender los cappelletti como tortellini. Y es que la diferencia es mínima, pues los tortellini son pequeños anillos de pasta rellena que se enrollan alrededor del dedo hasta que las dos puntas se solapan. Los cappelletti son como sombreritos cuyos extremos se unen presionando con los dedos. Ambos son intercambiables.

ARRIBA: Tortellini de pollo con salsa de tomate

LASAÑA DE POLLO Y ESPINACAS

Tiempo de preparación: 30 minutos
Tiempo de cocción: 1 hora 10 minutos
Para 8 personas

500 g de espinacas inglesas

1 kg de carne de pollo picada

1 diente de ajo majado

3 lonchas de bacon picadas

1 lata de 425 g de tomate triturado

1/2 taza (125 g) de concentrado de tomate
   (doble concentrado)

1/2 taza (125 g) de salsa de tomate

1/2 taza (125 ml) de caldo de pollo

12 láminas instantáneas de lasaña

1 taza (125 g) de queso cheddar rallado

Salsa de queso

60 g de mantequilla

1/3 taza (40 g) de mantequilla

2 1/2 tazas (600 ml) de leche

1 taza (125 g) de queso cheddar rallado

ARRIBA: Lasaña de pollo y espinacas

1 Precaliente el horno a 180°C. Corte y deseche los tallos de las espinacas. Sumerja las hojas en una olla con agua caliente durante 2 minutos o hasta que estén tiernas. Retírelas, sumérjalas enseguida en un cuenco con agua fría y escúrralas.

2 Caliente un poco de aceite en una sartén de fondo pesado y fría la carne picada, el ajo y el bacon a fuego medio durante 5 minutos o hasta que se doren. Agregue el tomate, el concentrado, la salsa de tomate y el caldo. Remueva y deje que rompa el hervor. Baje el fuego y cueza, sin tapar del todo, durante 10 minutos o hasta que la salsa espese un poco. Salpimiente al gusto.

3 Para la salsa de queso: Funda la mantequilla en una sartén mediana, añada la harina y remueva a fuego lento durante 1 minuto o hasta que la mezcla se dore y esté suave. Retírela del fuego y añada la leche de manera gradual, sin dejar de remover. Cueza la salsa a fuego medio durante 4 minutos o hasta que hierva y espese. Retírela del fuego, añada el queso y remueva.

4 Monte la lasaña en una bandeja de horno de 3 litros untada con mantequilla fundida o aceite. Disponga en el fondo un cuarto del relleno de pollo y cúbralo con 4 láminas de lasaña. Vierta un tercio de la salsa de queso por encima y extienda sobre la salsa otra capa de pollo. Agregue las espinacas, una capa de lasaña, otra de salsa de queso y el relleno de pollo restante. Cúbralo de manera uniforme con la salsa de queso restante y espolvoree con el queso rallado. Hornéelo durante 50 minutos o hasta que esté bien cocido y dorado.

VALOR NUTRITIVO POR RACIÓN: *Proteínas 50 g; grasas 45 g; hidratos de carbono 35 g; fibra dietética 5 g; colesterol 230 mg; 3145 kJ (750 cal)*

POLLO CON LIMÓN, PEREJIL Y ORECCHIETTE

Tiempo de preparación: 10 minutos
Tiempo de cocción: 20 minutos
Para 4 personas

375 g de orecchiette

1 cucharada de aceite

60 g de mantequilla

4 pechugas de pollo pequeñas

1/3 taza (80 ml) de zumo de limón

1/3 taza (20 g) de perejil fresco picado fino,
   un poco más para decorar

rodajas de limón

1 En una olla grande con agua hirviendo y sal, cueza la pasta hasta que esté al dente. Escúrrala.
2 Mientras la pasta se cuece, caliente el aceite y la mitad de la mantequilla en una sartén de fondo pesado. Ase las pechugas de pollo por los dos lados durante 2 minutos cada uno. Resérvelas. Vierta el zumo de limón, el perejil y la mante-quilla restante en la sartén. Remueva bien e incorpore el pollo. Cuézalo a fuego lento por ambos lados de 3 a 4 minutos o hasta que esté bien hecho. Salpimiente al gusto.
3 Sirva la pasta con una pechuga y salsa por encima. Decórela con las rodajas de limón y espolvoréela con un poco de perejil fresco picado.

VALOR NUTRITIVO POR RACIÓN: *Proteínas 40 g; grasas 20 g; hidratos de carbono 25 g; fibra dietética 0 g; colesterol 120 mg; 1880 kJ (450 cal)*

OTRAS SUGERENCIAS

ENSALADA DE LECHUGA, BACON Y TOMATE
Fría o ase a la parrilla 4 lonchas de bacon hasta que estén crujientes. Déjelas enfriar sobre servilletas de papel y píquelas gruesas. En un cuenco, mezcle el bacon, las hojas de una lechuga romana, 200 g de tomates "cherry" por la mitad y 1 aguacate picado. Remueva todo bien. Mezcle 1/2 taza (125 g) de yogur natural, 1 cucharada de mostaza en grano, otra de zumo de limón y 1 cucharadita de miel. Aliñe la ensalada con la mezcla resultante.

LIMONES
La piel, la pulpa y el zumo de los limones se aprovecha tanto en platos salados como en pasteles, postres y dulces. El limón es muy aromático y, quizás, el cítrico más ácido. Los limones silvestres, de piel gruesa y arrugada, son muy apreciados por su marcado sabor ácido, que persiste incluso tras mezclarlo con otros ingredientes. Por lo general, las variedades de limón de piel suave resultan menos ácidas, y el fruto fresco constituye un buen elemento decorativo.

ARRIBA: Pollo con limón, perejil y orecchiette

PASTA CON POLLO AL ESTILO ORIENTAL

Tiempo de preparación: 25 minutos
Tiempo de cocción: 10 minutos
Para 4 personas

1 pollo asado a la barbacoa

1 cebolla

1 zanahoria

150 g de tagliatelle

1 cucharada de aceite

1 diente de ajo majado

2 cucharaditas de curry en polvo

2 cucharaditas de guindilla machacada envasada

1 pimiento rojo grande en rodajas finas

150 g de tirabeques en mitades

3 cebolletas cortadas en rodajas

2 cucharaditas de aceite de sésamo

1/4 taza (60 ml) de salsa de soja

1 Separe la carne de los huesos y deseche éstos. Corte la carne en tiras finas, la cebolla en medias lunas y la zanahoria en tiras largas.

2 En una olla grande con agua hirviendo y sal, cueza los tagliatelle hasta que estén al dente.

3 Vierta el aceite en un wok o en una sartén de fondo pesado, y muévalo de modo que se unten la base y los lados. Añada la cebolla, la zanahoria, el ajo, el curry en polvo y la guindilla. Remueva hasta que desprendan aroma y la cebolla esté tierna. Agregue la pasta y los demás ingredientes. Saltee todo a fuego medio durante 4 minutos o hasta que esté bien caliente. Añada sal al gusto.

VALOR NUTRITIVO POR RACIÓN: *Proteínas 40 g; grasas 25 g; hidratos de carbono 40 g; fibra dietética 5 g; colesterol 105 mg; 2355 kJ (560 cal)*

DERECHA: Pasta con pollo al estilo oriental

ESPAGUETIS A LA BOLOÑESA DE POLLO

Tiempo de preparación: 20 minutos
Tiempo de cocción: 15 minutos
Para 4 personas

2 cucharadas de aceite de oliva

2 puerros en rodajas finas

1 pimiento rojo cortado en dados

2 dientes de ajo majados

500 g de carne de pollo picada

2 tazas de salsa de tomate para pasta

1 cucharada de tomillo fresco picado

1 cucharada de romero fresco picado

2 cucharadas de olivas negras sin hueso picadas

400 g de espaguetis

125 g de queso feta desmenuzado

1 Caliente el aceite en una sartén grande de fondo pesado y fría el puerro, el pimiento y el ajo a fuego medio-alto hasta que empiecen a dorarse.

2 Agregue la carne de pollo picada y cueza a fuego alto durante 3 minutos o hasta que esté dorada y el líquido se haya evaporado. Remueva de vez en cuando para deshacer los grumos.

3 Incorpore la salsa de tomate para pasta, el tomillo y el romero y deje que rompa el hervor. Baje el fuego y deje cocer a fuego lento durante 5 minutos o hasta que la salsa se espese. Añada las olivas y remueva bien. Sazone al gusto.

4 En una olla grande con agua hirviendo y sal, cueza los espaguetis hasta que estén al dente; escúrralos. Repártalos entre los platos o viértalos en una fuente grande y honda. Vierta la boloñesa de pollo sobre la pasta (o bien mézclelas) y esparza queso feta por encima. Sirva enseguida.

NOTA: La boloñesa de pollo se puede preparar con hasta 2 días de antelación. Guárdela tapada en el frigorífico o en el congelador durante 4 semanas. Caliente la salsa y cueza los espaguetis justo antes de servir. Cualquier tipo de pasta fresca o seca es apropiado. Puede sustituir el queso feta por parmesano o pecorino recién rallados.

VALOR NUTRITIVO POR RACIÓN: *Proteínas 45 g; grasas 35 g; hidratos de carbono 85 g; fibra dietética 10 g; colesterol 120 mg; 3540 kJ (845 cal)*

ROMERO

El romero ocupa un lugar importante en la cocina europea, en la que se utiliza sobre todo en barbacoas y para condimentar carnes. Debe añadirse hacia el final de la cocción, puesto que los aceites esenciales que contienen el sabor se evaporan si la cocción es prolongada. Esta planta perenne no es difícil de cultivar, ya que soporta todo tipo de inclemencias. Una vez secas, sus hojas transmiten un sabor de romero auténtico, penetrante y con matices de pino.

ARRIBA: Espaguetis a la boloñesa de pollo

CÓMO RECALENTAR LA PASTA

La mayoría de platos de pasta con salsa se pueden recalentar. Los que tengan mucha salsa o un aliño aceitoso, como el pesto, se pueden calentar a fuego alto en una sartén, sin dejar de remover, o bien en el horno a fuego medio en una fuente engrasada y cubierta con papel de aluminio. Para recalentar la pasta ya cocida, póngala en un colador y vierta agua hirviendo por encima, o sumérjala 30 segundos en una olla con agua hirviendo. El microondas también resulta ideal.

ARRIBA: Fettucine con salsa de pollo y champiñones

FETTUCINE CON SALSA DE POLLO Y CHAMPIÑONES

Tiempo de preparación: 20 minutos
Tiempo de cocción: 20 minutos
Para 4 personas

400 g de fettucine

2 pechugas grandes de pollo

1 cucharada de aceite de oliva

30 g de mantequilla

2 lonchas de bacon picadas

2 dientes de ajo majados

250 g de champiñones botón en láminas

$^1/_3$ taza (80 ml) de vino blanco

$^2/_3$ taza (170 ml) de nata líquida

4 cebolletas picadas

1 cucharada de harina

2 cucharadas de agua

$^1/_3$ taza (35 g) de queso parmesano recién rallado

1 En una olla grande con agua hirviendo y sal, cueza los fettucine hasta que estén al dente. Escúrralos y devuélvalos a la olla.

2 Elimine el exceso de grasa del pollo y córtelo en tiras finas. Caliente el aceite y la mantequilla en una sartén, añada el pollo y fríalo a fuego medio durante 3 minutos o hasta que se dore. Agregue el bacon, el ajo y los champiñones y cueza durante 2 minutos, removiendo de vez en cuando.

3 Añada el vino y cuézalo hasta que haya reducido a la mitad. Agregue la nata líquida y la cebolleta y deje que rompa el hervor. Mezcle la harina con el agua hasta obtener una masa homogénea. Añádala a la olla y cueza hasta que la mezcla hierva y espese. Baje el fuego y cuézala lentamente durante 2 minutos. Salpimiente .

4 Vierta la salsa sobre la pasta y revuelva a fuego lento hasta mezclarlas bien. Espolvoree con el parmesano. Sirva el plato enseguida acompañado de una ensalada verde y pan de hierbas caliente, si lo desea.

VALOR NUTRITIVO POR RACIÓN: *Proteínas 40 g; grasas 35 g; hidratos de carbono 75 g; fibra dietética 5 g; colesterol 135 mg; 3355 kJ (800 cal)*

PASTA AL PESTO CON POLLO

Tiempo de preparación: 20 minutos
Tiempo de cocción: 20 minutos
Para 4 personas

250 g de fusilli o penne
1 pollo pequeño asado
1 taza (125 g) de nueces
4 lonchas de bacon
250 g de tomates "cherry" partidos
60 g de olivas sin hueso cortadas en rodajas
$^{1}/_{2}$ taza (125 g) de salsa de pesto ya preparada
$^{1}/_{2}$ taza (30 g) de albahaca fresca en tiritas
virutas de parmesano para servir

1 En una olla grande con agua hirviendo y sal, cueza la pasta hasta que esté al dente. Escúrrala.
2 Mientras la pasta se cuece, retire la piel del pollo, separe la carne, córtela en dados o tiritas y pásela a un cuenco grande.
3 Tueste las nueces de 2 a 3 minutos bajo el grill precalentado. Déjelas enfríar y píquelas gruesas.

4 Retire la corteza del bacon y áselo al grill de 3 a 4 minutos o hasta que esté crujiente. Déjelo enfriar y píquelo pequeño. Añada al pollo las nueces, el bacon, los tomates "cherry" y las aceitunas.
5 Mezcle la pasta con la mezcla de pollo, la salsa de pesto y la albahaca fresca. Revuelva bien y sirva a temperatura ambiente con virutas de parmesano por encima.

VALOR NUTRITIVO POR RACIÓN: *Proteínas 55 g; grasas 45 g; hidratos de carbono 25 g; fibra dietética 5 g; colesterol 190 mg; 2960 kJ (705 cal)*

OTRAS SUGERENCIAS

TOMATES ASADOS CON QUESO DE CABRA A LAS FINAS HIERBAS Unte medio tomate de pera con un poco de aceite de oliva, sazónelo con sal, azúcar y pimienta y hornéelo a 180°C durante 30 minutos o hasta que esté tierno y ligeramente seco. Prepare una mezcla de queso de cabra y hierbas frescas y esparza un poco sobre cada tomate. Áselos bajo el grill hasta que el queso empiece a fundirse y se dore.

ABAJO: Pasta al pesto con pollo

el aceite en una cacerola de fondo pesado, añada el pollo y fríalo rápidamente a fuego alto hasta que esté dorado pero no del todo hecho. Déjelo escurrir. Añada la cebolla, la zanahoria y el bacon a la cacerola, y revuelva todo a fuego medio durante 10 minutos. Agregue los calabacines y la sopa, deje que rompa el hervor y cueza a fuego lento durante 5 minutos. Reserve.

3 Mezcle la pasta, el pollo, la salsa y la nata agria. Salpimiente al gusto. Extiéndalo en una bandeja para horno y espolvoree con queso. Hornéelo durante 20 minutos o hasta que la cobertura se dore y esté bien cocido.

VALOR NUTRITIVO POR RACIÓN: *Proteínas 45 g; grasas 30 g; hidratos de carbono 45 g; fibra dietética 5 g; colesterol 115 mg; 2665 kJ (635 cal)*

LASAGNETTE CON CHAMPIÑONES Y POLLO

Tiempo de preparación: 15 minutos
Tiempo de cocción: 20 minutos
Para 4 personas

★

1/4 taza (60 ml) de leche
1/2 cucharadita de estragón seco o 2 cucharaditas de estragón fresco picado
400 g de lasagnette
25 g de mantequilla
2 dientes de ajo
200 g de pechuga de pollo cortada en filetes
100 g de champiñones botón en láminas finas
nuez moscada molida
2 tazas (500 ml) de nata líquida
ramitas de estragón fresco

GRATINADO DE POLLO Y MACCHERONI

Tiempo de preparación: 20 minutos
Tiempo de cocción: 55 minutos
Para 6 personas

★

4 pechugas de pollo
2 tazas (310 g) de maccheroni rallados
1/4 taza (60 ml) de aceite de oliva
1 cebolla picada
1 zanahoria picada
3 lonchas de bacon picadas
2 calabacines picados
1 lata de 440 g de sopa de tomate
1/3 taza (90 g) de nata agria
1 1/2 tazas (185 g) de queso cheddar rallado

1 Precaliente el horno a 180°C. Cueza los maccheroni en una olla grande con agua hirviendo y sal hasta que estén al dente. Escúrralos.
2 Corte las pechugas de pollo, sin nervios ni grasa, en tiras largas y luego en dados. Caliente

ARRIBA: Gratinado de pollo y maccheroni DERECHA: Lasagnette con champiñones y pollo

1 Ponga a hervir la leche y el estragón en una cacerola pequeña. Retire del fuego, pase la leche por el colador y resérvela.

2 En una olla grande con agua hirviendo y sal, cueza los lasagnette hasta que estén al dente. Escúrralos y devuélvalos a la olla.

3 Mientras la pasta se cuece, funda la mantequilla en una sartén y saltee suavemente los dientes de ajo, los filetitos de pollo y los champiñones botón hasta que el pollo esté dorado y bien hecho. Deseche los dientes de ajo, añada la nuez moscada y salpimiente al gusto. Remueva durante 10 segundos, añada la nata líquida y la leche reservada y remueva de nuevo. Deje que rompa el hervor, baje el fuego y cueza lentamente hasta que la salsa espese. Nape la pasta con la salsa y decore con estragón fresco.

VALOR NUTRITIVO POR RACIÓN: *Proteínas 25 g; grasas 60 g; hidratos de carbono 75 g; fibra dietética 5 g; colesterol 215 mg; 4005 kJ (955 cal)*

PENNE CON HIGADILLOS DE POLLO

Tiempo de preparación: 15 minutos
Tiempo de cocción: 15 minutos
Para 4 personas

✵ ✵

350 g de higadillos de pollo

500 g de penne

50 g de mantequilla

1 cebolla cortada en dados

2 dientes de ajo majados

2 cucharaditas de ralladura fina de naranja

2 hojas de laurel

1/2 taza (125 ml) de vino tinto

2 cucharadas de concentrado de tomate (doble concentrado)

2 cucharadas de nata líquida

1 Lave los hígados de pollo, elimine las membranas y córtelos en seis trozos.

2 En una olla grande con agua hirviendo y sal, cueza los penne hasta que estén al dente; escurra.

3 Mientras se cuece la salsa, caliente la mantequilla en una sartén y fría la cebolla hasta que esté tierna. Añada el ajo majado, los higadillos, la piel de naranja y las hojas de laurel, y remueva durante 3 minutos. Retire los higadillos con una espumadera. Agregue el vino tinto, el concentrado de tomate y la nata líquida, y remueva. Cueza a fuego lento hasta que la salsa se espese.

4 Devuelva los higadillos a la sartén y caliéntelos. Salpimiente al gusto. Con una cuchara vierta la salsa de hígado sobre la pasta.

VALOR NUTRITIVO POR RACIÓN: *Proteínas 35 g; grasas 20 g; hidratos de carbono 90 g; fibra dietética 10 g; colesterol 460 mg; 3010 kJ (720 cal)*

OTRAS SUGERENCIAS

BRÉCOL ASADO CON SEMILLAS DE COMINO Hierva o cueza al vapor durante un par de minutos algunos ramilletes de brécol del mismo tamaño. Escúrralos bien y recubra con un aliño a base de aceite de oliva, ajo majado y semillas de comino ligeramente tostadas y machacadas. Colóquelos en una bandeja y hornéelos a temperatura alta hasta que las puntas se doren.

TOMATES "CHERRY" CON MANTEQUILLA Y ENELDO En una sartén con mantequilla, fría los tomates "cherry" hasta que se abra la piel. Salpiméntelos y espolvoréelos con un poco de eneldo picado. Revuelva con suavidad y sirva enseguida.

ARRIBA: Penne con higadillos de pollo

RAVIOLI DE POLLO CON SALSA DE TOMATE NATURAL

Tiempo de preparación: 40 minutos
Tiempo de cocción: 40 minutos
Para 4 personas

★ ★

1 cucharada de aceite
1 cebolla grande picada
2 dientes de ajo majados
1/3 taza (90 g) de concentrado de tomate
   (doble concentrado)
1/4 taza (60 ml) de vino tinto
2/3 taza (170 ml) de caldo de pollo
2 tomates muy maduros picados
1 cucharada de albahaca fresca picada

Ravioli

200 g de carne de pollo picada
1 cucharada de albahaca fresca picada
1/4 taza (25 g) de queso parmesano rallado

3 cebolletas picadas finas
50 g de queso ricotta fresco
1 paquete de 250 g de pasta para gow gee

1 Caliente el aceite en una sartén y fría el ajo y la cebolla de 2 a 3 minutos. Añada el concentrado de tomate, el vino, el caldo de pollo y el tomate picado. Remueva y cueza a fuego lento durante 20 minutos. Eche la albahaca y sazone.
2 Para los ravioli: Mezcle la carne de pollo picada, la albahaca, el parmesano, la cebolleta y el ricotta y salpimiente. Disponga 24 láminas sobre una superficie plana y mójelas con agua. Coloque 1 cucharadita de relleno en el centro y cúbralas con otra lámina; presione los bordes.
3 En una olla grande con agua hirviendo y sal, cueza los ravioli por tandas de 2 a 3 minutos, hasta que estén tiernos. Sirva con la salsa.

VALOR NUTRITIVO POR RACIÓN: *Proteínas 20 g; grasas 25 g; hidratos de carbono 50 g; fibra dietética 5 g; colesterol 75 mg; 2210 kJ (530 cal)*

ABAJO: Ravioli de pollo con salsa de tomate natural

FETTUCINE CON POLLO AL BRANDY

Tiempo de preparación: 40 minutos
Tiempo de cocción: 40 minutos
Para 4 a 6 personas

10 g de setas porcini

2 cucharadas de aceite de oliva

2 dientes de ajo majados

200 g de champiñones botón cortados
   en láminas

125 g de prosciutto picado

375 g de fettucine

1/4 taza (60 ml) de brandy

1 taza (250 ml) de nata líquida

1 pollo asado a la barbacoa cortado en tiras

1 taza (155 g) de guisantes congelados

1/3 taza (20 g) de perejil fresco picado fino

1 Vierta las setas porcini en un cuenco y cúbralas de agua hirviendo. Resérvelas durante 10 minutos, escúrralas, séquelas y píquelas.

2 Caliente aceite en una sartén grande de fondo pesado y fría, a fuego lento, el ajo majado durante 1 minuto y sin dejar de remover. Agregue los champiñones botón y las setas porcini junto con el prosciutto y cuézalo todo a fuego lento otros 5 minutos, removiendo a menudo.

3 Mientras tanto, cueza la pasta en una olla grande con agua hirviendo y sal hasta que esté al dente. Escúrrala y devuélvala a la olla.

4 Agregue el brandy y la nata líquida a la mezcla de setas. Cueza a fuego lento durante 2 minutos, sin dejar de remover. Añada el pollo, los guisantes y el perejil y cueza de 4 a 5 minutos sin dejar de remover hasta que estén bien calientes. Agregue la mezcla de pollo a la pasta y revuelva.

NOTA: Corte las lonchas de prosciutto por separado, pues de lo contrario se pegan. Puede sustituirlas por lonchas de bacon si lo prefiere. Si no encuentra setas porcini, utilice 30 g de champiñones chinos secos.

VALOR NUTRITIVO POR RACIÓN (6): *Proteínas 40 g; grasas 35 g; hidratos de carbono 45 g; fibra dietética 5 g; colesterol 130 mg; 2900 kJ (690 cal)*

OTRAS SUGERENCIAS

PANZANELLA Desmenuce 2 rebanadas de pan rústico seco y sazónelas con aceite y ajo majado. Espolvoréelas en un cuenco con pepino picado, tomates, cebolla roja y hojas frescas de albahaca. Rocíe con aceite de oliva y vinagre de vino tinto, y sazone bien. El pan debe quedar un poco húmedo pero no empapado. También puede añadir anchoas o huevos duros.

GUISANTES CON MANTEQUILLA DE PEREJIL Cueza guisantes verdes en agua hirviendo y sal hasta que estén tiernos pero mantengan su color verde intenso. Escúrralos y viértalos en un cuenco con mantequilla de hierbas, sal y pimienta negra. Revuelva los guisantes para recubrirlos con la mezcla.

*ARRIBA: Fettucine
con pollo al brandy*

PASTA CON PESCADO Y MARISCO

No es de extrañar que la pasta se complemente a la perfección con el pescado y el marisco. Italia está rodeada, casi por los cuatro costados, de la plácida tranquilidad del azul del Mediterráneo, y los italianos han cosechado los frutos del mar desde los albores de su civilización. Por lo tanto, es natural que cocinen platos espectaculares a base de casar gambas frescas, almejas y pescados suculentos con su pasta preferida.

CALAMARES

Los calamares, al igual que el pulpo y la sepia, pertenecen a la familia de los *cefalópodos*. Tanto el pulpo como el calamar tienen ocho tentáculos, pero este último tiene otros dos más largos con ventosas en los extremos. El cuerpo del calamar es alargado, no contiene un verdadero esqueleto y es comestible al igual que los tentáculos. La carne es firme, ligeramente dulce y sin matices de pescado. Los calamares se consumen enteros, rellenos y asados o fritos, cortados en tiras o aros. Pueden volverse duros e insípidos si no se preparan con esmero.

ARRIBA: Espaguetis marinara

ESPAGUETIS MARINARA

Tiempo de preparación: 40 minutos
Tiempo de cocción: 50 minutos
Para 6 personas

★

12 mejillones frescos

Salsa de tomate

2 cucharadas de aceite de oliva
1 cebolla cortada en daditos
1 zanahoria cortada en rodajas
1 guindilla roja sin pepitas y picada
2 dientes de ajo majados
1 lata de 425 g de tomate triturado
1/2 taza (125 ml) de vino blanco
1 cucharadita de azúcar
una pizca de pimienta de Cayena

1/4 taza (60 ml) de vino blanco
1/4 taza (60 ml) de caldo de pescado
1 diente de ajo majado
375 g de espaguetis
30 g de mantequilla
125 g de aros de calamar pequeños
125 g de filetes de pescado blanco troceados
    y sin espinas
200 g de gambas crudas, limpias y peladas
1/2 taza (30 g) de perejil fresco picado
200 g de almejas en conserva,
    escurridas

1 Quite las barbas a los mejillones y rasque las conchas para eliminar la arena. Deseche los mejillones abiertos o rotos.

2 Para la salsa de tomate: En una sartén mediana con aceite caliente, cueza la cebolla y la zanahoria, removiendo, durante 10 minutos o hasta que estén ligeramente doradas. Añada la guindilla, el ajo, el tomate, el vino blanco, el azúcar y la pimienta de Cayena y cueza todo a fuego lento durante 30 minutos, removiendo de vez en cuando.

3 Mientras tanto, caliente el vino, el caldo y el ajo en una sartén grande y agregue los mejillones. Tape la sartén y agítela a fuego alto de 3 a 5 minutos. Pasados 3 minutos, retire los mejillones abiertos y resérvelos. Pasados 5 minutos, deseche los mejillones cerrados y reserve el líquido de la cocción.

4 En una olla grande con agua hirviendo y sal, cueza la pasta hasta que esté al dente. Escúrrala y resérvela caliente. Derrita la mantequilla en una sartén y saltee los aros de calamar, el pescado y las gambas durante 2 minutos. Resérvelos. Agregue el líquido de la cocción, los mejillones, los calamares, el pescado, las gambas, el perejil y las almejas a la salsa de tomate y caliéntelo todo. Mezcle la salsa con la pasta y sirva enseguida.

VALOR NUTRITIVO POR RACIÓN: *Proteínas 30 g; grasas 15 g; hidratos de carbono 50 g; fibra dietética 5 g; colesterol 225 mg; 2000 kJ (480 cal)*

FARFALLE A LA CREMA CON ATÚN Y CHAMPIÑONES

Tiempo de preparación: 15 minutos
Tiempo de cocción: 15 minutos
Para 4 personas

500 g de farfalle

60 g de mantequilla

1 cucharada de aceite de oliva

1 cebolla picada

1 diente de ajo majado

125 g de champiñones botón cortados
  en láminas

1 taza (250 ml) de nata líquida

1 lata de 450 g de atún escurrido
  y desmenuzado

1 cucharada de zumo de limón

1 cucharada de perejil fresco
  picado

1 En una olla grande con agua hirviendo y sal, cueza los farfalle hasta que estén al dente. Escúrralos y devuélvalos a la olla.

2 Mientras la pasta se cuece, caliente la mantequilla en una sartén grande y cueza a fuego lento, removiendo, la cebolla y el ajo hasta que la cebolla quede tierna. Agregue los champiñones y cueza durante 2 minutos. Vierta la nata líquida y deje que rompa el hervor. Baje el fuego y cueza a fuego lento hasta que la salsa empiece a espesar.

3 Agregue el atún, el zumo de limón y el perejil a la mezcla, salpimiente al gusto y remueva bien. Caliéntelo ligeramente sin dejar de remover. Vierta la salsa sobre los farfalle y revuelva suavemente.

NOTA: En lugar de atún, puede utilizar 1 lata de salmón escurrido y desmenuzado.

VALOR NUTRITIVO POR RACIÓN: *Proteínas 45 g; grasas 50 g; hidratos de carbono 90 g; fibra dietética 10 g; colesterol 145 mg; 4100 kJ (980 cal)*

ATÚN

El atún es un pez de superficie y un consumado nadador, por lo que su carne es compacta, musculosa y de textura gruesa. Este pescado es apropiado para guisos y soporta cocciones prolongadas, pero también se puede consumir salteado o crudo como en el sashimi japonés. La carne cruda tiene un atractivo color rosa y permite obtener rodajas firmes sin que se rompa.

ARRIBA: Farfalle a la crema con atún y champiñones

GAMBAS A LA CREMA CON FETTUCINE

Tiempo de preparación: 30 minutos
Tiempo de cocción: 15 minutos
Para 4 personas

500 g de fettucine

500 g de gambas crudas

30 g de mantequilla

1 cucharada de aceite de oliva

6 cebolletas picadas

1 diente de ajo majado

1 taza (250 ml) de nata líquida

2 cucharadas de perejil fresco
  picado

*ABAJO: Gambas a la
crema con fettucine*

1 En una olla grande con agua hirviendo y sal, cueza los fettucine hasta que estén al dente. Escúrralos y devuélvalos a la olla.

2 Mientras los fettucine se cuecen, pele y limpie las gambas. En una sartén con el aceite y la mantequilla calientes, remueva la cebolleta y el ajo a fuego lento durante 1 minuto. Agregue las gambas y cueza de 2 a 3 minutos o hasta que la carne cambie de color. Retire las gambas y resérvelas. Incorpore la nata líquida y deje que rompa el hervor. Baje el fuego y cueza lentamente hasta que la salsa empiece a espesar. Devuelva las gambas a la sartén, salpimiente al gusto y cueza a fuego lento durante 1 minuto.

3 Vierta las gambas y la salsa sobre los fettucine calientes y revuelva. Sirva el plato espolvoreado con perejil picado.

NOTA: Para variar, añada en el paso 1 un pimiento rojo en rodajas y 1 puerro en rodajitas. Use vieiras en lugar de gambas o mézclelas.

VALOR NUTRITIVO POR RACIÓN: *Proteínas 35 g; grasas 40 g; hidratos de carbono 90 g; fibra dietética 7 g; colesterol 320 mg; 3660 kJ (875 cal)*

OTRAS SUGERENCIAS

ENSALADA DE BERROS, SALMÓN Y CAMEMBERT Quite y deseche los tallos duros del berro y dispóngalo en el fondo de una fuente grande. Cúbralo con diez lonchas de salmón ahumado, 200 g de queso camembert en lonchas finas, 2 cucharadas de alcaparras y 1 cebolla roja cortada en aros finos. Para el aliño, mezcle bien 2 cucharadas de zumo de lima recién exprimido, 1 cucharadita de miel y 1/3 taza (90 ml) de aceite de oliva. Rocíelo sobre la ensalada y decórela con pimienta negra machacada y abundante cebollino fresco, sin las puntas.

ENSALADA DE CHAMPIÑONES MARINADOS Limpie y corte por la mitad 500 g de champiñones. Póngalos en una ensaladera, añada 4 cebolletas cortadas en rodajitas, 1 pimiento rojo y 2 cucharadas de perejil de hoja plana fresco. Para el aliño, mezcle 3 dientes de ajo majados, 2 cucharadas de vinagre de vino blanco, 2 cucharaditas de mostaza de Dijon y 1/3 taza (80 ml) de aceite de oliva. Vierta el aliño sobre los champiñones y revuelva bien. Tape y déjelos en el frigorífico durante 3 horas antes de servirlos.

PASTELES DE CANGREJO CON SALSA PICANTE

Tiempo de preparación: 40 minutos + 30 minutos de refrigeración
Tiempo de cocción: 35 minutos
Para 6 personas

Salsa picante

2 tomates grandes muy maduros

1 cebolla picada fina

2 dientes de ajo majados

1 cucharadita de hojas secas de orégano

2 cucharadas de salsa dulce de guindilla

100 g de pasta de cabello de ángel troceada

600 g de carne de cangrejo

2 cucharadas de perejil fresco picado fino

1 pimiento rojo pequeño picado fino

3 cucharadas de queso parmesano recién rallado

1/4 taza (30 g) de harina

2 cebolletas picadas finas

2 huevos poco batidos

2 ó 3 cucharadas de aceite

1 Para la salsa picante: Mezcle todos los ingredientes en un cuenco pequeño y deje reposar a temperatura ambiente durante 1 hora.
2 En una olla grande con agua hirviendo y sal, cueza la pasta hasta que esté al dente. Escúrrala.
3 Elimine el exceso de humedad de la carne de cangrejo y mézclela en un cuenco grande con la pasta, el perejil, el pimiento rojo, el parmesano rallado, la harina, las cebollas y la pimienta al gusto. Añada el huevo batido y mézclelo bien.
4 Divida la mezcla en doce partes y moldéelas en forma de hamburguesa. Cúbralas y déjelas en el frigorífico durante 30 minutos.
5 En una sartén grande de fondo pesado con aceite caliente, fría los pasteles de cangrejo a fuego medio, por tandas, hasta que estén dorados. Sírvalos enseguida con salsa picante.

VALOR NUTRITIVO POR RACIÓN: *Proteínas 20 g; grasas 10 g; hidratos de carbono 25 g; fibra dietética 3 g; colesterol 150 mg; 1200 kJ (290 cal)*

OTRAS SUGERENCIAS

JUDÍAS NEGRAS CON TOMATE, LIMA Y CILANTRO
Pele 3 tomates grandes muy maduros, despepítelos y pique la pulpa. Mézclela en una ensaladera con el zumo de 1 lima, un poco de pepino picado fino y un buen puñado de hojas frescas de cilantro. Mézclelo con 2 tazas de judías cocidas (pintas o rojas) y 1 cucharada de aceite de oliva y sazone bien.

CALABACÍN CON TOMATE Y AJO
Fría daditos de calabacín y un diente de ajo majado en aceite de oliva hasta que queden crujientes y completamente dorados. Agregue un poco de tomate fresco picado y salpimiente. Sírvalo mientras el calabacín aún esté crujiente.

CANGREJO

El cangrejo es un crustáceo con poca carne para su tamaño. Los cangrejos pequeños de río y de mar son poco carnosos y se usan para dar sabor a caldos y guisos. Si se atrapan mientras sus cáscaras aún están formándose, se pueden comer enteros, con cáscara y pinzas. Algunas especies, como el cangrejo de Alaska, poseen pinzas enormes y gran cantidad de carne. La carne de cangrejo es dulce y suave.

ARRIBA: Pasteles de cangrejo con salsa picante

SALMÓN

El salmón es apreciado por su sabor delicado, su color rosado suave y la textura fina y jugosa de su carne. Es fácil de conservar, ya que se puede secar, ahumar y enlatar. El salmón es un pez migratorio que vive en el mar pero desova en agua dulce. No se alimenta mientras se encuentra en agua dulce, por lo que su carne está en su peor momento mientras vuelven al mar. Sin embargo, esta regla no siempre se cumple: en algunos lugares, los salmones viven en lagos de agua dulce y desovan en sus afluentes. Hay quien considera que el sabor y la textura de la carne de estos peces es de peor calidad, pero hoy en día, gracias a la cría y a la producción controlada, la calidad de los salmones que encontramos en los mercados se mantiene alta.

ARRIBA: Salmón y pasta con salsa mornay

SALMÓN Y PASTA CON SALSA MORNAY

Tiempo de preparación: 15 minutos
Tiempo de cocción: de 10 a 15 minutos
Para 4 personas

400 g de conchiglie

30 g de mantequilla

6 cebolletas picadas

2 dientes de ajo majados

1 cucharada de harina

1 taza (250 ml) de leche

1 taza (250 ml) de nata agria

1 cucharada de zumo de limón

1 lata de 425 g de salmón escurrido y desmenuzado

1/2 taza (30 g) de perejil fresco picado

1 En una olla grande con agua hirviendo y sal, cueza los conchiglie hasta que estén al dente. Escúrralos y devuélvalos a la olla.

2 Mientras la pasta se cuece, derrita la mantequilla en una sartén mediana y fría la cebolla y el ajo a fuego lento, removiendo durante 3 minutos o hasta que estén tiernos. Añada la harina y remueva durante 1 minuto. Mezcle la leche, la crema agria y el zumo de limón en un tazón. Añádalo a la mezcla de cebolla de manera gradual, sin dejar de remover. Remuévalo a fuego medio durante 3 minutos o hasta que la mezcla hierva y espese.

3 Agregue el salmón y el perejil y remueva durante 1 minuto o hasta que todo esté caliente. Viértalo sobre la pasta escurrida y revuelva bien. Salpimiente al gusto antes de servirlo.

NOTA: Para variar, sustituya el salmón por atún escurrido y desmenuzado y añada 1 cucharada de mostaza a la salsa.

VALOR NUTRITIVO POR RACIÓN: *Proteínas 40 g; grasas 40 g; hidratos de carbono 80 g; fibra dietética 5 g; colesterol 190 mg; 3550 kJ (850 cal)*

ESPAGUETIS CON CALAMARES A LA GUINDILLA

Tiempo de preparación: 20 minutos
Tiempo de cocción: 20 minutos
Para 4 personas

500 g de calamares limpios

500 g de espaguetis

2 cucharadas de aceite de oliva

1 puerro picado

2 dientes de ajo majados

1 ó 2 cucharaditas de guindilla picada

1/2 cucharadita de pimienta de Cayena

1 lata de 425 g de tomate triturado

1/2 taza (125 ml) de caldo de pescado
   (vea nota al margen)

1 cucharada de albahaca fresca picada

2 cucharaditas de salvia fresca picada

1 cucharadita de mejorana fresca picada

1 Arranque los tentáculos de los calamares. Saque el espadón de la bolsa con las manos. Separe y deseche la piel de la carne. Con un cuchillo afilado, corte los troncos de calamar por un lado, extiéndalos y marque rombos en una cara. Corte cada tronco en cuatro partes.

2 En una olla grande con agua hirviendo y sal, cueza los espaguetis hasta que estén al dente. Escúrralos y resérvelos calientes.

3 Mientras se hace la pasta, cueza el puerro durante 2 minutos en una sartén con aceite caliente. Agregue el ajo y remueva a fuego lento durante 1 minuto. Añada la guindilla y la pimienta y remueva. Incorpore el tomate, el caldo y las hierbas aromáticas y deje que hierva. Baje el fuego y déjelo cocer durante 5 minutos.

4 Agregue los calamares a la sartén. Cuézalos a fuego lento de 5 a 10 minutos o hasta que estén tiernos. Sirva el plato con los calamares a la guindilla sobre los espaguetis.

VALOR NUTRITIVO POR RACIÓN: *Proteínas 35 g; grasas 15 g; hidratos de carbono 90 g; fibra dietética 10 g; colesterol 250 mg; 2670 kJ (640 cal)*

CALDO DE PESCADO
Puesto que el caldo de pescado no se encuentra con facilidad, puede hacerlo usted mismo y congelarlo. Funda 1 cucharada de mantequilla en una sartén y cueza dos cebollas picadas finas a fuego lento durante 10 minutos o hasta que estén tiernas pero no oscuras. Añada 2 litros de agua, 1,5 kg de raspas de pescado, cabezas y colas y un bouquet garni. Cuézalo a fuego lento durante 20 minutos y vaya espumando. Cuele el caldo con un colador fino antes de refrigerarlo. Utilice pescado blanco, ya que con otros tipos, el caldo resulta demasiado graso.

ARRIBA: Espaguetis con calamares a la guindilla

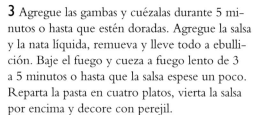

3 Agregue las gambas y cuézalas durante 5 minutos o hasta que estén doradas. Agregue la salsa y la nata líquida, remueva y lleve todo a ebullición. Baje el fuego y cueza a fuego lento de 3 a 5 minutos o hasta que la salsa espese un poco. Reparta la pasta en cuatro platos, vierta la salsa por encima y decore con perejil.

VALOR NUTRITIVO POR RACIÓN: *Proteínas 55 g; grasas 40 g; hidratos de carbono 95 g; fibra dietética 8 g; colesterol 385 mg; 4105 kJ (975 cal)*

TAGLIATELLE CON HIERBAS AROMÁTICAS, LIMA CAFRE Y GAMBAS

Tiempo de preparación:
1 1/2 horas + 1 hora de secado
Tiempo de cocción: de 12 a 15 minutos
Para 4 personas

 ✵ ✵ ✵

Tagliatelle

2 tazas (250 g) de harina tamizada y un poco de harina adicional

1/2 taza (15 g) de perejil triturado o picado fino

3 cucharaditas de aceite aromatizado

3 cucharaditas de aceite puro de lima

1 cucharadita de sal

3 huevos batidos

Salsa

20 g de mantequilla

1 cebolla picada

1 cucharadita de jengibre fresco rallado

1/2 taza (125 ml) de salsa de pescado

1/3 taza (90 ml) de salsa dulce de guindilla

el zumo y la piel de 1 limón

6 hojas de lima cafre picadas gruesas

1 3/4 tazas (440 ml) de leche de coco

1 kg de gambas grandes crudas, peladas y limpias pero con la cola intacta

1/2 taza (125 ml) de nata líquida

GAMBAS A LA MEXICANA

Tiempo de preparación: 20 minutos
Tiempo de cocción: 15 minutos
Para 4 personas

✵

500 g de rigatoni

1 cucharada de aceite

2 dientes de ajo majados

2 guindillas rojas picadas finas

3 cebolletas cortadas en aros

750 g de gambas crudas, peladas y limpias

300 g de salsa picante preparada

1 1/2 tazas (375 ml) de nata líquida

2 cucharadas de perejil fresco picado

1 En una olla grande con agua hirviendo y sal, cueza los rigatoni hasta que estén al dente.
2 Caliente el aceite y fría el ajo, la guindilla y la cebolleta a fuego medio durante 2 minutos o hasta que el ajo esté tierno y dorado.

ARRIBA: Gambas a la mexicana

1 Para los tagliatelle: Mezcle la harina, el perejil, el aceite y los huevos en un robot de cocina de 2 a 3 minutos o hasta conseguir una masa blanda y compacta. Pásela a una tabla enharinada y córtela en tres o cuatro partes iguales con un cuchillo enharinado. Cúbrala con un paño húmedo.
2 Ajuste los rodillos de la máquina a su anchura máxima. Enharine ligeramente una parte de la

HOJAS DE LIMA CAFRE
El fruto del limero cafre tiene un color verde oscuro, piel dura y nudosa y hojas muy características que parecen dos hojas más pequeñas unidas por los extremos. La piel y el zumo de este fruto, de aroma y sabor intensos, se utilizan en Asia en las sopas y los curries. Las hojas frescas, que no deben sustituirse por las de un árbol de lima convencional, se emplean enteras para condimentar curries y troceadas en ensaladas y pueden adquirirse en tiendas de alimentación asiáticas. Es posible congelar las hojas enteras si se guardan en un envase hermético. Las hojas secas tan sólo se utilizan en platos cocidos.

masa y pásela por los rodillos. Déjela sobre una superficie ligeramente enharinada. Doble la masa en tres partes, gírela 90º y pásela de nuevo por los rodillos. Espolvoréela ligeramente con harina para que no se pegue. Repita este proceso de amasado unas 10 veces. Reduzca gradualmente el espesor de la masa ajustando los rodillos y procure no doblarla. Cada vez que pase la masa por los rodillos, reduzca el ajuste en un punto hasta alcanzar el tercero más estrecho (el más estrecho es demasiado delgado). Corte la lámina de pasta por la mitad al alcanzar los puntos 3 ó 4. Cuanto más larga es la lámina, más cuesta manejarla.

3 Corte los bordes irregulares de las láminas de pasta y haga tagliatelle pasándolas por las cuchillas. Cuélguelos de 10 a 15 minutos en un palo limpio para que se sequen (no los deje demasiado tiempo ni los exponga a corrientes de aire, porque podrían secarse demasiado y romperse). Apílelos formando nidos y espolvoréelos con harina abundante. Déjelos secar sobre un paño de cocina enharinado durante 1 hora como mínimo.

4 Añada 1 cucharadita de aceite de lima, 1 de aceite de oliva y otra de sal en una olla grande con agua. Deje hervir, agregue los tagliatelle y cuézalos hasta que estén al dente.

5 Para la salsa: Funda la mantequilla en una sartén de fondo pesado y fría la cebolla a fuego medio hasta que esté transparente. Agregue el jengibre, la salsa de pescado, la salsa dulce de guindilla, el zumo y la piel del limón y las hojas de lima y cuézalo todo de 1 a 2 minutos. Añada la leche de coco, remueva y cueza otros 10 minutos.

6 Añada las gambas y la nata líquida y cueza a fuego lento de 3 a 4 minutos.

7 Reparta los tagliatelle en platos precalentados y nápelos con la salsa.

NOTA: Para preparar el aceite aromático, triture 1/2 taza (30 g) de hojas de perejil y 1/2 taza (15 g) de hojas de perejil en un robot de cocina. Añádales 1/2 taza (125 ml) de aceite de oliva virgen extra y cueza a fuego muy lento durante 2 minutos. Déjelo enfriar y cuélelo. Puede sustituir el aceite de lima por 3 cucharadas de aceite de oliva con 2 cucharaditas de ralladura de lima.

VALOR NUTRITIVO POR RACIÓN: *Proteínas 70 g; grasas 50 g; hidratos de carbono 70 g; fibra dietética 4 g; colesterol 555 mg; 4245 kJ (1010 cal)*

ARRIBA: Tagliatelle con hierbas aromáticas, lima cafre y gambas

CAVIAR ROJO

El caviar son las huevas de distintos miembros de la familia de los esturiones. Su calidad varía en función del pescado del que se extraigan las huevas, que pueden ser de color negro, marrón oscuro, gris, dorado o salmón. El caviar rojo tiene de hecho un color naranja pálido. Las huevas han de ser brillantes y firmes. Su sabor no debe ser ni muy salado ni parecerse demasiado al del pescado.

ABAJO: Fettucine con caviar

FETTUCINE CON CAVIAR

Tiempo de preparación: 15 minutos
Tiempo de cocción: 15 minutos
Para 4 personas

2 huevos duros
4 cebolletas
1 taza (150 g) de nata agria ligera
50 g de caviar rojo
2 cucharadas de eneldo fresco picado
1 cucharada de zumo de limón
500 g de fettucine

1 Pele los huevos y córtelos en trocitos. Deseche las puntas oscuras de las cebolletas y píquelas.
2 En un cuenco pequeño, mezcle la nata agria, el huevo, la cebolleta, el caviar, el eneldo, el zumo de limón y pimienta al gusto. Reserve.

3 En una olla grande con agua hirviendo y sal, cueza los fettucine hasta que estén al dente. Escúrralos y devuélvalos a la olla.
4 Vierta la mezcla de caviar sobre la pasta caliente y sirva el plato decorado con una ramita de eneldo fresco si lo desea.
NOTA: Utilice huevas rojas grandes, no la variedad pequeña disponible en los supermercados.

VALOR NUTRITIVO POR RACIÓN: *Proteínas 20 g; grasas 15 g; hidratos de carbono 90 g; fibra dietética 5 g; colesterol 165 mg; 2950 kJ (700 cal)*

PASTA AROMÁTICA CON MARISCO

Tiempo de preparación: 30 minutos
Tiempo de cocción: 20 minutos
Para 4 personas

500 g de conchiglie
2 ó 3 cucharadas de aceite de oliva ligero
4 cebolletas cortadas en rodajitas
1 guindilla pequeña picada fina
500 g de gambas crudas, peladas y limpias
   pero con la cola intacta
250 g de vieiras en mitades
1/4 taza (15 g) de cilantro fresco picado
1/4 taza (60 ml) de zumo de lima
2 cucharadas de salsa dulce de guindilla
1 cucharada de salsa de pescado
1 cucharada de aceite de sésamo
piel de lima cortada en tiras

1 En una olla grande con agua hirviendo y sal, cueza los conchiglie hasta que estén al dente.
2 Mientras la pasta se cuece, caliente el aceite en una sartén y añada la cebolleta, la guindilla, las gambas y las vieiras. No deje de remover, a fuego medio, hasta que las gambas se vuelvan rosadas y las vieiras estén ligeramente cocidas. Retire del fuego enseguida. Agregue el cilantro, el zumo de lima, la salsa de guindilla y la de pescado y remueva.
3 Escurra la pasta y devuélvala a la olla. Mézclala bien con el aceite de sésamo, agregue la mezcla de gamba y revuelva ligeramente. Sirva la pasta decorada con piel de lima, si lo desea.

VALOR NUTRITIVO POR RACIÓN: *Proteínas 45 g; grasas 40 g; hidratos de carbono 90 g; fibra dietética 5 g; colesterol 260 mg; 3885 kJ (925 cal)*

PESCADO A LA GUINDILLA EN SALSA DE TOMATE

Tiempo de preparación: 25 minutos
Tiempo de cocción: 30 minutos
Para 4 personas

8 mejillones frescos

1 cucharadita de aceite de oliva

1 cebolla grande picada

3 dientes de ajo picados finos

2 guindillas rojas pequeñas sin semillas, picadas

1 lata de 820 g de tomate

2 cucharadas de concentrado de tomate
  (doble concentrado)

$^1/_2$ cucharadita de pimienta negra machacada

$^1/_2$ taza (125 ml) de caldo vegetal

2 cucharadas de Pernod

650 g de preparado para paella

2 cucharadas de perejil fresco de hoja plana

1 cucharada de eneldo fresco picado

350 g de bucatini

1 Quite las barbas a los mejillones y rasque las conchas para eliminar la arena.

2 En una sartén grande con aceite caliente, fría la cebolla, el ajo y la guindilla de 1 a 2 minutos. Agregue el tomate, el concentrado de tomate, la pimienta, el caldo y el Pernod y remueva. Baje el fuego y déjelo cocer de 8 a 10 minutos. Retire del fuego y deje enfriar un poco. Pase la salsa a un robot de cocina y tritúrela hasta dejarla fina.

3 Devuelva la mezcla de tomate a la sartén, agregue el preparado para paella y cueza a fuego lento durante 4 minutos. Agregue los mejillones y las hierbas aromáticas y cuézalo a fuego lento de 1 a 2 minutos o hasta que los mejillones se abran; deseche los cerrados.

4 Mientras tanto, cueza la pasta en una olla grande con agua hirviendo y sal hasta que esté al dente. Escúrrala bien, repártala en 4 cuencos y nápela con la salsa.

NOTA: El preparado para paella es una mezcla de pescado crudo de venta en las pescaderías, que suele contener vieiras, gambas, mejillones y aros de calamar. Pruebe esta receta con un solo tipo de pescado, como las gambas o los calamares.

VALOR NUTRITIVO POR RACIÓN: *Proteínas 45 g; grasas 5 g; hidratos de carbono 80 g; fibra dietética 10 g; colesterol 265 mg; 2380 kJ (570 cal)*

*ARRIBA: Pasta aromática con marisco
ABAJO: Pescado a la guindilla en salsa de tomate*

2 Mientras la pasta se cuece, caliente 2 cucharadas de aceite de oliva en una sartén de fondo pesado y fría el ajo y la guindilla a fuego lento durante 1 minuto. Agregue el tomate picado, su jugo y el azúcar. Remueva a fuego lento durante 5 minutos o hasta que el tomate esté caliente.

3 Agregue el salmón y la albahaca y salpimiente al gusto. Mezcle la salsa con la pasta y sirva.

VALOR NUTRITIVO POR RACIÓN (6): *Proteínas 25 g; grasas 10 g; hidratos de carbono 60 g; fibra dietética 5 g; colesterol 55 mg; 1930 kJ (460 cal)*

SPAGHETTINI CON SALMÓN ASADO Y AJO

Tiempo de preparación: 10 minutos
Tiempo de cocción: 20 minutos
Para 4 a 6 personas

4 filetes pequeños de salmón joven y fresco, de unos 100 g cada uno

4 ó 5 cucharadas de aceite de oliva virgen extra

8 ó 10 dientes de ajo pelados

300 g de spaghettini secos

50 g de hinojo cortado en rodajitas

1 ½ cucharada de ralladura de lima

2 cucharadas de zumo de lima

4 ramitas de hinojo con sus hojas

1 Precaliente el horno a 220°C y unte una bandeja de horno de cerámica con aceite. Unte los filetes de salmón con 2 cucharadas de oliva, sálelos y dispóngalos en el fondo de la bandeja.

2 Corte los dientes de ajo longitudinalmente y espárzalos sobre los filetes de salmón. Úntelos con aceite de oliva. Hornéelo de 10 a 15 minutos o hasta que el salmón esté bien cocido.

3 Mientras tanto, cueza los spaghettini en una olla grande con agua hirviendo y sal hasta que estén al dente. Escúrralos y mézclelos con aceite de oliva virgen extra para que queden brillantes y sueltos. Revuelva el hinojo y la ralladura de limón con la pasta y repártala en los platos.

4 Cubra cada ración con un filete de salmón. Vierta cucharadas del líquido de la fuente por encima, añada el ajo troceado y rocíe con zumo de lima. Decore con hojas de hinojo y acompañe con una sencilla ensalada de tomate.

VALOR NUTRITIVO POR RACIÓN (6): *Proteínas 30 g; grasas 30 g; hidratos de carbono 55 g; fibra dietética 5 g; colesterol 70 mg; 2640 kJ (630 cal)*

PAPPARDELLE

Los pappardelle son cintas largas y planas parecidas a los fettucine pero mucho más anchos (30 mm). Son perfectos para salsas espesas, nutritivas y de sabor intenso y resultan ideales para platos con carnes de caza y asaduras. A veces un borde o incluso los dos están ondulados, lo que produce confusiones con los lasagnette, que sólo son la mitad de anchos. Ambos tipos son intercambiables en la mayoría de las recetas.

*ARRIBA: Pappardelle
con salmón*

PAPPARDELLE CON SALMÓN

Tiempo de preparación: 15 minutos
Tiempo de cocción: 25 minutos
Para 6 personas

⭐

500 g de pappardelle

2 dientes de ajo picados finos

1 cucharadita de guindilla fresca picada

500 g de tomates muy maduros picados

1 cucharadita de azúcar moreno

1 lata de 425 g de salmón rosado escurrido y desmenuzado

½ taza de hojas frescas de albahaca picadas

1 En una olla grande con agua hirviendo y sal, cueza los pappardelle hasta que estén al dente. Escúrralos y devuélvalos a la olla.

TAGLIATELLE CON PULPITOS

Tiempo de preparación: 30 minutos
Tiempo de cocción: 25 minutos
Para 4 personas

500 g de tagliatelle variados

1 kg de pulpitos

2 cucharadas de aceite de oliva

1 cebolla cortada en aros

1 diente de ajo majado

1 lata de 425 g de concentrado de tomate

1/2 taza (125 ml) de vino blanco seco

1 cucharada de salsa de guindilla en conserva

1 cucharada de albahaca fresca picada

1 En una olla grande con agua hirviendo y sal, cueza los tagliatelle hasta que estén al dente. Escúrralos y devuélvalos a la olla.

2 Con un cuchillo pequeño y afilado, extraiga las tripas a los pulpitos quitándoles la cabeza o haciéndoles un corte y empujando desde el extremo de la bolsa. Limpie bien los pulpitos, séquelos y córtelos por la mitad, si lo desea. Resérvelos.

3 Mientras la pasta se cuece, caliente el aceite en una sartén grande. Fría la cebolla y el ajo a fuego lento hasta que la cebolla esté transparente. Agregue el concentrado de tomate, el vino, la salsa de guindilla y la albahaca y salpimiente al gusto. Llévelo a ebullición, baje el fuego y cueza a fuego lento durante 10 minutos.

4 Incorpore los pulpitos y cuézalos a fuego lento de 5 a 10 minutos o hasta que estén tiernos. Sírvalos sobre la pasta.

VALOR NUTRITIVO POR RACIÓN: *Proteínas 50 g; grasas 15 g; hidratos de carbono 95 g; fibra dietética 10 g; colesterol 100 mg; 3130 kJ (750 cal)*

ARRIBA: Tagliatelle con pulpitos

PASTA AL TOMATE CON BACALAO AHUMADO Y SÉSAMO

Tiempo de preparación: 25 minutos
Tiempo de cocción: 10 minutos
Para 4 personas

320 g de bacalao ahumado u otro pescado
  grande ahumado como el merlán
1/2 taza (125 ml) de leche
400 g de casereccie de tomate
1 zanahoria
4 cucharadas de aceite de cacahuete
1 cebolla pequeña cortada en aros
150 g de brotes de soja
1 1/2 cucharaditas de salsa de soja
1 cucharadita de aceite de sésamo
1 cucharada de semillas de sésamo tostadas

1 Ponga el pescado en una olla junto con la leche y añada agua hasta cubrirlo. Hiérvalo a fuego lento durante 5 minutos o hasta que esté tierno. Aclárelo con agua fría para enfriarlo y eliminar los restos de leche. Desmenuce el pescado en trozos grandes y deseche la piel y las espinas. Reserve.

2 En una olla grande con agua hirviendo y sal, cueza la pasta hasta que esté al dente. Escúrrala.

3 Corte rodajas de zanahoria en diagonal. Caliente 3 cucharadas de aceite de cacahuete en una sartén grande o un wok y remueva la zanahoria y la cebolla hasta que estén cocidas pero crujientes. Agregue los brotes de soja, la salsa y el aceite de sésamo y remueva. Sazone con sal y pimienta negra recién molida al gusto.

4 Añada al wok la pasta junto con las semillas de sésamo, el pescado preparado y el aceite de cacahuete restante. Remueva ligeramente y sirva enseguida.

VALOR NUTRITIVO POR RACIÓN: *Proteínas 30 g; grasas 25 g; hidratos de carbono 75 g; fibra dietética 8 g; colesterol 45 mg; 2725 kJ (650 cal)*

FRITTATA DE TRUCHA, FETTUCINE E HINOJO

Tiempo de preparación: 20 minutos
Tiempo de cocción: 1 hora
Para 4 personas

1 trucha entera de 250 g ahumada
200 g de fettucine secos
1 taza (250 ml) de leche
1/2 taza (125 ml) de nata líquida
4 huevos
una pizca de nuez moscada
40 g de hinojo cortado en rodajas finas,
  y ramitas para decorar
4 cebolletas cortadas en láminas
2/3 taza (85 g) de queso cheddar rallado

1 Precaliente el horno a 180°C. Unte un molde de 23 cm de diámetro con un poco de aceite. Deseche la piel y las espinas de la trucha.

2 En una olla grande con agua hirviendo y sal, cueza los fettucine hasta que estén al dente. Escúrralos.

3 En un cuenco grande, mezcle la leche, la nata líquida, los huevos y la nuez moscada y bata la mezcla hasta que quede homogénea. Salpimiente al gusto. Agregue la trucha, los fettucine, el hinojo y la cebolleta y revuelva todo para distribuirlo de manera uniforme. Vierta sobre el molde, espolvoree con el queso y hornee hasta que esté firme, aproximadamente 1 hora. Decore el plato con 2 ó 3 ramitas de hinojo y sírvalo.

VALOR NUTRITIVO POR RACIÓN: *Proteínas 25 g; grasas 20 g; hidratos de carbono 25 g; fibra dietética 2 g; colesterol 195 mg; 3130 kJ (750 cal)*

OTRAS SUGERENCIAS

TABULE Ponga a remojo 3/4 taza (130 g) de bulgur en 3/4 taza (185 ml) de agua durante 15 minutos o hasta que absorba todo el líquido. Triture las hojas de 2 manojos (300 g) de perejil de hoja plana y mézclelo con 1/2 taza (25 g) de menta fresca picada, 3 tomates maduros en la planta y 4 cebolletas picadas finas. Para preparar el aliño, mezcle bien 3 dientes de ajo majados, 1/3 taza (80 ml) de zumo de limón y 1/4 taza (60 ml) de aceite de oliva. Rocíe con ello la ensalada y revuelva para que se impregnen bien todos los ingredientes.

HINOJO
El bulbo del hinojo tiene un inconfundible sabor anisado y una textura crujiente. En las ensaladas y el antipasto se utiliza crudo y cortado en rodajas. Cocido, se puede brasear y combina muy bien con el pescado, el marisco y el cerdo. Escoja bulbos crujientes que estén formados por muchos tallos. Se utilizan tanto los tallos interiores de color blanco como las hojas, que una vez picadas son ideales para sazonar ensaladas y pescados o condimentar salsas de pescado. Las semillas secas de hinojo son una parte importante en las mezclas de especias y se emplean para condimentar un amplio abanico de alimentos que va del pan al salami.

PÁGINA ANTERIOR:
Pasta al tomate con bacalao ahumado y sésamo (superior); frittata de trucha, fettucine e hinojo

VIEIRAS

Al igual que otros moluscos, las vieiras se consumen cocidas. Si se les quita la concha, se pueden hervir, saltear u hornear. Con media valva, se asan ligeramente y con los mínimos condimentos. La leche, la mantequilla y la nata líquida son complementos apropiados de las vieiras, que a menudo se sirven con un vino blanco. La cocción debe ser corta para evitar que la carne se vuelva gomosa.

ARRIBA: Ravioli cremosos con marisco

RAVIOLI CREMOSOS CON MARISCO

Tiempo de preparación:
 1 hora + 30 minutos en reposo
Tiempo de cocción: 30 minutos
Para 4 personas

Pasta

2 tazas (250 g) de harina

3 huevos

1 cucharada de aceite de oliva

1 yema de huevo adicional

Relleno

50 g de mantequilla ablandada

3 dientes de ajo majados

2 cucharadas de perejil de hoja plana picado fino

100 g de vieiras limpias picadas

100 g de carne cruda de gamba picada

Salsa

75 g de mantequilla

3 cucharadas de harina

1 ½ tazas (375 ml) de leche

300 ml de nata líquida

½ taza (125 ml) de vino blanco

½ taza (50 g) de queso parmesano rallado

2 cucharadas de perejil de hoja plana picado

1 Para la pasta: Tamice la harina y una pizca de sal, vierta en un cuenco y haga un hoyo en el centro. Bata los huevos, el aceite y 1 cucharada de agua en un tazón, y mezcle con la harina de manera gradual hasta conseguir una masa firme.
2 Trabaje la bola de masa sobre una superficie enharinada durante 5 minutos, hasta que esté suave y elástica. Pásela a un cuenco untado con aceite, cúbrala y resérvela durante 30 minutos.
3 Para el relleno: Mezcle la mantequilla, el ajo picado, el perejil, las vieiras y la carne de gamba. Reserve.

4 Divida la masa en cuatro partes y páseles el rodillo hasta que queden muy finas (cada parte debe tener unos 10 cm de ancho tras aplanarla). Ponga 1 cucharadita de relleno a intervalos de 5 cm sobre cada tira. Bata la yema de huevo adicional con 3 cucharadas de agua. Pinte un lado cara de la masa y entre los montoncitos de relleno. Doble la masa sobre el relleno para unir las dos caras. Repita estos pasos con el relleno y la masa restantes. Presione con firmeza los bordes de la masa para sellarlos.

5 Corte entre los rellenos con un cuchillo o un cortapastas alargado. En una olla grande con agua hirviendo y sal, cueza cada tanda de pasta durante 6 minutos (mientras la pasta se cuece, prepare la salsa). Escúrrala bien y devuélvala a la olla para mantenerla caliente.

6 Para la salsa: Derrita la mantequilla en una sartén, añada la harina y cuézala a fuego lento durante 2 minutos. Retírela del fuego y agregue, sin dejar de remover, la leche, la nata líquida y el vino mezclados, de manera gradual. Cueza a fuego lento hasta que la salsa empiece a espesar, remueva constantemente para evitar la formación de grumos. Deje que rompa el hervor y cueza ligeramente a fuego lento durante 5 minutos. Agregue el parmesano y el perejil y remueva. Retire la salsa del fuego, viértala sobre los ravioli y revuelva bien.

NOTA: La masa se deja reposar durante 30 minutos para que el gluten de la harina se asiente, pues, de lo contrario, la pasta podría salir dura.

VALOR NUTRITIVO POR RACIÓN: *Proteínas 30 g; grasas 70 g; hidratos de carbono 60 g; fibra dietética 5 g; colesterol 430 mg; 4255 kJ (1020 cal)*

MEJILLONES EN SALSA DE TOMATE

Tiempo de preparación: 20 minutos
Tiempo de cocción: 20 minutos
Para 4 personas

500 g de penne o rigatoni

1 cucharada de aceite de oliva

1 cebolla pequeña picada fina

1 diente de ajo picado

1 cebolla grande cortada en dados

1 tallo de apio cortado en dados

3 cucharadas de perejil fresco picado fino

800 ml de salsa de tomate para pasta

1/2 taza (125 ml) de vino blanco

375 g de mejillones marinados

1/4 taza (60 ml) de nata líquida (opcional)

1 En una olla grande con agua hirviendo y sal, cueza la pasta hasta que esté al dente. Escúrrala y devuélvala a la olla.

2 Caliente el aceite en una sartén y fría la cebolla, el ajo, la zanahoria y el apio hasta que todas las hortalizas estén tiernas. Añada el perejil, la salsa de tomate y el vino. Cueza a fuego lento durante 15 minutos, removiendo de vez en cuando.

3 Escurra los mejillones, añádalos a la salsa junto con la nata líquida (si la utiliza) y remueva bien. Vierta todo sobre la pasta y revuélvalo.

NOTA: Si no encuentra salsa de tomate especial para pasta envasada, utilice tomate triturado de lata.

VALOR NUTRITIVO POR RACIÓN: *Proteínas 35 g; grasas 25 g; hidratos de carbono 100 g; fibra dietética 10 g; colesterol 105 mg; 3280 kJ (780 cal)*

ARRIBA: Mejillones en salsa de tomate

ESPAGUETIS

Los espaguetis llegaron a Italia a través de Sicilia, donde fueron introducidos por los árabes tras su invasión en el año 827. Por su carácter viajero y mercante, este pueblo necesitaba que la pasta tuviera una forma fácil de almacenar y transportar, de ahí que se extendiera su predilección por los espaguetis secos. Conocidos entonces como *itriyah* (cordel en persa), el nombre se convirtió en *tria* y luego *trii*, una variante de los espaguetis que todavía se utiliza en Sicilia y algunas zonas del sur de Italia.

ABAJO: Espaguetis con mejillones a la crema

ESPAGUETIS CON MEJILLONES A LA CREMA

Tiempo de preparación: 20 minutos
Tiempo de cocción: de 10 a 15 minutos
Para 4 personas

500 g de espaguetis

1,5 kg de mejillones frescos

2 cucharadas de aceite de oliva

2 dientes de ajo majados

1/2 taza (125 ml) de vino blanco

1 taza (250 ml) de nata líquida

2 cucharadas de albahaca fresca picada

1 En una olla grande con agua hirviendo y sal, cueza los espaguetis hasta que estén al dente. Escúrralos.

2 Mientras se cuecen los espaguetis, quite las barbas y la arena de los mejillones (deseche los abiertos) y resérvelos. Caliente el aceite en una sartén y fría el ajo a fuego lento durante 30 segundos.

3 Agregue el vino y los mejillones. Tape la sartén y cueza a fuego lento durante 5 minutos. Retire los mejillones, deseche los cerrados y reserve.

4 Agregue la nata líquida y la albahaca y salpimiente al gusto. Cueza durante 2 minutos removiendo de vez en cuando. Sirva la salsa y los mejillones sobre los espaguetis.

VALOR NUTRITIVO POR RACIÓN: *Proteínas 80 g; grasas 40 g; hidratos de carbono 90 g; fibra dietética 7 g; colesterol 445 mg; 4510 kJ (1075 cal)*

OTRAS SUGERENCIAS

ENSALADA DE HORTALIZAS ASADAS Y BRIE

Ase, en aceite, 300 g de tomates pelados y partidos y 300 g de chirivías, boniatos, zanahorias pequeñas y cebolla hasta que estén crujientes y tiernos. Prepare el aliño con 2 cucharadas de zumo de naranja, 1 cucharadita de crema de rábano y 2 cucharadas de aceite. Aderece la ensalada con el aliño y abundante pimienta negra, cubra con 200 g de brie en lonchas y sírvala tibia.

TOMATES SECADOS AL SOL

Estos tomates en conserva se venden secos, a granel o en tarros y se emplean en platos de pasta, ensaladas o pizzas. Su sabor es dulce e intenso. En ocasiones vienen en aceite de oliva o de canola y deben escurrirse. Si los compra secos, póngalos a remojo en agua hirviendo durante 5 minutos antes de utilizarlos. Este tipo de tomates combina bien con quesos, ensaladas verdes, olivas, pescado, marisco, pollo y carne.

FETTUCINE CON SALMÓN AHUMADO

Tiempo de preparación: 10 minutos
Tiempo de cocción: de 10 a 15 minutos
Para 4 personas

100 g de salmón ahumado

1/4 taza (35 g) de tomates secados al sol

1 cucharada de aceite de oliva

1 diente de ajo majado

1 taza (250 ml) de nata líquida

1/4 taza de cebollino fresco troceado, más algunos tallos para decorar

1/4 cucharadita de mostaza en polvo

2 cucharaditas de zumo de limón

375 g de fettucine

2 cucharadas de queso parmesano recién rallado para servir

1 Corte el salmón ahumado y los tomates en trozos pequeños.

2 A una sartén con aceite caliente, añada el ajo y remueva a fuego lento durante 30 segundos. Agregue la nata líquida, el cebollino y la mostaza en polvo, y salpimiente al gusto. Deje hervir, baje el fuego y cueza lentamente, removiendo, hasta que la salsa empiece a espesar.

3 Agregue el salmón y el zumo de limón y revuelva bien hasta que se caliente ligeramente.

4 Mientras se hace la salsa, cueza los fettucine en una olla grande con agua hirviendo y sal hasta que estén al dente. Escúrralos bien y devuélvalos a la olla. Revuelva bien para que la salsa recubra la pasta todavía caliente. Sirva el plato enseguida con el tomate, el parmesano y los cebollinos por encima.

VALOR NUTRITIVO POR RACIÓN: *Proteínas 20 g; grasas 30 g; hidratos de carbono 70 g; fibra dietética 5 g; colesterol 90 mg; 2685 kJ (640 cal)*

ARRIBA: Fettucine con salmón ahumado

ALMEJAS

Aunque se consideraron durante mucho tiempo el pariente pobre de la familia de los moluscos, las almejas se utilizan por su suculenta carne y su delicado sabor. Si las compra vivas con su concha, consúmalas crudas o ligeramente cocidas. También se pueden adquirir en conserva sin las conchas, en cuyo caso se emplea la carne en salsas y estofados. También se venden tarros de almejas enteras ya cocidas, con lo que se evita toda su preparación. El jugo de las almejas en conserva se puede emplear en sopas y salsas como un caldo ligero de pescado.

ARRIBA: Espagetis vongole

ESPAGUETIS VONGOLE
(ESPAGUETIS CON SALSA DE ALMEJAS)

Tiempo de preparación: 25 minutos + remojo
Tiempo de cocción: de 20 a 35 minutos
Para 4 personas

1 kg de almejas pequeñas enteras
   ó 1 lata de 750 g de almejas al natural
1 cucharada de zumo de limón
1/3 taza (80 ml) de aceite de oliva
3 dientes de ajo majados
2 latas de 425 g de tomate triturado
250 g de espaguetis
4 cucharadas de perejil fresco picado

1 Si utiliza almejas frescas, límpielas bien (vea la nota). Introdúzcalas en una olla grande con el zumo de limón, tape y cueza a fuego medio agitando la olla durante 7 u 8 minutos hasta que las almejas se abran. Deseche las cerradas. Quite las conchas y reserve la carne. Si utiliza almejas de lata, escúrralas, aclárelas bien y resérvelas.

2 En una cacerola grande con aceite caliente, fría el ajo a fuego lento durante 5 minutos. Agregue el tomate y remueva bien. Deje hervir, tape la cacerola y cueza a fuego lento durante 20 minutos. Añada las almejas y pimienta negra recién molida al gusto. Revuelva hasta que todo esté caliente.

3 Mientras se hace la salsa, cueza los espaguetis en una olla grande con agua hirviendo y sal hasta que estén al dente. Escúrralos y devuélvalos a la olla. Añada la salsa y el perejil picado y revuelva suavemente para mezclarlos. Sírvalo en seguida en platos precalentados. Las alcaparras y una tira de piel de limón constituyen una atractiva decoración para las ocasiones especiales.

NOTA: Para limpiar las almejas, debe eliminar la arena y las piedrecitas que hay dentro de las conchas. Mezcle dos cucharadas de sal y de harina con agua suficiente para formar una masa. Pásela a un cuenco grande con agua fría y deje las almejas en remojo con esta mezcla toda la noche. Escúrralas y rasque bien las conchas. Aclárelas bien y escúrralas de nuevo.

VALOR NUTRITIVO POR RACIÓN: *Proteínas 35 g; grasas 25 g; hidratos de carbono 55 g; fibra dietética 7 g; colesterol 355 mg; 2420 kJ (580 cal)*

ESPAGUETIS Y MEJILLONES EN SALSA DE TOMATE A LAS HIERBAS

Tiempo de preparación: 15 minutos
Tiempo de cocción: 30 minutos
Para 4 personas

1,5 kg de mejillones frescos

2 cucharadas de aceite de oliva

1 cebolla cortada en aros finos

2 dientes de ajo majados

1 lata de 425 g de tomate triturado

1 taza (250 ml) de vino blanco

1 cucharada de albahaca fresca picada

2 cucharadas de perejil fresco picado

500 g de espaguetis

1 Quite las barbas a los mejillones y rasque las conchas para eliminar la arena. Deseche los mejillones abiertos.

2 Caliente el aceite en una sartén grande y fría la cebolla y el ajo, removiendo a fuego medio, hasta que la cebolla quede tierna. Agregue el tomate, el vino blanco, la albahaca y el perejil frescos y salpimiente al gusto. Deje hervir la salsa, baje el fuego y cuézala de 15 a 20 minutos o hasta que empiece a espesar.

3 Agregue los mejillones, tape la sartén y cueza durante 5 minutos, agitándola de vez en cuando. Deseche los mejillones cerrados.

4 Cueza los espaguetis en una olla grande con agua hirviendo y sal hasta que estén al dente. Escúrralos y sírvalos con los mejillones y la salsa.

VALOR NUTRITIVO POR RACIÓN: *Proteínas 50 g; grasas 15 g; hidratos de carbono 95 g; fibra dietética 10 g; colesterol 190 mg; 3050 kJ (730 cal).*

OTRAS SUGERENCIAS

ENSALADA DE PATATA, HUEVO Y BACON

Hierva, o cueza al vapor o al microondas, 1 kg de patatas "baby". Fría 4 lonchas de bacon hasta que estén crujientes y déjelas escurrir. Pele 6 huevos duros y trocéelos. Mezcle con las patatas calientes, 4 cebolletas en rodajitas y dos cucharadas de menta fresca picada y de cebollino. Vierta 1 taza (250 g) de yogur natural y revuelva. Ponga el bacon crujiente encima.

GREMOLATA

Por lo general no se sirve queso rallado con salsas de pescado, pero si no puede resistir la tentación de esparcir algo por encima de la pasta, existe una alternativa: mezcle la ralladura de medio limón, un diente de ajo majado y una taza rasa de perejil fresco picado. Puede variar las cantidades a su gusto. Esta mezcla, denominada *gremolata o gremolada,* se utilizaba normalmente para acompañar al ossobuco.

ARRIBA: Espaguetis y mejillones en salsa de tomate a las hierbas

PASTA CON VERDURA

El secreto de los mejores platos radica en la frescura de sus ingredientes. Si bien la cocina italiana recurre con frecuencia a conservas como el tomate de lata, son la verdura y las hierbas aromáticas las que elevan un plato a la categoría de lo sublime. Las hierbas suelen utilizarse frescas y a menudo se traen de áreas cercanas en grandes cestos. Los tomates, los pimientos y las alcachofas maduran bajo el sol mediterráneo y una vez revueltos en un cuenco de pasta resultan tan deliciosos y atractivos como saludables.

CALABACINES

Para que presenten una piel firme y una pulpa crujiente, los calabacines, ya sean verdes o amarillos, deben cosecharse a los 4 ó 6 días de haber florecido. Cuando son demasiado grandes o viejos, se vuelven amargos. Los calabacines no requieren demasiada preparación ni una cocción prolongada. Se pueden cocer al vapor, hervir, saltear, hornear o freír. Si son grandes, incluso se pueden rellenar y gratinar al horno.

ARRIBA: Fettucine con calabacín y albahaca crujiente

FETTUCINE CON CALABACINES Y ALBAHACA CRUJIENTE

Tiempo de preparación: 15 minutos
Tiempo de cocción: 15 minutos
Para 6 personas

1 taza (250 ml) de aceite de oliva
un puñado de hojas frescas de albahaca
500 g de fettucine o tagliatelle
60 g de mantequilla
2 dientes de ajo majados
500 g de calabacines rallados
3/4 taza (75 g) de queso parmesano recién rallado

1 Para freír las hojas de albahaca, caliente el aceite en una sartén pequeña, vierta las hojas de dos en dos y remuévalas durante 1 minuto o hasta que estén crujientes. Retírelas con una espumadera y déjelas escurrir sobre papel de cocina. Repita estos pasos con las hojas restantes.
2 En una olla grande con agua hirviendo y sal, cueza la pasta hasta que esté al dente. Escúrrala y devuélvala a la olla.
3 Mientras se hace la pasta, caliente la mantequilla en una sartén de fondo pesado a fuego lento hasta que empiece a espumar. Añada el ajo y cuézalo durante 1 minuto, luego agregue el calabacín y cuézalo durante 1 ó 2 minutos o hasta que esté tierno, removiendo de vez en cuando. Vierta el calabacín sobre la pasta, esparza el parmesano por encima y revuelva bien. Sirva la pasta decorada con las hojas crujientes de albahaca.
NOTA: Las hojas de albahaca se pueden freír hasta con 2 horas de antelación. Déjelas enfriar y guárdelas en un envase hermético.

VALOR NUTRITIVO POR RACIÓN: *Proteínas 15 g; grasas 55 g; hidratos de carbono 60 g; fibra dietética 5 g; colesterol 35 mg; 3245 kJ (775 cal)*

ESPAGUETIS CON ACEITUNAS Y MOZZARELLA

Tiempo de preparación: 20 minutos
Tiempo de cocción: 15 minutos
Para 4 personas

500 g de espaguetis
50 g de mantequilla
2 dientes de ajo majados
1/2 taza (70 g) de aceitunas negras sin hueso, partidas
3 cucharadas de aceite de oliva

¹/₃ taza (20 g) de perejil fresco picado
150 g de queso mozzarella cortado en daditos

1 En una olla grande con agua hirviendo y sal, cueza los espaguetis hasta que estén al dente. Escúrralos y devuélvalos a la olla.
2 Mientras los espaguetis se cuecen, derrita la mantequilla en una sartén pequeña hasta que empiece a adquirir cierto color de nuez. Añada entonces el ajo majado y fríalo a fuego lento durante 1 minuto.
3 Añádalo a la pasta junto con las olivas negras, el aceite de oliva, el perejil fresco y la mozzarella. Revuelva todo bien.

VALOR NUTRITIVO POR RACIÓN: *Proteínas 25 g; grasas 35 g; hidratos de carbono 90 g; fibra dietética 5 g; colesterol 55 mg; 3320 kJ (770 cal)*

FARFALLE CON ACEITUNAS Y ALCACHOFAS

Tiempo de preparación: 20 minutos
Tiempo de cocción: 20 minutos
Para 4 personas

500 g de farfalle
400 g de corazones de alcachofa marinados
3 cucharadas de aceite de oliva
3 dientes de ajo majados

¹/₂ taza (95 g) de aceitunas negras sin hueso picadas
2 cucharadas de cebollino fresco picado
200 g de queso ricotta fresco

1 En una olla grande con agua hirviendo y sal, cueza los farfalle hasta que estén al dente. Escúrralos y devuélvalos a la olla.
2 Mientras se hace la pasta, escurra los corazones de alcachofa y córtelos en láminas finas. En una sartén grande con aceite caliente, fría el ajo a fuego lento hasta que esté tierno. Procure que no se oscurezca ni se queme porque se volvería amargo.
3 Añada los corazones de alcachofa y las aceitunas y remueva hasta que estén calientes. Agregue el cebollino y el ricotta; desmenuce éste con una cuchara y cuézalo hasta que esté caliente.
4 Mezcle la pasta con la salsa. Sazónela con sal y pimienta negra recién molida y sirva enseguida.
NOTA: Este plato es aún más sabroso con corazones de alcachofa recién cocidos. Utilice cinco corazones y proceda como se indica en la receta.

VALOR NUTRITIVO POR RACIÓN: *Proteínas 15 g; grasas 15 g; hidratos de carbono 60 g; fibra dietética 5 g; colesterol 15 mg; 1840 kJ (440 cal)*

ARRIBA: Espaguetis con aceitunas y mozzarella (izquierda); farfalle con aceitunas y alcachofas

117

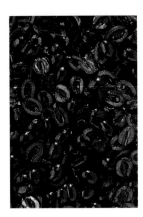

ACEITUNAS NEGRAS
Cuando todavía no están maduras, las aceitunas son verdes y duras. En el árbol maduran y se vuelven negras. Se conservan en aceite, a veces con hierbas aromáticas, o en salmuera y se utilizan en multitud de platos mediterráneos. Son apropiadas para ensaladas y rellenos, se pueden cocer en panes y añaden un atractivo más a los platos de pasta y de arroz. Las aceitunas deben consumirse cuanto antes y ser de la mejor calidad posible. Las griegas e italianas se consideran las mejores.

TAGLIATELLE CON SALSA DE TOMATES SECADOS AL SOL

Tiempo de preparación: 20 minutos
Tiempo de cocción: 20 minutos
Para 4 personas

500 g de tagliatelle
2 cucharadas de aceite de oliva
1 cebolla picada
1/2 taza (80 g) de tomates secados al sol, cortados en láminas
2 dientes de ajo majados
1 lata de 425 g de tomate picado
1 taza (125 g) de aceitunas negras sin hueso
1/3 taza (20 g) de albahaca fresca picada
queso parmesano recién rallado para servir

1 En una olla grande con agua hirviendo y sal, cueza los tagliatelle hasta que estén al dente. Escúrralos y devuélvalos a la olla.
2 Mientras tanto, en una sartén grande con aceite caliente, fría la cebolla durante 3 minutos o hasta que esté tierna, removiendo de vez en cuando. Agregue las láminas de tomate y el ajo majado y cueza durante 1 minuto.
3 Agregue el tomate picado, las aceitunas y la albahaca y sazone con pimienta negra recién molida. Deje que rompa el hervor, baje el fuego y cueza lentamente durante 10 minutos.
4 Vierta la salsa sobre la pasta caliente y revuelva con suavidad. Sirva el plato en seguida con un poco de parmesano por encima.
NOTA: Los tomates secados al sol se venden a granel secos, o en tarros con aceite de canola. Los tomates en aceite sólo se han de escurrir, pero los secos deben dejarse durante 5 minutos a remojo en agua hirviendo para rehidratarlos y ablandarlos antes de hacer uso de ellos.

VALOR NUTRITIVO POR RACIÓN: *Proteínas 20 g; grasas 15 g; hidratos de carbono 95 g; fibra dietética 10 g; colesterol 5 mg; 2415 kJ (575 cal)*

LINGUINE CON ESPÁRRAGOS A LA CREMA

Tiempo de preparación: 15 minutos
Tiempo de cocción: 15 minutos
Para 4 personas

200 g de queso ricotta fresco con toda su nata
1 taza (250 ml) de nata líquida
3/4 taza (75 g) de queso parmesano recién rallado
nuez moscada recién rallada al gusto
500 g de linguine
500 g de espárragos frescos en trozos pequeños
1/2 taza de almendras tostadas y laminadas

1 Bata el ricotta en un cuenco hasta que quede fino. Agregue la nata líquida, el parmesano y la nuez moscada. Sazone con sal y pimienta negra recién molida al gusto y remueva.
2 En una olla grande con agua hirviendo y sal, cueza los linguine hasta que estén casi al dente. Incorpore los espárragos y cueza otros 3 minutos.
3 Escurra la pasta y los espárragos y reserve 2 cucharadas del líquido de la cocción. Devuelva la pasta y los espárragos a la olla.
4 Agregue el líquido de la cocción reservado a la mezcla de ricotta y remueva bien. Vierta a cucharadas la mezcla sobre la pasta y revuelva con cuidado. Esparza las almendras tostadas por encima.
NOTA: Para tostar las almendras laminadas, caliéntelas unos 2 minutos bajo el grill a temperatura moderada. Remuévalas de vez en cuando y procure que no se quemen.

VALOR NUTRITIVO POR RACIÓN: *Proteínas 35 g; grasas 45 g; hidratos de carbono 90 g; fibra dietética 10 g; colesterol 125 mg; 3850 kJ (920 cal)*

PÁGINA SIGUIENTE:
Tagliatelle con salsa de tomates secados al sol (superior); linguine con espárragos a la crema

REVUELTO DE ACEITUNAS VERDES Y BERENJENAS

Tiempo de preparación: 20 minutos
Tiempo de cocción: 20 minutos
Para 4 personas

★

500 g de fettucine o tagliatelle

1 taza (175 g) de aceitunas verdes

1 berenjena grande

2 cucharadas de aceite de oliva

2 dientes de ajo majados

$^1/_2$ taza (125 ml) de zumo de limón

2 cucharadas de perejil fresco picado

$^1/_2$ taza (50 g) de queso parmesano rallado

1 En una olla grande con agua hirviendo y sal, cueza los tagliatelle hasta que estén al dente. Escúrralos y devuélvalos a la olla.
2 Mientras la pasta se cuece, corte las aceitunas en rodajitas y la berenjena en daditos.
3 Caliente el aceite en una sartén de fondo pesado, añada el ajo y fríalo durante 30 segundos.

ABAJO: Revuelto de aceitunas verdes y berenjenas

Agregue la berenjena y cuézala a fuego medio durante 6 minutos o hasta que esté tierna, removiendo a menudo. Agregue las aceitunas y el zumo de limón y salpimiente al gusto. Espolvoree con perejil y parmesano rallado.
NOTA: Para eliminar el sabor amargo de la berenjena, píquela, sálela y déjela reposar durante 30 minutos. Aclárela bien antes de utilizarla.

VALOR NUTRITIVO POR RACIÓN: *Proteínas 20 g; grasas 15 g; hidratos de carbono 95 g; fibra dietética 10 g; colesterol 10 mg; 2585 kJ (615 cal)*

OTRAS SUGERENCIAS

ENSALADA TIBIA DE HORTALIZAS
Hierva o cueza al vapor 200 g de zanahorias pequeñas, tirabeques, pimiento amarillo, calabacín y patatas nuevas, hasta que estén tiernos. Si los cuece demasiado perderán color. Para el aliño, mezcle 2 dientes de ajo majados, 2 cucharadas de eneldo fresco picado y 2 de cebollinos, 1 cucharada de zumo de lima, 1 cucharada de mostaza de Dijon y $^1/_3$ taza (80 ml) de aceite de oliva.

ESPAGUETIS CON SALSA DE TOMATE NATURAL

Tiempo de preparación:
15 minutos + 2 horas de refrigeración
Tiempo de cocción: de 10 a 15 minutos
Para 4 personas

4 tomates maduros firmes

8 aceitunas verdes rellenas

2 cucharadas de alcaparras

4 cebolletas picadas finas

2 dientes de ajo majados

1/2 cucharadita de orégano seco

1/3 taza (20 g) de perejil fresco picado

1/3 taza (80 ml) de aceite de oliva

375 g de espaguetis o spaghettini

1 Corte los tomates en trozos pequeños. Pique las aceitunas y las alcaparras y mezcle bien todos los ingredientes menos la pasta. Tape y refrigere durante un mínimo de 2 horas.
2 En una olla grande con agua hirviendo y sal, cueza la pasta hasta que esté al dente. Escúrrala y devuélvala a la olla. Vierta la salsa sobre la pasta caliente y mézclelas bien.
NOTA: Para variar el sabor, añada 1/2 taza (30 g) de hojas frescas de albahaca troceadas a la salsa.

VALOR NUTRITIVO POR RACIÓN: *Proteínas 15 g; grasas 20 g; hidratos de carbono 70 g; fibra dietética 10 g; colesterol 0 mg; 2190 kJ (525 cal)*

LINGUINE CON SALSA DE HORTALIZAS ASADAS

Tiempo de preparación: 30 minutos
Tiempo de cocción: 50 minutos
Para 4 personas

4 pimientos rojos grandes

500 g de tomates maduros firmes

3 cebollas rojas grandes peladas

1 cabeza de ajo

1/2 taza (125 ml) de vinagre balsámico

1/4 taza (60 ml) de aceite de oliva

2 cucharaditas de sal gruesa

2 cucharaditas de pimienta negra recién molida

500 g de linguine

100 g de virutas de queso parmesano fresco

100 g de aceitunas negras

1 Precaliente el horno a 180°C. Corte los pimientos por la mitad y quíteles las semillas y la membrana. Corte los tomates y las cebollas por la mitad y pele los dientes de ajo.
2 Disponga las hortalizas formando una sola capa en una fuente grande para horno. Vierta el vinagre y el aceite por encima y salpimiente.
3 Hornee durante 50 minutos. Deje enfriar durante 5 minutos y tritúrelo todo en un robot de cocina durante 3 minutos o hasta que la mezcla quede suave. Rectifique de sal y pimienta, si es necesario.
4 Cuando las hortalizas ya estén casi hechas, cueza los linguine en una olla grande con agua hirviendo y sal hasta que estén al dente. Escurra.
5 Nape los linguine con la salsa de hortalizas y aderece con el parmesano, las aceitunas y un poco de pimienta negra adicional.

VALOR NUTRITIVO POR RACIÓN: *Proteínas 30 g; grasas 30 g; hidratos de carbono 100 g; fibra dietética 10 g; colesterol 25 mg; 3320 kJ (790 cal)*

ARRIBA: Espaguetis con salsa de tomate natural

TOMATES DE PERA

Apreciados por la gran cantidad de pulpa que contienen, los tomates de pera son ideales para la cocción. Poseen un color rojo brillante y uniforme y una piel gruesa y firme, por lo que resultan fáciles de pelar. Muy apropiados para preparar en conserva, suelen ser los que vienen en las latas de tomate triturado, y los que se venden secados al sol.

ARRIBA: Pasta con hortalizas asadas

PASTA CON HORTALIZAS ASADAS

Tiempo de preparación: 30 minutos
Tiempo de cocción: 20 minutos
Para 4 personas

500 g de fettucine o tagliatelle de tomate o de guindilla

1 pimiento rojo

1 pimiento amarillo

250 g de tomates de pera en rodajas gruesas

2 calabacines grandes en rodajas

1/3 taza (80 ml) de aceite de oliva

3 dientes de ajo majados

10 hojas de albahaca frescas picadas gruesas

4 bocconcini en rodajas

1 En una olla grande con agua hirviendo y sal, cueza la pasta hasta que esté al dente. Escúrrala y devuélvala a la olla. Corte los pimientos en trozos grandes y planos y quíteles las semillas y la membrana. Colóquelos con la piel hacia arriba bajo el grill precalentado y áselos durante 8 minutos o hasta que la piel se vuelva negra y rugosa. Retírelos del horno y cúbralos con un paño de cocina húmedo. Una vez fríos, pélelos y pique la pulpa.

2 Espolvoree las rodajas de tomate con un poco de sal y unte el calabacín con 1 cucharada de aceite. Ase las hortalizas bajo el grill precalentado durante 10 minutos o hasta que estén tiernas. Déles la vuelta una vez.

3 Revuelva la pasta con las hortalizas, el ajo, la albahaca, el aceite restante y las rodajas de bocconcini, y sazone con sal y pimienta negra recién molida al gusto. Sirva enseguida.

NOTA: Utilice pasta normal si no encuentra pasta condimentada. Agregue un poco de guindilla picada al plato si le gusta el sabor picante.

VALOR NUTRITIVO POR RACIÓN: *Proteínas 25 g; grasas 30 g; hidratos de carbono 95 g; fibra dietética 10 g; colesterol 20 mg; 3060 kJ (730 cal)*

LASAÑA VEGETAL

Tiempo de preparación: 40 minutos
Tiempo de cocción: 1 hora 15 minutos
Para 6 personas

3 pimientos rojos grandes

2 berenjenas grandes

2 cucharadas de aceite

1 cebolla grande picada

3 dientes de ajo majados

1 cucharadita de varias hierbas aromáticas secas

1 cucharadita de orégano seco

500 de champiñones cortados en láminas

1 lata de 440 g de tomate triturado

1 lata de 440 g de judías rojas escurridas

1 cucharada de salsa dulce de guindilla

250 g de lasaña instantánea

500 g de espinacas picadas

1 taza (30 g) de hojas frescas de albahaca

90 g de tomates secados al sol en rodajas

3 cucharadas de queso parmesano rallado

3 cucharadas de queso cheddar rallado

Salsa de queso

60 g de mantequilla

3 cucharadas de harina

2 tazas de leche

600 g de queso ricotta

1 Precaliente el horno a 180°C. Unte con aceite una fuente de horno de 35 x 28 cm.
2 Corte los pimientos rojos en trozos grandes y planos y extraiga las semillas y la membrana. Colóquelos con la piel hacia arriba bajo el grill y áselos durante 8 minutos o hasta que ésta se vuelva negra y rugosa. Retire del horno y cubra con un paño de cocina húmedo. Una vez fríos, pélelos y corte la pulpa en tiras. Reserve.
3 Corte la berenjena en rodajas de 1 cm. Cuézala en una olla grande con agua hirviendo durante 1 minuto o hasta que esté tierna. Escúrrala, séquela con papel de cocina y resérvela.
4 En una sartén grande de fondo pesado con aceite caliente, fría la cebolla, el ajo y las hierbas a fuego medio durante 5 minutos o hasta que la cebolla quede tierna. Agregue los champiñones y cueza durante 1 minuto.
5 Añada el tomate, las judías rojas y la salsa de guindilla y salpimente al gusto. Lleve todo a ebullición, baje el fuego y cueza durante 15 minutos o hasta que la salsa se espese. Reserve.

6 Para la salsa de queso: Derrita la mantequilla en una sartén, añada la harina y remueva a fuego medio durante 1 minuto o hasta que quede fina. Retire la sartén del fuego y agregue la leche de manera gradual y sin dejar de remover. Devuélvala al fuego y remueva hasta que la salsa hierva y empiece a espesar. Cueza a fuego lento otro minuto. Agregue el ricotta y remueva hasta que la mezcla quede homogénea.
7 Si es necesario, moje las láminas de lasaña en agua caliente para ablandarlas un poco. Disponga 4 láminas en la base de una fuente. Sobre la pasta, disponga capas con la mitad de la berenjena, las espinacas, la albahaca, las tiras de pimiento, la salsa de champiñones y los tomates. Cubra con una capa de pasta y presione suavemente. Extienda más capas de relleno. Nape con la salsa de queso y espolvoree el parmesano y el ricotta. Hornee durante 45 minutos o hasta que la pasta esté hecha.

VALOR NUTRITIVO POR RACIÓN: *Proteínas 35 g; grasas 35 g; hidratos de carbono 65 g; fibra dietética 15 g; colesterol 95 mg; 2965 kJ (710 cal)*

ARRIBA: Lasaña vegetal

PEREJIL DE HOJA PLANA
Esta variedad, también conocida como perejil plano, tiene un sabor más intenso que el de hoja rizada y se utiliza más como condimento. Sin embargo, su suavidad permite utilizarlo en grandes cantidades, con lo que se puede añadir para espesar platos y matizar el sabor de otros ingredientes. Si desea obtener un sabor más suave, utilice los tallos en lugar de las hojas.

*ARRIBA: Espaguetis
a la napolitana
con tropezones*

ESPAGUETIS A LA NAPOLITANA CON TROPEZONES

Tiempo de preparación: 20 minutos
Tiempo de cocción: 1 hora
Para 6 personas

2 cucharadas de aceite de oliva

1 cebolla picada fina

1 zanahoria cortada en dados

1 tallo de apio cortado en dados

500 g de tomates muy maduros

1/2 taza (125 ml) de vino blanco

2 cucharaditas de azúcar

500 g de espaguetis

1 cucharada de perejil fresco picado

1 cucharada de orégano fresco picado

1 Caliente el aceite en una sartén de fondo pesado. Añada la cebolla, la zanahoria y el apio, tape la sartén y cueza durante 10 minutos a fuego lento, removiendo de vez en cuando. Procure que las hortalizas no se oscurezcan.

2 Pique los tomates y añádalos a las otras hortalizas, junto con el vino y el azúcar. Lleve la salsa a ebullición, baje el fuego al mínimo, tape y cueza durante 45 minutos removiendo de vez en cuando. Sazone con sal y pimienta negra recién molida. Si la salsa espesa demasiado, añada hasta 3/4 taza (185 ml) de agua para aclararla.

3 Unos 15 minutos antes de servir, cueza los espaguetis en una olla grande con agua hirviendo y sal hasta que estén al dente. Escúrralos y devuélvalos a la olla. Vierta dos terceras partes de la salsa sobre la pasta, añada el perejil y el orégano y revuelva suavemente. Sírvalo en platos o en una fuente con la salsa restante en una salsera.

VALOR NUTRITIVO POR RACIÓN: *Proteínas 10 g; grasas 7 g; hidratos de carbono 65 g; fibra dietética 7 g; colesterol 0 mg; 1595 kJ (380 cal)*

ESPAGUETIS CON ACEITUNAS Y ALCAPARRAS

Tiempo de preparación: 20 minutos
Tiempo de cocción: 20 minutos
Para 4 personas

²/₃ taza (170 ml) de aceite de oliva virgen extra

1 ¹/₂ tazas (125 g) de pan blanco rallado

3 dientes de ajo majados

45 g de anchoas en conserva, escurridas
   y picadas finas (opcional)

300 g de aceitunas negras
   picadas finas

6 tomates de pera pelados
   y picados

2 cucharadas de alcaparras pequeñas

500 g de espaguetis o spaghettini

1 En una sartén mediana con dos cucharadas de aceite caliente, fría el pan rallado hasta que esté dorado y crujiente, sin dejar de remover. Retírelo y déjelo enfriar del todo.

2 Añada el aceite restante y caliéntelo durante 1 minuto. Agregue el ajo, las anchoas y las aceitunas negras y fría a fuego medio durante 30 segundos. Incorpore el tomate y las alcaparras y cueza durante 3 minutos.

3 En una olla grande con agua hirviendo y sal, cueza la pasta hasta que esté al dente. Escúrrala y devuélvala a la olla. Agregue la salsa y el pan rallado y revuelva bien. Sírvalo enseguida aderezado con hierbas aromáticas, si lo desea.

VALOR NUTRITIVO POR RACIÓN: *Proteínas 25 g; grasas 45 g; hidratos de carbono 11,5 g; fibra dietética 15 g; colesterol 10 mg; 3060 kJ (730 cal)*

ALCAPARRAS

Las alcaparras son capullos pequeños del arbusto del mismo nombre. Se conservan en vinagre o sal y su sabor picante las convierte en un ingrediente ideal para los platos de carne y pescado. Las alcaparras en sal tienen un sabor más sutil, sin matices de vinagre, pero se han de aclarar antes de utilizarlas. Aunque el sabor de las alcaparras pequeñas es más fino y su textura, más crujiente, resultan más caras, porque su recolección es muy laboriosa.

ARRIBA: Espaguetis con aceitunas y alcaparras

4 Mientras la pasta se cuece, caliente el aceite en una sartén de fondo pesado. Fría el bacon y la cebolleta a fuego medio durante 5 minutos, removiendo de vez en cuando. Agregue la albahaca y la nata líquida, salpimiente al gusto y cueza de 2 a 3 minutos más o hasta que se calienten. Nape la pasta con la salsa.

VALOR NUTRITIVO POR RACIÓN: *Proteínas 15 g; grasas 25 g; hidratos de carbono 65 g; fibra dietética 6 g; colesterol 80 mg; 2325 kJ (555 cal)*

FARFALLE CON CHAMPIÑONES

Tiempo de preparación: 20 minutos
Tiempo de cocción: 15 minutos
Para 4 personas

500 g de farfalle

50 g de mantequilla

2 dientes de ajo en láminas finas

500 g de champiñones botón en láminas finas

2 cucharadas de jerez seco

$^1/_4$ taza (60 ml) de caldo de pollo

$^1/_3$ taza (90 ml) de nata agria

2 cucharadas de hojas frescas de tomillo

2 cucharadas de cebollino fresco picado

2 cucharadas de perejil fresco picado

queso parmesano recién rallado

1 En una olla grande con agua hirviendo y sal, cueza los farfalle hasta que estén al dente. Escúrralos y devuélvalos a la olla.
2 Mientras se cuece la pasta, fría el ajo a fuego medio durante 1 minuto en una sartén grande con mantequilla fundida.
3 Agregue los champiñones y, cuando hayan absorbido la mantequilla, vierta el jerez, el caldo y la nata agria. Remueva bien y deje que rompa el hervor. Baje el fuego y cueza a fuego lento durante 4 minutos.
4 Agregue la salsa de champiñones y las hierbas aromáticas a la pasta y revuelva bien. Sirva el plato espolvoreado con el parmesano rallado y, si lo desea, con un poco de pimienta negra machacada o pimienta condimentada.

VALOR NUTRITIVO POR RACIÓN: *Proteínas 20 g; grasas 25g; hidratos de carbono 90 g; fibra dietética 10 g; colesterol 65 mg; 2790 kJ (665 cal)*

PENNE CON SALSA DE TOMATE CREMOSA

Tiempo de preparación: 25 minutos
Tiempo de cocción: 20 minutos
Para 6 personas

2 lonchas de bacon (opcional)

4 tomates maduros grandes

500 g de penne

1 cucharada de aceite de oliva

2 cebolletas picadas

2 cucharadas de albahaca fresca picada

1$^1/_2$ tazas (315 ml) de nata líquida

1 Quite la corteza al bacon y córtelo en trocitos. Marque una cruz pequeña en la base de los tomates. Déjelos en agua hirviendo de 1 a 2 minutos y luego en agua fría. Pélelos en sentido descendente desde la cruz.
2 Corte los tomates en mitades, despepítelos con una cucharilla y píquelos.
3 En una olla grande con agua hirviendo y sal, cueza la pasta hasta que esté al dente. Escúrrala y manténgala caliente.

ARRIBA: Penne con salsa de tomate cremosa

RIGATONI CON SALSA DE CALABAZA

Tiempo de preparación: 15 minutos
Tiempo de cocción: 25 minutos
Para 6 personas

500 g de rigatoni o penne grandes

1 kg de calabaza

2 puerros

30 g de mantequilla

1/2 cucharadita de nuez moscada molida

1 1/4 tazas (315 ml) de nata líquida

3 cucharadas de piñones tostados

1 En una olla grande con agua hirviendo y sal, cueza los rigatoni hasta que estén al dente. Escúrralos y devuélvalos a la olla.
2 Pele la calabaza, deseche las semillas y córtela en daditos. Lave bien los puerros para eliminar la arena y córtelos en rodajas muy finas. Derrita la mantequilla en una sartén grande a fuego lento. Agregue el puerro, tape la sartén y cuézalo durante 5 minutos, removiendo de vez en cuando.
3 Agregue la calabaza y la nuez moscada, tape la sartén y cueza durante 8 minutos. Incorpore la nata líquida y 3 cucharadas de agua y lleve la salsa a ebullición. Cueza durante 8 minutos o hasta que la calabaza quede tierna, removiendo de vez en cuando.
4 Reparta la pasta entre los platos y nape con la salsa. Esparza los piñones por encima y sirva enseguida.
NOTA: Para conseguir un sabor más dulce, utilice calabaza bonetera. Puede tostar los piñones en una sartén antiadherente, removiéndolos a fuego lento, hasta que empiecen a dorarse. También puede esparcirlos en una fuente y hornearlos bajo el grill, pero deberá controlarlos a menudo, ya que se queman con facilidad.

VALOR NUTRITIVO POR RACIÓN: *Proteínas 15 g; grasas 35 g; hidratos de carbono 70 g; fibra dietética 7 g; colesterol 85 mg; 2710 kJ (645 cal)*

ABAJO: Rigatoni con salsa de calabaza

LINGUINE CON SALSA DE PIMIENTO ROJO

Tiempo de preparación: 20 minutos
Tiempo de cocción: 30 minutos
Para 6 personas

3 pimientos rojos
3 cucharadas de aceite de oliva
1 cebolla grande cortada en aros
2 dientes de ajo majados
$1/4$ ó $1/2$ cucharadita de guindilla en copos
   o en polvo
$1/2$ taza (125 ml) de nata líquida
2 cucharadas de orégano fresco picado
500 g de linguine o espaguetis (al natural
   o de espinacas)

1 Corte los pimientos rojos en trozos grandes y planos y extraiga las semillas y la membrana. Colóquelos con la piel hacia arriba bajo el grill precalentado y áselos durante 8 minutos o hasta que la piel se vuelva negra y rugosa. Retírelos del horno y cúbralos con un paño de cocina húmedo. Una vez fríos, pélelos y corte la pulpa en tiras finas.

2 Caliente el aceite en una sartén grande de fondo pesado, añada la cebolla y remueva a fuego lento durante 8 minutos o hasta que esté tierna. Agregue el pimiento, el ajo, la guindilla y la nata líquida y cueza durante 2 minutos, removiendo de vez en cuando. Añada el orégano y salpimiente al gusto.

3 Unos 15 minutos antes de que la salsa esté hecha, cueza la pasta en una olla grande con agua hirviendo y sal hasta que esté al dente. Escúrrala y devuélvala a la olla. Vierta la salsa sobre la pasta caliente y revuelva bien.

NOTA: Si no lo encuentra fresco, puede emplear orégano seco, pero deberá utilizar tan sólo una tercera parte, ya que las hierbas secas poseen un sabor mucho más intenso. Para destacar el sabor del pimiento rojo, no utilice la nata líquida.

VALOR NUTRITIVO POR RACIÓN: *Proteínas 10 g; grasas 20 g; hidratos de carbono 65 g; fibra dietética 5 g; colesterol 30 mg; 2050 kJ (490 cal)*

FUSILLI CON SALSA VERDE

Tiempo de preparación: 10 minutos
Tiempo de cocción: 15 minutos
Para 6 personas

500 g de fusilli o espirales
1 cebolla
2 calabacines
5 ó 6 hojas grandes de acelgas
2 anchoas (opcional)
2 cucharadas de aceite de oliva
1 cucharada de alcaparras
50 g de mantequilla
$1/4$ taza (60 ml) de vino blanco

1 En una olla grande con agua hirviendo y sal, cueza la pasta hasta que esté al dente. Escúrrala y devuélvala a la olla.

2 Mientras la pasta se cuece, triture la cebolla y ralle el calabacín muy fino. Deseche los tallos de las acelgas y pique o corte las hojas en trozos pequeños. Si utiliza anchoas, trocéelas. Caliente el aceite y la mantequilla en una sartén grande de fondo pesado, añada la cebolla y el calabacín y fríalos durante 3 minutos a fuego medio, removiendo con una cuchara de madera.

3 Agregue las anchoas, las alcaparras y el vino y salpimiente al gusto. Cueza durante 2 minutos, sin dejar de remover. Incorpore las acelgas y cueza durante 1 ó 2 minutos o hasta que estén tiernas. Vierta la salsa verde sobre la pasta caliente y revuelva hasta que esté bien distribuida.

NOTA: Si lo prefiere, puede utilizar 500 g de espinacas en lugar de las acelgas. Corte los tallos y trocee las hojas en tiras pequeñas.

VALOR NUTRITIVO POR RACIÓN: *Proteínas 10 g; grasas 15 g; hidratos de carbono 60 g; fibra dietética 10 g; colesterol 20 mg; 1815 kJ (430 cal)*

ACELGAS

Un rasgo peculiar de las acelgas es que su tallo y sus hojas se utilizan como si fueran hortalizas diferentes. Los tallos tienen un sabor dulce con matices de nuez. Tras cortarles las hojas, se aclaran, se les quita las hebras y se hierven o escaldan antes de brasearlos. Las hojas de acelga son más duras que las de espinaca, pero no tan dulces. Se pueden utilizar en rellenos y son lo suficientemente resistentes para hacer rollitos o envolver rellenos y después hornearlos o brasearlos.

PÁGINA ANTERIOR:
Linguine con salsa de pimiento rojo (superior); Fusilli con salsa verde

PAN RALLADO

El pan rallado se hace fácilmente con un robot de cocina. Deseche la corteza, trocee el pan y trabájelo hasta que esté desmenuzado. Si desea una textura más fina, puede utilizar pan congelado, pero debe consumirlo enseguida. Nunca utilice pan con más de dos días, puesto que algunos tipos se deterioran rápidamente y pueden transmitir al plato su sabor rancio.

ARRIBA: Espaguetis con tomate y hierbas aromáticas

ESPAGUETIS CON TOMATE Y HIERBAS AROMÁTICAS

Tiempo de preparación: 20 minutos
Tiempo de cocción: 15 minutos
Para 4 personas

1/4 (20 g) taza de pan recién rallado

500 de espaguetis

3 cucharadas de aceite de oliva

2 dientes de ajo en daditos

1 taza (30 g) de hierbas aromáticas frescas picadas (albahaca, cilantro, perejil)

4 tomates picados

1/4 taza (30 g) de nueces picadas

1/4 taza (25 g) de queso parmesano rallado y un poco más para servir

1 Caliente el grill a temperatura media y coloque el pan rallado debajo durante unos segundos o hasta que esté ligeramente dorado.
2 Cueza los espaguetis en agua hirviendo y sal hasta que estén al dente. Escúrralos.

3 Caliente 2 cucharadas de aceite en una sartén grande, añada el ajo y fríalo hasta que esté tierno.
4 Vierta el aceite restante, las hierbas, el tomate, las nueces y el parmesano. Eche la pasta en la sartén y remueva durante 1 a 2 minutos. Espolvoree por encima el pan rallado y el parmesano adicional.

VALOR NUTRITIVO POR RACIÓN: *Proteínas 20 g; grasas 25 g; hidratos de carbono 95 g; fibra dietética 9 g; colesterol 6 mg; 2825 kJ (490 cal)*

OTRAS SUGERENCIAS

ENSALADA WALDORF En una ensaladera, mezcle 3 manzanas rojas picadas, 100 g de nueces tostadas, 2 tallos de apio en rodajas y 200 g de uvas negras. Quite la piel a un pollo asado a la barbacoa y deshuéselo; corte la carne en tiras y añádalas a la ensalada. Para el aliño, mezcle 1 taza (250 g) de mayonesa de huevo entero, 1/4 taza (60 g) de yogur natural y 1 cucharadita de curry suave en polvo. Aderece la ensalada con el aliño justo antes de servir.

FETTUCINE PRIMAVERA

Tiempo de preparación: 35 minutos
Tiempo de cocción: 15 minutos
Para 6 personas

500 g de fettucine
155 g de espárragos frescos
1 taza (155 g) de habas frescas o congeladas
30 g de mantequilla
1 tallo de apio cortado en rodajas
1 taza (155 g) de guisantes
1¼ tazas (315 ml) de nata líquida
½ taza (50 g) de queso parmesano recién
   rallado

1 En una olla grande con agua hirviendo y sal, cueza los espaguetis hasta que estén al dente. Escúrralos y devuélvalos a la olla.
2 Mientras la pasta se cuece, corte los espárragos en trozos pequeños. Ponga a hervir una olla con agua, sumerja los espárragos y cuézalos durante 2 minutos. Retírelos con una espumadera y sumérjalos en un recipiente con agua muy fría.
3 Vierta las habas en la olla con agua hirviendo, retírelas enseguida y enfríelas con agua fría. Escúrralas, pélelas y deseche los pellejos exteriores duros. Si utiliza habas frescas, cuézalas de 2 a 5 minutos o hasta que estén tiernas. Si las habas que usa son viejas, tendrá que pelarlas.
4 Derrita la mantequilla en una sartén de fondo pesado, añada el apio y fríalo, removiendo, durante 2 minutos. Agregue los guisantes y la nata líquida y cueza a fuego lento durante 3 minutos. Agregue los espárragos, las habas y el parmesano y salpimiente al gusto. Lleve la salsa a ebullición y cuézala durante 1 minuto. Vierta la salsa sobre los fettucine cocidos y revuelva bien.
NOTA: En esta receta clásica, aunque se pueden utilizar todo tipo de hortalizas, se emplean normalmente cebolletas. Elija entre sus preferidas: puerros, calabacines, guisantes, judías verdes o tirabeques.

VALOR NUTRITIVO POR RACIÓN: *Proteínas 20 g; grasas 10 g; hidratos de carbono 95 g; fibra dietética 10 g; colesterol 5 mg; 2295 kJ (545 cal)*

OTRAS SUGERENCIAS

ENSALADA DE REMOLACHA Y NECTARINA
Hierva o cueza al vapor o al microondas 2 manojos de remolachas pequeñas limpias hasta que estén tiernas. Escúrralas, déjelas enfriar y córtelas en cuatro partes. Corte 4 nectarinas frescas en gajos gruesos. Mezcle las remolachas con las nectarinas, 2 cucharadas de semillas tostadas de girasol y 2 cucharadas de hojas frescas de perifollo. Para el aliño, mezcle 1 cucharada de mostaza en grano, 2 cucharadas de vinagre de frambuesa, 2 cucharadas de miel, 3 cucharadas de yogur natural y 3 cucharadas de aceite. Aderece la ensalada con el aliño justo antes de servirla.

RAMILLETES DE BRÉCOL CALIENTES CON ALMENDRAS
Cueza ramilletes de brécol hasta que estén tiernos, enfríelos con agua muy fría y esparza almendras tostadas troceadas por encima. Aderece con un aliño a base de mantequilla fundida, ajo majado y zumo de limón.

ARRIBA: Fettucine primavera

GARBANZOS

Los garbanzos proceden de las regiones mediterráneas y se emplean sobre todo en España, el sur de Italia y el norte de África. Su sabor, con matices de nuez, se presta a las mezclas y su textura crujiente es apropiada para las ensaladas. La harina de garbanzos, o harina besan, se utiliza para elaborar todo tipo de pastas dulces y saladas. Los garbanzos secos deben dejarse en remojo durante toda una noche, mientras que los garbanzos en conserva, ya cocidos, suponen un buen ahorro de tiempo.

PENNE CON SALSA DE CALABAZA Y CANELA

Tiempo de preparación: 25 minutos
Tiempo de cocción: 30 minutos
Para 4 personas

340 g de calabaza
500 g de penne
25 g de mantequilla
1 cebolla picada fina
2 dientes de ajo majados
1 cucharadita de canela molida
1 taza (250 ml) de nata líquida
1 cucharada de miel
1/3 taza (35 g) de queso parmesano recién rallado
cebollino fresco picado para decorar

1 Pele la calabaza, deseche las semillas y corte la pulpa en daditos. A continuación, hierva la calabaza o cuézala al vapor o al microondas hasta que esté tierna. Escúrrala bien.
2 En una olla grande con agua hirviendo y sal, cueza los penne hasta que estén al dente. Escúrralos y devuélvalos a la olla.
3 Mientras se hace la pasta, derrita la mantequilla en una sartén y fría la cebolla a fuego medio, hasta que esté tierna y dorada. Agregue el ajo y la canela y cueza durante otro minuto.
4 Vierta la nata líquida en la sartén, agregue la calabaza y la miel y cueza a fuego lento durante 5 minutos, hasta que la salsa se reduzca, espese un poco y esté bien caliente.
5 Agregue el parmesano y remueva hasta que se funda. Sazone con sal y pimienta negra recién molida al gusto. Vierta la salsa sobre los penne y revuelva bien. Sirva el plato aderezado con cebollino fresco picado.

VALOR NUTRITIVO POR RACIÓN: *Proteínas 20 g; grasas 35 g; hidratos de carbono 105 g; fibra dietética 10 g; colesterol 110 mg; 3465 kJ (830 cal)*

CONCHIGLIE CON GARBANZOS

Tiempo de preparación: 15 minutos
Tiempo de cocción: 20 minutos
Para 4 personas

500 g de conchiglie
2 cucharadas de aceite de oliva virgen extra
1 cebolla roja cortada en aros finos
2 ó 3 dientes de ajo majados
1 lata de 425 g de garbanzos
1/2 taza (75 g) de tomates secados al sol, escurridos y cortados en rodajas finas
1 cucharadita de ralladura fina de limón
1 cucharadita de guindilla roja fresca picada
2 cucharadas de zumo de limón
1 cucharada de hojas frescas de orégano picadas
1 cucharada de perejil fresco picado fino
virutas de queso parmesano fresco para servir

1 En una olla grande con agua hirviendo y sal, cueza los conchiglie hasta que estén al dente. Escúrralos y devuélvalos a la olla.
2 Mientras la pasta se cuece, caliente el aceite en una sartén y fría la cebolla hasta que esté tierna y ligeramente dorada.
3 Agregue el ajo y fría un minuto más. Añada los guisantes escurridos y aclarados, el tomate, la ralladura de limón y la guindilla picada y cueza a fuego alto hasta que esté caliente. Incorpore el zumo de limón y las hierbas aromáticas picadas y remueva.
4 Revuelva la mezcla de garbanzos con la pasta, salpimiente al gusto y sirva el plato enseguida, decorado con virutas de parmesano.

VALOR NUTRITIVO POR RACIÓN: *Proteínas 40 g; grasas 20 g; hidratos de carbono 145 g; fibra dietética 25 g; colesterol 2 mg; 3725 kJ (890 cal)*

PÁGINA SIGUIENTE:
Penne con salsa de calabaza y canela (superior), conchiglie con garbanzos

ACEITUNAS El aroma amargo y penetrante de

estos frutos brillantes de color negro, verde o marrón es una contribución fundamental al sabor

no sólo del sinfín de recetas mediterráneas que las incluyen, sino también de muchas más.

ACEITUNAS

El olivo, procedente de África y Asia Menor, fue el primer árbol en cultivarse y forma parte del paisaje mediterráneo desde hace 6.000 años. Tarda de tres a cinco años en dar frutos, pero puede vivir más de 100 años. Se le conoce, pues, como un símbolo de la longevidad y por su resistencia ante los cambios climáticos.

Sus ramas son, desde tiempos inmemoriales, un símbolo de la paz. Las aceitunas negras proceden del mismo árbol que las verdes, pero éstas son el fruto inmaduro. Para hacer sus propias conservas, ponga a remojar 1 kg de aceitunas negras frescas en agua fría durante 6 semanas. Escúrralas y cámbieles el agua a días alternos. Pasadas 6 semanas, escúrralas mediante un

colador, cúbralas con sal gruesa y resérvelas durante 2 días. Escurra, deje secar e introduzca en recipientes esterilizados con tiras de piel de limón, dientes de ajo, semillas de cilantro y tomillo de limón. Cubra con una mezcla a partes iguales de aceite y vinagre de vino blanco. Tape, deje reposar 2 semanas y guarde unos 6 meses en un lugar fresco y oscuro.

SALTEADO DE ACEITUNAS NEGRAS

Ponga a remojar 500 g de aceitunas negras arrugadas y curadas en agua tibia durante toda una noche. Aclárelas y escúrralas. Caliente 3 cucharadas de aceite en una sartén grande, añada 1 cebolla cortada en aros y fríala a fuego medio durante 2 minutos. Agregue las aceitunas y cueza durante 10 minutos o hasta que se ablanden. Retire la cebolla y las aceitunas con una espumadera y escúrralas en un colador. Añada algunas ramitas de orégano, revuelva, deje enfriar y páselo a un recipiente esterilizado. Si lo refrigera, se conservará hasta 3 semanas.

VALOR NUTRITIVO POR 100 G:
Proteínas 0 g; grasas 25 g; hidratos de carbono 1 g; fibra dietética 0 g; colesterol 0 mg; 770 kJ (185 cal)

ACEITUNAS CON AJO Y GUINDILLA

Aclare y escurra 500 g de aceitunas kalamata en salmuera. Haga una pequeña incisión en cada aceituna. Distribúyalas en recipientes esterilizados junto con tiras finas de piel de naranja, 1 cucharadita de guindilla en copos, 4 guindillas rojas pequeñas en mitades, 2 dientes de ajo en láminas finas y 4 ramitas de romero. Mezcle 2 cucharadas de zumo de limón con 1 taza (250 ml) de aceite de oliva y viértalo sobre las aceitunas. Si es necesario, agregue más aceite para cubrirlas. Tápelas y déjelas macerar en un lugar fresco y oscuro durante 2 semanas.

VALOR NUTRITIVO POR 100 G:
Proteínas 0 g; grasas 40 g; hidratos de carbono 1 g; fibra dietética 0 g; colesterol 0 mg; 1380 kJ (330 cal)

PURÉ DE ACEITUNAS CON TOMATE

Remoje en leche 3 filetes de anchoa durante 10 minutos; aclare y escurra. Triture durante unos segundos las anchoas, 1 taza (155 g) de aceitunas negras sin hueso, 2 dientes de ajo, 2 cucharadas de alcaparras picadas y la piel de 1 limón. Añada 1/2 taza (80 g) de tomate secado al sol, 2 cucharadas de zumo de limón, 1 de perejil picado y 2 de aceite de oliva virgen extra. Sirva con pan a la leña.

VALOR NUTRITIVO POR 100 G:
Proteínas 2 g; grasas 15 g; hidratos de carbono 2 g; fibra dietética 1 g; colesterol 3 mg; 620 kJ (145 cal)

ARRIBA, DESDE SUPERIOR IZQUIERDA:
Conserva de aceitunas frescas, salteado de aceitunas negras, aceitunas con ajo y guindilla, puré de aceitunas con tomate

135

ESPAGUETIS SIRACUSANOS

Tiempo de preparación: 15 minutos
Tiempo de cocción: 1 hora
Para 6 personas

★

1 pimiento verde grande

2 cucharadas de aceite de oliva

2 dientes de ajo majados

2 latas de 425 g de tomate triturado

2 calabacines picados

2 filetes de anchoa picados (opcional)

1 cucharada de alcaparras picadas

1/4 taza (35 g) de aceitunas negras, sin hueso
   y partidas por la mitad

2 cucharadas de albahaca fresca picada

500 g de espaguetis o linguine

1/2 taza (50 g) de queso parmesano rallado

*ABAJO: Espaguetis
siracusanos*

1 Extraiga las semillas y la membrana del
pimiento y córtelo en juliana. Caliente el aceite
en una sartén grande y profunda, añada la cebolla
y fría a fuego lento durante 30 segundos. Agregue 1/2 taza (125 ml) de agua junto con el
pimiento verde, el tomate, el calabacín, las
anchoas si las utiliza, las alcaparras y las aceitunas.
Cueza durante 20 minutos y remueva. Añada
la albahaca, salpimiente al gusto y remueva.
2 Mientras se hace la salsa, cueza la pasta en una
olla grande con agua hirviendo y sal hasta que
esté al dente. Escúrrala y sirva la salsa sobre la
pasta. Espolvoréelo con parmesano.

VALOR NUTRITIVO POR RACIÓN: *Proteínas 15 g;
grasas 10 g; hidratos de carbono 65 g; fibra dietética 10 g;
colesterol 10 mg; 1790 kJ (430 cal)*

OTRAS SUGERENCIAS

ENSALADA TIBIA DE ZANA-HORIA, JENGIBRE Y SÉSAMO

Rasque o pele 500 g de zanahorias "baby" y
cuézalas al vapor o en un microondas hasta
que estén tiernas. Páselas a un cuenco, añada
1 cucharada de miel, 1/4 cucharadita de jengibre molido, 50 g de mantequilla fundida,
1 cucharadita de hojas de tomillo de limón
y 1 cucharada de sésamo tostado. Revuelva.

CHAMPIÑONES BOTÓN

Los champiñones botón cultivados deberían ser los más utilizados en la actualidad, pues su sabor delicado, su color y aspecto limpios y su reducido tamaño los hacen muy apropiados para casi todos los estilos de cocina. Asimismo, constituyen un buen ingrediente para salsas y rellenos, y se pueden consumir crudos. Al madurar, sus sombrerillos se abren parcialmente y se les conoce como champiñones de sombrerillo. Éstos tienen un sabor más intenso y unas láminas más visibles y de un marrón más intenso. Acompañan a alimentos energéticos y, salteados en mantequilla o cocidos con vino tinto, enriquecen la consistencia y el sabor de las salsas.

FETTUCINE BOSCAIOLA
(FETTUCINE CON SALSA DE TOMATE Y CHAMPIÑONES)

Tiempo de preparación: 20 minutos
Tiempo de cocción: 25 minutos
Para 6 personas

500 g de champiñones botón

1 cebolla grande

2 cucharadas de aceite de oliva

2 dientes de ajo picados finos

2 latas de 425 g de tomate picado grueso

500 g de fettucine

2 cucharadas de perejil fresco picado

1 Limpie cuidadosamente los champiñones con papel de cocina húmedo y córtelos en láminas.

2 Pique la cebolla en trozos gruesos. Caliente el aceite en una sartén de fondo pesado, añada el ajo y la cebolla y fríalos a fuego medio durante 6 minutos, removiendo de vez en cuando, hasta que las hortalizas empiecen a dorarse. Agregue el tomate con su jugo y los champiñones, y lleve a ebullición. Baje el fuego, tape la sartén y cueza a fuego lento durante 15 minutos.

3 Mientras se cuece la salsa, cueza los espaguetis en una olla grande con agua hirviendo y sal hasta que estén al dente. Escúrralos y devuélvalos a la olla.

4 Agregue el perejil a la salsa, remueva y sazone con sal y pimienta al gusto. Nape la pasta con la salsa y revuelva.

NOTA: Si prefiere una salsa cremosa, agregue 1/2 taza (125 ml) de nata líquida al incorporar el perejil. No la vuelva a hervir porque podría cuajarse.

VALOR NUTRITIVO POR RACIÓN: *Proteínas 15 g; grasas 10 g; hidratos de carbono 65 g; fibra dietética 10 g; colesterol 0 mg; 1640 kJ (390 cal)*

ARRIBA: Fettucine boscaiola

RIGATONI CON QUESO AZUL Y BRÉCOL

Tiempo de preparación: 15 minutos
Tiempo de cocción: 15 minutos
Para 4 personas

500 g de rigatoni
500 g de brécol
1 cucharada de aceite vegetal
1 cebolla cortada en aros
1/2 taza (125 ml) de vino blanco seco
1 taza (250 ml) de nata líquida
1/2 cucharadita de pimentón picante
150 g de queso Brie azul desmenuzado
2 cucharadas de almendras laminadas tostadas

1 En una olla grande con agua hirviendo y sal, cueza los rigatoni hasta que estén al dente. Escúrralos y devuélvalos a la olla.
2 Corte el brécol en ramilletes y cuézalos al vapor o en un microondas de 2 a 3 minutos hasta que estén tiernos. Escúrralos bien.
3 Caliente aceite en una sartén grande y fría la cebolla hasta que esté tierna. Agregue el vino y la nata líquida y cueza a fuego lento durante 4 ó 5 minutos hasta que la salsa se reduzca y espese ligeramente. Añada el pimentón y el queso, remueva, y salpimiente al gusto.
4 Agregue el brécol y la salsa a la pasta y caliente todo, a fuego medio, removiendo con suavidad. Sírvalo espolvoreado con las almendras tostadas.
NOTA: Si lo prefiere, puede utilizar un queso azul de sabor más intenso, como el gorgonzola.

VALOR NUTRITIVO POR RACIÓN: *Proteínas 30 g; grasas 50 g; hidratos de carbono 95 g; fibra dietética 15 g; colesterol 120 mg; 4005 kJ (955 cal)*

OTRAS SUGERENCIAS

CINTAS CRUJIENTES DE CALA-BACÍN
Con un pelapatatas afilado corte cintas de calabacines grandes en sentido horizontal. Píntelas ligeramente con huevo batido y rebócelas con una mezcla de pan rallado, queso parmesano rallado fino y hierbas aromáticas frescas picadas. Fría las cintas por tandas en aceite caliente hasta que estén crujientes y doradas. Sírvalas con una salsa de tomate fuerte y picante.

TAGLIATELLE CON SALSA DE CALABAZA Y PIÑONES

Tiempo de preparación: 25 minutos
Tiempo de cocción: 25 minutos
Para 4 personas

30 g de mantequilla
1 cebolla grande picada
2 dientes de ajo majados
1 1/2 tazas (375 ml) de caldo vegetal
750 g de calabaza bonetera pelada y troceada
1/4 cucharadita de nuez moscada molida
1/2 cucharadita de pimienta negra recién molida
1 taza (250 ml) de nata líquida
500 g de tagliatelle frescos
1/2 taza (80 g) de piñones tostados
2 cucharadas de cebollino fresco picado
queso parmesano recién rallado para servir

1 En una sartén grande con mantequilla fundida, cueza la cebolla durante 3 minutos o hasta que esté tierna y dorada. Incorpore el ajo y cuézalo un minuto más. Agregue el caldo vegetal, remueva y añada la calabaza. Llévelo a ebullición, baje un poco el fuego y cuézalo hasta que la calabaza quede tierna.
2 Baje el fuego al mínimo y sazone con nuez moscada y pimienta. Añada la nata líquida y remueva hasta que esté caliente, pero sin que llegue a hervir. Vierta la mezcla en un robot de cocina y tritúrela durante 30 segundos hasta que forme una salsa homogénea.
3 Mientras tanto, cueza los tagliatelle en una olla grande con agua hirviendo y sal hasta que estén al dente. Escúrralos y devuélvalos a la olla.
4 Devuelva la salsa a la sartén y caliéntela ligeramente. Viértala sobre la pasta junto con los piñones y revuelva. Esparza el cebolllino por encima y ofrezca el parmesano en un cuenco aparte. En la ilustración el plato aparece decorado con hojas de laurel.
NOTA: Puede tostar los piñones en una sartén antiadherente, removiendo a fuego lento, hasta que empiecen a dorarse.

VALOR NUTRITIVO POR RACIÓN: *Proteínas 25 g; grasas 50 g; hidratos de carbono 105 g; fibra dietética 10 g; colesterol 110 mg; 4115 kJ (980 cal)*

PIÑONES
Los piñones son semillas pequeñas y alargadas de color crema que se extraen de las piñas de los pinos, sobre todo del piñonero y del doncel. En ocasiones, estos árboles se conocen como pinos parasol por su forma de paraguas. Son el árbol típico del paisaje mediterráneo, zona de la cual proceden. Los piñones se venden pelados y en ocasiones blanqueados. Puede acentuar su sabor asándolos o tostándolos antes de utilizarlos. No sólo se emplean en postres y dulces, sino también en platos salados.

PÁGINA ANTERIOR:
Rigatoni con queso azul y brécol (superior); tagliatelle con salsa de calabaza y piñones

TOMATES "CHERRY"

Los tomates "cherry" presentan diversas variedades: Red Currant, Green Grape, Sweet 100 y Yellow Pear. Todas son ideales para ensaladas y algunas, como la Sweet 100, soportan cocciones rápidas. Este tipo de tomate resulta poco ácido y su sabor puede llegar a ser muy dulce. El Red Currant, de unos 5 mm de diámetro, es la variedad más pequeña y suele comercializarse en racimos sueltos.

PÁGINA SIGUIENTE:
Penne picantes con pimientos (superior); fettucine con tirabeques y nueces

PENNE PICANTES CON PIMIENTOS

Tiempo de preparación: 30 minutos
Tiempo de cocción: 12 minutos
Para 4 personas

1 pimiento rojo grande
1 pimiento verde grande
1 pimiento amarillo grande
500 g de penne
1/3 taza (80 ml) de aceite de oliva
2 cucharadas de salsa dulce de guindilla
1 cucharadita de vinagre de vino tinto
1/3 taza (20 g) de cilantro fresco picado
250 g de tomates "cherry" cortados
    por la mitad
queso parmesano recién rallado para servir

1 Corte los pimientos en trozos grandes y planos y quíteles las semillas y la membrana. Colóquelos con la piel hacia arriba bajo el grill ya caliente y áselos durante 8 minutos o hasta que la piel se vuelva negra y rugosa. Retírelos del horno y cúbralos con un paño de cocina húmedo. Una vez fríos, pélelos y córtelos en tiras finas.
2 Mientras tanto, cueza los penne en una olla grande con agua hirviendo y sal hasta que estén al dente. Escúrralos y devuélvalos a la olla.
3 Mientras se hacen los penne, bata el aceite con la salsa de guindilla y el vinagre de vino tinto. Salpimiente al gusto.
4 Mezcle la vinagreta de aceite, el cilantro fresco, el pimiento y el tomate con la pasta. Sirva el plato espolvoreado con parmesano.
NOTA: Esta receta se puede servir caliente como plato principal, o bien a temperatura ambiente como ensalada. Constituye una excelente guarnición para el pollo y las carnes a la barbacoa.

VALOR NUTRITIVO POR RACIÓN: *Proteínas 20 g; grasas 25 g; hidratos de carbono 95 g; fibra dietética 10 g; colesterol 5 mg; 2795 kJ (665 cal)*

FETTUCINE CON TIRABEQUES Y NUECES

Tiempo de preparación: 30 minutos
Tiempo de cocción: 15 minutos
Para 4 personas

500 g de fettucine o linguine
1/2 taza (60 g) de nueces picadas
30 g de mantequilla
1 cebolla grande picada
4 lonchas de bacon picadas (opcional)
1 diente de ajo majado
3/4 taza (185 ml) de vino blanco seco
1 taza (250 ml) de nata líquida
250 g de tirabeques troceados

1 En una olla grande con agua hirviendo y sal, cueza los fettucine hasta que estén al dente. Escúrralos y devuélvalos a la olla.
2 Mientras la pasta se cuece, esparza las nueces en una bandeja forrada con papel de aluminio. Hornéelas bajo el grill a temperatura moderada durante 2 minutos o hasta que estén ligeramente tostadas. Pasado 1 minuto, remuévalas y procure que no se quemen. Resérvelas y déjelas enfriar.
3 En una sartén grande con mantequilla fundida, cueza la cebolla y el bacon hasta que la cebolla quede tierna y el bacon, ligeramente dorado. Agregue el ajo y cueza un minuto más.
4 Añada el vino blanco y la nata líquida, lleve todo a ebullición y baje el fuego. Cueza lentamente durante 4 minutos, agregue los tirabeques y cueza un minuto más. Vierta la salsa y las nueces sobre la pasta y revuélvalo todo. Salpimiente al gusto.
NOTA: No utilice nueces crudas para ahorrar tiempo, ya que pueden resultar amargas y rancias, sobre todo si son viejas o han estado guardadas en el frigorífico.

VALOR NUTRITIVO POR RACIÓN: *Proteínas 30 g; grasas 45 g; hidratos de carbono 95 g; fibra dietética 10 g; colesterol 125 mg; 3930 kJ (940 cal)*

NUECES

Las nueces están recubiertas por una cáscara dura y redonda con dos mitades diferenciadas. El fruto, que consta de dos lóbulos de apariencia rugosa y color marrón, posee un sabor delicado. Las nueces picadas se utilizan no sólo en salsas para pasta, sino también en tartas de frutas, ensaladas y galletas. Con la cáscara, las nueces se conservan hasta 6 meses en el frigorífico. Sin embargo, las peladas deben comprarse enlatadas o en envases herméticos. Una vez abierto el envase, guárdelas en el frigorífico dentro de un tarro hermético de cristal.

*ARRIBA: Tagliatelle
con tomate y nueces*

TAGLIATELLE CON TOMATE Y NUECES

Tiempo de preparación: 20 minutos
Tiempo de cocción: 45 minutos
Para 6 personas

4 tomates muy maduros

1 zanahoria

2 cucharadas de aceite

1 cebolla picada fina

1 tallo de apio picado fino

2 cucharadas de perejil fresco picado

1 cucharadita de vinagre de vino tinto

1/4 taza (60 ml) de vino blanco

500 g de tagliatelle o fettucine

3/4 taza (90 g) de nueces picadas gruesas

1/3 taza (35 g) de queso parmesano recién rallado para servir

1 Corte una cruz pequeña en la base de los tomates. Póngalos a remojo en agua hirviendo de 1 a 2 minutos y sumérjalos luego en agua fría. Pele los tomates en sentido descendente a partir de la cruz y píquelos gruesos. Pele y ralle las zanahorias.

2 Caliente 1 cucharada de aceite en una sartén de fondo pesado y fría la cebolla y el apio a fuego lento durante 5 minutos, sin dejar de remover. Agregue el tomate, la zanahoria, el perejil y el vinagre y el vino mezclados. Baje el fuego, cueza durante 25 minutos y salpimiente.

3 Unos 15 minutos antes de que la salsa esté lista, cueza la pasta en una olla grande con agua hirviendo y sal hasta que esté al dente. Escúrrala, devuélvala a la olla y nápela con la salsa.

4 Antes de que la salsa esté hecha, caliente el aceite restante en una sartén a fuego lento y revuelva durante 5 minutos las nueces picadas. Sirva el plato con las nueces y el parmesano.

VALOR NUTRITIVO POR RACIÓN: *Proteínas 15 g; grasas 20 g; hidratos de carbono 65 g; fibra dietética 10 g; colesterol 5 mg; 2105 kJ (500 cal)*

Había una vez un posadero y gastrónomo local que tuvo la buena fortuna de hospedar a la diosa Venus. Incapaz de reprimir su curiosidad, no pudo resistir la tentación de fisgar por la cerradura de la alcoba. La visión de aquel ombligo divino enmarcado por la cerradura fue suficiente para que corriera a su cocina e, inspirado por él, creara los tortellini. Este cuento demuestra el amor que los boloñeses profesan por uno de sus tipos de pasta preferidos.

TORTELLINI CON BERENJENA

Tiempo de preparación: 10 minutos
Tiempo de cocción: 20 minutos
Para 4 personas

500 g de tortellini frescos de queso
  y espinacas

1/4 taza (60 ml) de aceite

2 dientes de ajo majados

1 pimiento rojo cortado
  en cuadraditos

500 g de berenjena cortada en daditos

1 lata de 425 g de tomate triturado

1 taza (250 ml) de caldo vegetal

1/2 taza (125 ml) de albahaca fresca
  picada

1 En una olla grande con agua hirviendo y sal, cueza los tortellini hasta que estén al dente. Escúrralos y devuélvalos a la olla.

2 Mientras la pasta se cuece, caliente el aceite en una sartén grande, añada el ajo y el pimiento rojo y fría, sin dejar de remover, durante 1 minuto a fuego medio.

3 Agregue los daditos de berenjena y cueza a fuego medio, removiendo con suavidad durante 5 minutos o hasta que empiecen a dorarse.

4 Añada el tomate sin escurrir y el caldo vegetal. Remueva y deje que rompa el hervor. Baje el fuego al mínimo, tape la sartén y cueza durante 10 minutos o hasta que las hortalizas estén tiernas. Agregue la albahaca y la pasta y revuelva.

NOTA: Corte la berenjena justo antes de utilizarla, puesto que enseguida se oscurece al entrar en contacto con el aire.

VALOR NUTRITIVO POR RACIÓN: *Proteínas 20 g; grasas 15 g; hidratos de carbono 100 g; fibra dietética 10 g; colesterol 0 mg; 2555 kJ (610 cal)*

ARRIBA: Tortellini con berenjena

PASTA
A LA CREMA

La unión culinaria de la pasta y la nata líquida es perfecta. A veces, lo mejor es lo más sencillo... Un plato de tagliatelle frescos con una salsa muy cremosa, queso parmesano y una pizca de pimienta negra constituye todo un placer incluso para los paladares más exquisitos. Según la tradición, las salsas cremosas se sirven con pastas largas y finas, pero hoy en día las posibilidades son ilimitadas.

FUSILLI CON SALSA DE HABAS

Tiempo de preparación: 30 minutos
Tiempo de cocción: 25 minutos
Para 6 personas

2 tazas (310 g) de habas congeladas

4 lonchas de bacon

2 puerros

2 cucharadas de aceite de oliva

1¼ tazas (315 ml) de nata líquida

2 cucharaditas de piel de limón rallada

500 g de fusilli o penne

1 Vierta las habas en una cazuela con agua hirviendo. Retírelas del fuego, escúrralas y páselas inmediatamente por agua fría. Escúrralas de nuevo y déjelas enfriar antes de pelarlas (véase nota) y desechar la piel exterior, que es áspera.

2 Retire y deseche la corteza del bacon. Córtelo en trozos pequeños. Lave muy bien los puerros para quitar toda la suciedad y la tierra, y córtelos en rodajas finas.

3 Caliente el aceite en una sartén de fondo pesado. Añada los puerros y el bacon, y cuézalos a fuego medio removiendo de vez en cuando, durante 8 minutos, o hasta que el puerro esté dorado. Añada la nata líquida y la ralladura de limón y, cuando rompa el hervor, reduzca el fuego y deje cocer a fuego lento hasta que la salsa espese y se adhiera al dorso de una cuchara. Agregue las habas y condimente con sal y pimienta al gusto.

4 Mientras tanto, cueza la pasta en una olla grande con agua hirviendo y sal, hasta que esté al dente. Escúrrala y vuelva a ponerla en la olla.

5 Añada la salsa a la pasta y remueva para mezclarlas. Sirva en seguida en platos calientes.

NOTA: Puede cocer y pelar las habas con antelación y guardarlas en el frigorífico en un recipiente cerrado hasta su uso. Para pelarlas, corte la parte superior y presione para extraer las habas. Si no retirase la piel exterior más dura, este plato perdería en textura y sabor; por ello merece la pena el esfuerzo de pelarlas. También se pueden usar habas frescas. Puede dejar la piel si las habas son tiernas, pero si son viejas no. Cuézalas durante 15 minutos y luego añádalas al plato.

VALOR NUTRITIVO POR RACIÓN: *Proteínas 20 g; grasas 30 g; hidratos de carbono 60 g; fibra dietética 10 g; colesterol 85 mg; 2575 kJ (615 cal)*

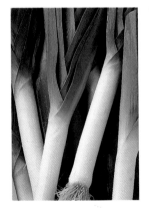

ARRIBA: Fusilli con salsa de habas

OTRAS SUGERENCIAS

ENSALADA TIBIA PRIMAVERAL
Escalde ligeramente en agua hirviendo zanahorias pequeñas, brécol, tirabeques, judías, calabacín y mazorquitas hasta que estén blandos. Escúrralos y cúbralo todo con hierbas aromáticas frescas picadas, mantequilla derretida y mostaza dulce.

ENSALADA GRIEGA
Mezcle 1 cebolla morada cortada en juliana, 3 pimientos picados (uno rojo, uno amarillo y uno verde), 200 g de tomates "cherry" partidos por la mitad, 50 g de aceitunas negras aliñadas, 2 pepinos en rodajas gruesas y 200 g de queso feta troceado. Alíñelo todo con una salsa de 2 dientes de ajo majados, 1 cucharada de vinagre de vino tinto y 3 cucharadas de aceite de oliva.

TAGLIATELLE A LA CREMA CON HÍGADO DE POLLO

Tiempo de preparación: 20 minutos
Tiempo de cocción: 15 minutos
Para 4 personas

375 g de tagliatelle

300 g de hígados de pollo

2 cucharadas de aceite de oliva

1 cebolla picada

1 diente de ajo majado

1 taza (250 ml) de nata líquida

1 cucharada de cebollino fresco troceado

1 cucharadita de mostaza en grano

2 huevos batidos

parmesano recién rallado y un poco de cebollino troceado para servir

1 Cueza los tagliatelle en una olla grande con agua hirviendo y sal, hasta que estén al dente. Escúrralos y devuélvalos a la olla.

2 Mientras se cuece la pasta, limpie los hígados y córtelos en láminas. Caliente el aceite en una sartén grande. Añada la cebolla y el ajo y remueva a fuego lento, hasta que la cebolla esté tierna.

3 Agregue el hígado de pollo a la sartén y déjelo cocer lentamente durante 2 o 3 minutos. Retire la sartén del fuego y, mientras remueve, añada la nata líquida, el cebollino, la mostaza, y sal y pimienta al gusto. Devuelva la sartén al fuego. Cuando hierva, agregue los huevos batidos y remueva rápidamente para mezclarlo todo. Retire del fuego.

4 Añada la salsa a la pasta caliente y remueva bien para mezclarlo todo. Aderece con parmesano rallado y cebollino troceado.

VALOR NUTRITIVO POR RACIÓN: *Proteínas 35 g; grasas 50 g; hidratos de carbono 70 g; fibra dietética 5 g; colesterol 575 mg; 3675 kJ (880 cal)*

MOSTAZA

La salsa de mostaza se elabora mezclando semillas de mostaza (a menudo molidas) con vinagre o vino, acidulante, sal y hierbas y especias aromáticas. Las semillas provienen de varias especies de la planta de mostaza, y tienen intensidad de sabor, color y tamaño distintos. El polvo de mostaza es una mezcla de semillas de mostaza molidas y harina de trigo, a menudo condimentada con cúrcuma y otras especias.

ARRIBA: Tagliatelle a la crema con hígado de pollo

PENNE CON POLLO Y CHAMPIÑONES

Tiempo de preparación: 30 minutos
Tiempo de cocción: 25 minutos
Para 4 personas

30 g de mantequilla
1 cucharada de aceite de oliva
1 cebolla cortada en rodajas
1 diente de ajo majado
60 g de prosciutto en daditos
250 g de filetes de muslo de pollo deshuesados
   y cortados en láminas
125 g de champiñones cortados en láminas
1 tomate pelado y cortado en rodajas
1 cucharada de puré de tomate doble
   concentrado
1/2 taza (125 ml) de vino blanco
1 taza (250 ml) de nata líquida
500 g de penne
parmesano recién rallado para servir

1 Caliente la mantequilla y el aceite en una sartén grande. Añada la cebolla y el ajo y remueva a fuego lento hasta que la cebolla esté tierna. Añada el prosciutto y fríalo hasta que esté crujiente.
2 Añada el pollo y cuézalo a fuego medio durante 3 minutos. Agregue los champiñones y déjelos cocer durante 2 minutos más. Añada el tomate y el puré de tomate, y remueva hasta que esté mezclado. Vierta el vino y, cuando hierva, reduzca el fuego y déjelo cocer lentamente hasta que el líquido haya menguado a la mitad.
3 Agregue la nata líquida, y sal y pimienta al gusto. Cuando hierva, reduzca el fuego, y déjelo cocer lentamente hasta que la salsa espese.
4 Mientras se hace la salsa, cueza los penne en una olla grande con agua hirviendo y sal hasta que estén al dente. Escúrralos y vuelva a ponerlos en la olla. Añada la salsa a la pasta y remueva bien para mezclarlos. Sirva el plato inmediatamente, espolvoreado con parmesano rallado.
NOTA: Si lo prefiere, para esta receta puede usar carne de pollo picada en lugar de los filetes de muslo de pollo.

VALOR NUTRITIVO POR RACIÓN: *Proteínas 35 g; grasas 45 g; hidratos de carbono 95 g; fibra dietética 10 g; colesterol 145 mg; 3980 kJ (950 cal)*

RIGATONI CON SALCHICHAS Y QUESO PARMESANO

Tiempo de preparación: 15 minutos
Tiempo de cocción: 15 minutos
Para 4 personas

2 cucharadas de aceite de oliva
1 cebolla cortada en rodajas
1 diente de ajo majado
500 g de salchichas de cerdo cortadas
   en trozos
60 g de champiñones cortados en láminas
1/2 taza (125 ml) de vino blanco seco
500 g de rigatoni
1 taza (250 ml) de nata líquida
2 huevos
1/2 taza (50 g) de parmesano recién rallado
2 cucharadas de perejil fresco picado

1 Caliente el aceite en una sartén grande. Añada la cebolla y el ajo y remueva a fuego lento hasta que la cebolla esté tierna. Agregue las salchichas y los champiñones y cuézalo todo hasta que las salchichas estén hechas. Añada el vino, y cuando hierva, reduzca el fuego y déjelo cocer lentamente hasta que el líquido haya menguado a la mitad.
2 Mientras se hace la salsa, cueza los rigatoni en una olla grande con agua hirviendo y sal hasta que estén al dente. Escúrralos y devuélvalos a la olla.
3 Bata en un cuenco la nata líquida, los huevos, la mitad del queso parmesano, el perejil y sal y pimienta al gusto. Añádalo a los rigatoni junto con la mezcla de las salchichas y revuelva. Sirva el plato espolvoreado con el resto del parmesano.
NOTA: Puede congelar el vino restante para usarlo en recetas similares. Pruebe con el salami en lugar de las salchichas de cerdo.

VALOR NUTRITIVO POR RACIÓN: *Proteínas 40 g; grasas 85 g; hidratos de carbono 90 g; fibra dietética 5 g; colesterol 295 mg; 5585 kJ (1335 cal)*

PIMIENTA NEGRA
Los granos de la pimienta son el fruto de la planta tropical *Piper nigrum*. Al principio son verdes y blandos, y se vuelven rojos o amarillos cuando maduran. Entonces son recolectados y secados al sol, lo que les proporciona su aspecto duro, negro y arrugado. Es entonces cuando su sabor y su aroma son más intensos. Una vez que han sido molidos, los granos de pimienta pierden parte de su sabor, por ello se recomienda guardarlos enteros y molerlos justo antes de usarlos.

PÁGINA SIGUIENTE:
Penne con pollo y champiñones (superior), rigatoni con salchichas y queso parmesano

BUCATINI CON SALSA DE GORGONZOLA

Tiempo de preparación: 10 minutos
Tiempo de cocción: 20 minutos
Para 6 personas

375 g de bucatini o espaguetis

200 g de queso gorgonzola

20 g de mantequilla

1 tallo de apio picado

1 1/4 taza (315 ml) de nata líquida

250 g de queso fresco ricotta trabajado
con un tenedor hasta que quede fino

1 Cueza la pasta en una olla grande con agua hirviendo y sal, hasta que esté al dente. Escúrrala y vuélvala a poner en la olla.

2 Mientras la pasta cuece, corte el queso gorgonzola en daditos.

3 Caliente la mantequilla en una cacerola mediana, agregue el apio y remueva 2 minutos. Añada la nata líquida, el ricotta, el gorgonzola y sazone al gusto con pimienta negra recién molida.

4 Manténgalo a fuego lento, removiendo constantemente, hasta que hierva. Cuézalo 1 minuto más y mezcle la salsa con la pasta caliente.

VALOR NUTRITIVO POR RACIÓN: *Proteínas 20 g; grasas 40 g; hidratos de carbono 45 g; fibra dietética 5 g; colesterol 135 mg; 2690 kJ (640 cal)*

OTRAS SUGERENCIAS

ENSALADA DE YOGUR, ENELDO Y BONIATO

Cueza 1 kg de boniatos, cortados en rodajas gruesas, en agua hirviendo, al vapor o en el microondas, hasta que estén tiernos. Póngalos en un bol, déjelos enfriar un poco y añada una cebolla roja cortada en gajos finos, 200 g de yogur natural y eneldo fresco picado al gusto.

ENSALADA DE TOMATE Y FETA

Corte unos tomates de pera por la mitad, a lo largo, y áselos en el horno a 150°C hasta que estén dulces y tiernos. Colóquelos en una bandeja, cubiertos con queso feta, anchoas y unas hojas de orégano frescas. Riegue con aceite de oliva.

QUESO GORGONZOLA
Se trata de un queso azul italiano, que cuando es tierno, resulta cremoso y dulce, pero al madurar se vuelve acre y se resquebraja con facilidad. Es delicioso como aperitivo con peras y manzanas, y también constituye una buena guarnición para platos de verdura y de carne. Se derrite bien y proporciona un sabor suave e intenso a las salsas cremosas. Puede ser sustituido por un queso azul suave y cremoso, como el castello azul, y si se desea un sabor más fuerte, se puede utilizar una mezcla de castello azul y queso danés azul, a partes iguales.

DERECHA: Bucatini con salsa de gorgonzola

FETTUCINE CON SALSA CREMOSA DE CHAMPIÑONES Y JUDÍAS

Tiempo de preparación: 20 minutos
Tiempo de cocción: 20 minutos
Para 4 personas

280 g de fettucine

250 g de judías verdes

2 cucharadas de aceite

1 cebolla picada

2 dientes de ajo majados

250 g de champiñones cortados en finas láminas

1/2 taza (125 ml) de vino blanco

1 1/4 tazas (315 ml) de nata líquida

1/2 taza (125 ml) de caldo vegetal

1 huevo

3 cucharadas de albahaca fresca picada

2/3 taza (100 g) de piñones tostados

1/4 taza (35 g) de tomates secados al sol cortados en tiras finas

50 g de parmesano en virutas finas

1 Cueza los fettucine en una olla con agua hirviendo y sal, hasta que estén al dente. Escúrralos, póngalos en la olla y manténgalos calientes.

2 Prepare las judías quitando las puntas y las hebras, y córtelas en tiras largas y finas. Caliente el aceite en una sartén de fondo pesado. Agregue la cebolla y el ajo y cueza a fuego medio durante 3 minutos o hasta que estén blandos. Añada los champiñones y déjelos cocer, removiendo, durante 1 minuto. Vierta el vino, la nata líquida y el caldo vegetal. Cuando hierva, reduzca a fuego lento y cuézalo 10 minutos.

3 Bata un poco el huevo en un bol. Removiendo, agregue un poco del líquido que cuece. Vierta lentamente la mezcla en la sartén, removiendo 30 segundos. Mantenga el fuego lento, ya que si la mezcla hierve, cuajará. Añada las judías, la albahaca, los piñones y el tomate, y remueva hasta que esté todo caliente. Condiméntelo al gusto con sal y pimienta. Sirva la salsa sobre la pasta. Adórnela con virutas de parmesano y, si lo desea, con ramitas de hierbas aromáticas frescas.

VALOR NUTRITIVO POR RACIÓN: *Proteínas 25 g; grasas 70 g; hidratos de carbono 55 g; fibra dietética 10 g; colesterol 165 mg; 3955 kJ (945 cal)*

CALDO VEGETAL

Un buen caldo vegetal se compone de un equilibrio de sabores ideal para platos de carne y de marisco, y también para salsas vegetales y sopas. Es una mezcla de hortalizas no feculentas, como zanahorias, cebollas, puerros, apio o nabos, hervidas a fuego lento durante 30 minutos con un manojo de hierbas, un diente de ajo y un poco de sal. El resultado es un caldo claro de sabor suave. Una alternativa muy fácil es utilizar el agua en la que se ha hervido verdura como zanahorias o judías verdes.

ARRIBA: Fettucine con salsa cremosa de champiñones y judías

CONCHIGLIE CON BRÉCOL Y ANCHOAS

Tiempo de preparación: 15 minutos
Tiempo de cocción: 20 minutos
Para 6 personas

☆

500 g de conchiglie
450 g de brécol
1 cucharada de aceite
1 cebolla picada
1 diente de ajo majado
3 filetes de anchoa picados
1 1/4 taza (315 ml) de nata líquida
1/2 taza (50 g) de parmesano recién rallado,
   para acompañar

1 Cueza los conchiglie en una olla grande con agua hirviendo y sal, hasta que estén al dente. Escúrralos y devuélvalos a la olla.
2 Mientras se cuecen los conchiglie, corte el brécol en ramilletes pequeños y cuézalos en una olla con agua hirviendo durante 1 minuto. Escúrralos, sumérjalos en agua fría y escúrralos de nuevo. Guárdelos a parte.
3 Caliente el aceite en una sartén de fondo pesado. Agregue la cebolla, el ajo y las anchoas, y cuézalo todo a fuego lento durante 3 minutos sin dejar de remover.
4 Añada la nata líquida y remueva constantemente, hasta que hierva. Reduzca el fuego y deje cocer a fuego lento durante 2 minutos. Agregue los tallos de brécol y cueza todo 1 minuto más. Sazone con sal y pimienta negra recién molida al gusto. Añada la salsa a la pasta y revuelva bien para mezclarlo todo. Espolvoree con parmesano y sirva inmediatamente.
NOTA: Cuando mezcle la pasta con la salsa, asegúrese de que todas las conchiglie quedan bien napadas. Si lo prefiere, puede emplear otro tipo de pasta, como macaroni o farfalle.

VALOR NUTRITVO POR RACIÓN: *Proteínas 20 g; grasas 30 g; hidratos de carbono 60 g; fibra dietética 8 g; colesterol 85 mg; 2490 kJ (590 cal)*

FETTUCINE DE ESPINACAS CON SALSA DE CHAMPIÑONES

Tiempo de preparación: 15 minutos
Tiempo de cocción: 25 minutos
Para 6 personas

☆

500 g de fettucine de espinacas o normales
300 g de champiñones pequeños
3 cebolletas
6 lonchas de jamón ahumado o pancetta (50 g)
40 g de mantequilla
1 1/4 taza (315 ml) de nata líquida
4 cucharadas de perejil fresco picado

1 Cueza los fettucine en una olla grande con agua hirviendo y sal, hasta que estén al dente. Escúrralos y devuélvalos a la olla.
2 Mientras cuece los fettucine, corte los champiñones en láminas finas. Prepare las cebolletas, quitando la parte de color verde oscuro y picándolas, y corte el jamón ahumado o pancetta en tiras finas.
3 Caliente la mantequilla en una cacerola mediana y cueza las cebolletas y el jamón a fuego medio durante 3 minutos. Agregue los champiñones, tape, reduzca el fuego y deje cocer durante 5 minutos, removiendo de vez en cuando.
4 Añada la nata líquida, la mitad del perejil, y sal y pimienta al gusto. Cueza todo a fuego lento durante 2 minutos, agregue la salsa a los fettucine y remueva bien para mezclarlo. Sirva el plato inmediatamente, espolvoreado con el resto del perejil.
NOTA: No vierta de una vez la pasta en el agua hirviendo; hágalo gradualmente, asegurándose de que el agua sigue hirviendo. Si no dispone de fettucine de espinacas, puede emplear otra variedad de pasta.

VALOR NUTRITIVO POR RACIÓN: *Proteínas 15 g; grasas 30 g; hidratos de carbono 60 g; fibra dietética 6 g; colesterol 100 mg; 2430 kJ (580 cal)*

ANCHOAS
Lo mejor es comprarlas en pequeños tarros o latas, conservadas en aceite. Su color debe ser rosado, no gris, y se suelen presentar cortadas en filetes uniformes. Si están demasiado fuertes para su gusto, escurra las que necesite y cúbralas con leche durante 30 minutos. Luego deseche la leche y séquelas con papel de cocina. Si quiere conseguir un sabor muy suave, emplee sólo el aceite. También puede usar anchoas conservadas en sal. Su sabor es más delicado, pero se han de poner en remojo 30 minutos antes de usarlas.

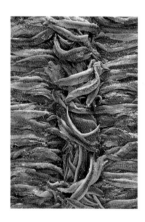

PÁGINA SIGUIENTE:
Conchiglie con brécol y anchoas (superior), fettucine de espinacas con salsa de champiñones

ESPÁRRAGOS

La preparación previa a la cocción de los espárragos sólo requiere un minuto. Es necesario quitar la base leñosa del tallo, simplemente rompiéndola. Doble cuidadosamente el tallo empezando desde la punta hasta la base. La parte más dura se romperá cuando llegue al punto más crujiente del tallo. Si los espárragos son gruesos y con la piel áspera, hay que pelarlos con un pelapatatas o con un cuchillo pequeño y afilado. La peladura debe disminuir a medida que se acerca a la punta. Así, los tallos se cocerán uniformemente de arriba a abajo y no será necesario atarlos en manojos para hervirlos. Resulta difícil delimitar el tiempo de cocción: si es demasiado corto, los espárragos estarán duros y tendrán un sabor metálico; si es demasiado largo, su carne quedará fibrosa y acuosa. Los espárragos de grosor medio sólo necesitan 3 minutos de cocción. Los más gruesos necesitan de 30 a 50 segundos más.

ARRIBA: Tagliatelle con espárragos y hierbas aromáticas

TAGLIATELLE CON ESPÁRRAGOS Y HIERBAS AROMÁTICAS

Tiempo de preparación: 15 minutos
Tiempo de cocción: 15 minutos
Para 6 personas

500 g de tagliatelle
155 g de tallos de espárrago
40 g de mantequilla
1 cucharada de perejil fresco
  picado
1 cucharada de albahaca fresca
  picada
1 1/4 tazas (315 ml) de nata líquida
1/2 taza (50 g) de parmesano
  recién rallado

1 Cueza la pasta en una olla grande con agua hirviendo y sal, hasta que esté al dente. Escúrrala y vuelva a ponerla en la olla.

2 Mientras se cuece la pasta, corte los espárragos en trozos pequeños. Caliente la mantequilla en una cacerola mediana, añada los espárragos y remueva a fuego medio durante 2 minutos o hasta que estén tiernos. Agregue el perejil y la albahaca, la nata líquida, y sal y pimienta al gusto. Déjelo cocer todo durante 2 minutos.

3 Incorpore el parmesano rallado y remueva bien. Cuando todo esté bien mezclado, viértalo sobre la pasta caliente que se encuentra en la olla y revuelva cuidadosamente para distribuir uniformemente los ingredientes. Si lo sirve como primer plato, habrá suficiente para ocho personas.

VALOR NUTRITIVO POR RACIÓN: *Proteínas 15 g; grasas 30 g; hidratos de carbono 60 g; fibra dietética 5 g; colesterol 100 mg; 2470 kJ (590 cal)*

El origen y nombre de esta salsa tan simple sigue siendo un misterio. Hay quien dice que es relativamente reciente, que apareció en Roma durante la Segunda Guerra Mundial, cuando los soldados americanos mezclaban sus raciones de bacon y huevos con los espaguetis del lugar. Pero es posible que su pasado sea más lejano. Tal vez fuera un plato rápido y fácil que hacían los vendedores de carbón, los *carbonari*, encima de sus quemadores en plena calle, o quizá se le llamase así por las motas de pimienta negra que manchan la salsa cremosa y que parecen polvo de carbón. Sea cual sea su origen, la idea de usar huevo para espesar y dar sabor a una simple salsa de bacon y nata líquida fue realmente ingeniosa.

ESPAGUETIS CARBONARA
(ESPAGUETIS CON SALSA CREMOSA DE HUEVO Y BACON)

Tiempo de preparación: 10 minutos
Tiempo de cocción: 20 minutos
Para 6 personas

500 g de espaguetis

8 lonchas de bacon

4 huevos

1/2 taza (50 g) de parmesano recién rallado

1 1/4 tazas (315 ml) de nata líquida

1 Cueza los espaguetis en una olla grande con agua hirviendo y sal, hasta que estén al dente. Escúrralos y devuélvalos a la olla.

2 Mientras se cuece la pasta, retire y deseche la corteza del bacon y córtelo en tiras finas. Cuézalo en una cacerola de fondo pesado hasta que esté crujiente, retírelo del fuego y póngalo a escurrir sobre papel de cocina.

3 Bata los huevos, el parmesano y la nata líquida hasta que estén bien mezclados. Añada el bacon y vierta la salsa sobre la pasta caliente. Revuelva con cuidado hasta que la pasta quede bien napada.

4 Vuelva a poner la olla en el fuego y déjelo cocer a fuego muy lento durante 1/2 o 1 minuto, o hasta que haya espesado un poco. Sirva el plato condimentado con pimienta recién molida. Si lo desea, adórnelo con hierbas aromáticas.

VALOR NUTRITIVO POR RACIÓN: *Proteínas 25 g; grasas 30 g; hidratos de carbono 60 g; fibra dietética 5 g; colesterol 225 mg; 2665 kJ (635 cal)*

ARRIBA: Espaguetis carbonara

RAVIOLI CON MASCARPONE Y PANCETTA

Tiempo de preparación: 10 minutos
Tiempo de cocción: 20 minutos
Para 4 personas

500 g de ravioli de espinacas frescos
2 cucharaditas de aceite vegetal
90 g de pancetta picada finamente
1/2 taza (125 ml) de caldo de pollo
185 g de mascarpone
1/2 taza (80 g) de tomates secados al sol
  cortados en rodajas finas
2 cucharadas de albahaca cortada en tiritas
1/2 cucharadita de pimienta negra machacada

1 Cueza los ravioli en una olla grande con agua hirviendo y sal, hasta que estén al dente.
2 Mientras cuece la pasta, caliente el aceite en una sartén y cueza la pancetta durante 2 ó 3 minutos. Mientras remueve, añada el caldo, el mascarpone y los tomates secados al sol.
3 Cuando hierva, baje el fuego y cueza a fuego lento durante 5 minutos, hasta que la salsa reduzca y espese. Añada la albahaca y la pimienta.
4 Escurra los ravioli y viértalos en la sartén junto con la salsa. Revuelva cuidadosamente para mezclarlo todo y sírvalo inmediatamente.

VALOR NUTRITIVO POR RACIÓN: *Proteínas 20 g; grasas 35 g; hidratos de carbono 90 g; fibra dietética 5 g; colesterol 145 mg; 3220 kJ (770 cal)*

OTRAS SUGERENCIAS

ENSALADA DE BOCCONCINI Y TOMATE
Corte 4 tomates maduros grandes y 8 bocconcini pequeños en rodajas gruesas. Disponga el tomate, el bocconcini y unas hojas de albahaca en una bandeja. Aliñe con aceite de oliva virgen extra, vinagre balsámico, pimienta y sal marina.

ENTREMÉS Mezcle (unos 200 g de cada ingrediente) tomates secados al sol, aceitunas negras marinadas, berenjenas adobadas picadas, alcachofa y pimientos desecados. Mezcle también 3 cucharadas de albahaca picada. Alíñelo con un poco de vinagre balsámico.

FETTUCINE CON QUESO AHUMADO Y SALAMI

Tiempo de preparación: 20 minutos
Tiempo de cocción: 15 minutos
Para 4 personas

375 g de fettucine de tomate
200 g de tomates secados al sol en aceite
3 lonchas de bacon
1 cebolla roja grande cortada en rodajas
2 dientes de ajo grandes finamente picados
150 g de salami suave o picante cortado en
  tiras
2 cucharaditas de harina
1 cucharada de puré de tomate doble
  concentrado
375 ml de leche en polvo
1/2 taza (60 g) de queso ahumado rallado
1/4 cucharadita de pimienta de Cayena
2 cucharadas de perejil plano fresco picado
virutas de parmesano fresco, para decorar

1 Cueza los fettucine en una olla grande con agua hirviendo y sal, hasta que estén al dente. Escúrralos y vuelva a ponerlos en la olla.
2 Mientras la pasta se está cociendo, escurra los tomates desecados, reservando el aceite, y córtelos en tiras; reserve. Pique pequeño el bacon y resérvelo.
3 Caliente el aceite reservado en una cacerola y cueza la cebolla durante 3 minutos, o bien hasta que esté tierna y dorada. Añada el ajo y déjelo cocer un minuto más. Agregue los tomates desecados, el bacon y el salami, y cuézalos durante 2 o 3 minutos más.
4 Mientras remueve, agregue la harina, y a continuación el puré de tomate, y déjelos cocer durante 1 minuto. Incorpore gradualmente la leche en polvo, sin dejar de remover. Espere a que rompa el hervor y reduzca el fuego. Añada el queso ahumado, la pimienta de Cayena, el perejil y pimienta negra al gusto. Déjelo cocer todo a fuego lento hasta que se derrita el queso.
5 Mezcle bien la pasta caliente con la salsa y sírvala inmediatamente adornada con virutas de parmesano.

VALOR NUTRITIVO POR RACIÓN: *Proteínas 40 g; grasas 35 g; hidratos de carbono 85 g; fibra dietética 5 g; colesterol 110 mg; 3495 kJ (835 cal)*

PIMIENTA DE CAYENA
También llamada pimienta del Nepal. Tiene un vivo y atractivo color naranja rojizo y su sabor picante se podría clasificar entre el de la guindilla molida y el de la pimienta negra. Su nombre proviene de Cayenne, el principal puerto de la Guayana Francesa. Se obtiene moliendo el fruto (excepto las semillas) de diferentes variedades de la familia del pimentero, el *capsicum frutescens* y el *capsicum minimum*, y es apreciada porque además de ser picante, posee un ligero toque dulzón. Esta pimienta puede emplearse como condimento en platos que precisan una larga cocción, aunque su intensidad es la misma si se usa como condimento al finalizar el plato.

*PÁGINA ANTERIOR:
Ravioli con mascarpone y pancetta (superior), fettucine con queso ahumado y salami*

ARRIBA: Linguine con crema de miel y albahaca

MIEL

El sabor, la consistencia, el aroma, el color y el grado de dulzor de la miel vienen determinados por el tipo de flor del que las abejas extraen el néctar. La más apreciada para cocinar es la miel que proviene de plantas como el tomillo y el romero, que tienen un sabor delicado y una rica fragancia. Hay flores, como la flor del manzano, que proporcionan un sabor y un perfume muy florales, mientras que otras producen una miel casi amarga.

LINGUINE CON CREMA DE MIEL Y ALBAHACA

Tiempo de preparación: 15 minutos
Tiempo de cocción: 20 minutos
Para 6 personas

500 g de linguine
240 g de albahaca fresca
1 guindilla roja pequeña picada
3 dientes de ajo majados
3 cucharadas de piñones tostados
3 cucharadas de parmesano recién rallado
el zumo de 1 limón
1/2 taza (125 ml) de aceite de oliva
3 cucharadas de miel
1 1/2 tazas (375 ml) de nata líquida
1/2 taza (125 ml) de caldo de pollo
virutas de parmesano fresco para decorar

1 Cueza los linguine en una olla grande con agua hirviendo y sal, hasta que estén al dente. Escúrralos y manténgalos calientes.

2 Mientras la pasta está cociendo, corte y deseche el tallo de la albahaca. Triture con una batidora o con un robot de cocina las hojas de albahaca, la guindilla, el ajo, los piñones, el parmesano, el zumo de limón, el aceite y la miel, hasta que se conviertan en una pasta fina.

3 Mezcle esta pasta con la nata líquida y el caldo de pollo en una cazuela grande, espere a que rompa el hervor y deje cocer a fuego lento durante 15 a 20 minutos, o bien hasta que la salsa espese. Condimente con pimienta negra machacada al gusto.

4 Añada la pasta a la cazuela, mézclelo todo bien y adórnelo con virutas de parmesano.

VALOR NUTRITIVO POR RACIÓN: *Proteínas 15 g; grasas 70 g; hidratos de carbono 75 g; fibra dietética 7 g; colesterol 100 mg; 4005 kJ (955 cal)*

RISSONI CON CEBOLLA CARAMELIZADA Y QUESO AZUL

Tiempo de preparación: 20 minutos
Tiempo de cocción: 35 minutos
Para 4 personas

☆ ☆

500 g de rissoni

30 g de mantequilla

3 cucharadas de aceite de oliva

4 cebollas cortadas en rodajas

185 g de queso azul

100 g de mascarpone

2 tazas (130 g) de hojas de espinacas
   cortadas en tiras

 Cueza los rissoni en agua hirviendo y sal hasta que estén al dente. Escúrralos bien y devuélvalos a la olla.

2 Mientras se cuece la pasta, caliente la mantequilla y el aceite de oliva en una sartén grande de fondo pesado. Agregue la cebolla y déjela cocer a fuego lento durante unos 20 ó 30 minutos, hasta que esté dorada y caramelizada. Retírela de la sartén con una espumadera y deje que se escurra sobre papel de cocina.

3 Mezcle el queso azul, el mascarpone y la cebolla en un cuenco.

4 Vierta la mezcla de queso y cebolla, junto con las espinacas en la olla donde están los rissoni y revuelva bien para mezclarlo todo. Condimente el plato al gusto con sal y pimienta negra recién molida antes de servir a la mesa.

VALOR NUTRITIVO POR RACIÓN: *Proteínas 30 g; grasas 45 g; hidratos de carbono 95 g; fibra dietética 9 g; colesterol 90 mg; 3755 kJ (895 cal)*

ARRIBA: Rissoni con cebolla caramelizada y queso azul

159

CARBONARA GRATINADA

Tiempo de preparación: 10 minutos
Tiempo de cocción: 15 minutos
Para 4 personas

250 g de linguine
4 huevos
3/4 taza (185 ml) de nata líquida
6 lonchas de prosciutto picadas
3/4 taza (75 g) de parmesano recién rallado
2 cucharadas de cebollino fresco picado
30 g de mantequilla

1 Unte un plato llano de 23 cm resistente al horno con mantequilla derretida o aceite. Precaliente el grill del horno a una temperatura moderada.
2 Cueza los linguine en una olla grande con agua hirviendo y sal, hasta que estén al dente. Escúrralos y devuélvalos a la olla.
3 Mientras se cuece la pasta, bata los huevos junto con la nata líquida en un cuenco, añada el prosciutto, el parmesano (reserve 3 cucharadas) y el cebollino, remueva y condimente al gusto con pimienta negra recién molida.
4 Agregue esta mezcla y la mantequilla a la pasta caliente, y revuelva sin parar durante 1 minuto a fuego lento, o hasta que la salsa empiece a espesar. Tenga cuidado de no cocer demasiado la mezcla, porque podría obtener huevos revueltos. La mezcla debe quedar cremosa y líquida.
5 Vierta la pasta en el plato preparado y espolvoréela con el parmesano restante. Póngala en el horno y gratínela durante unos minutos, hasta que el parmesano se haya fundido y tostado ligeramente. Sirva con pan italiano crujiente.

VALOR NUTRITIVO POR RACIÓN: *Proteínas 25 g; grasas 40 g; hidratos de carbono 45 g; fibra dietética 5 g; colesterol 300 mg; 2710 kJ (645 cal)*

ORECCHIETTE CON SALSA DE ATÚN, LIMÓN Y ALCAPARRAS

Tiempo de preparación: 10 minutos
Tiempo de cocción: 20 minutos
Para 4 personas

500 g de orecchiette
30 g de mantequilla
1 diente de ajo majado
1 cebolla picada muy fina
425 g de atún de lata al natural, escurrido
2 cucharadas de zumo de limón
1 taza (250 ml) de nata líquida
2 cucharadas de perejil plano fresco picado
1 cucharada de alcaparras escurridas
1/4 cucharadita de pimienta de Cayena, opcional

1 Cueza las orecchiette en una olla grande con agua hirviendo y sal, hasta que estén al dente. Escúrralas y devuélvalas a la olla.
2 Mientras se cuece la pasta, caliente la mantequilla en una cacerola y fría la cebolla y el ajo durante 1 a 2 minutos. Añada el atún, el zumo de limón, la nata líquida, la mitad del perejil y las alcaparras. Condimente con pimienta negra y pimienta de Cayena. Deje cocer a fuego lento durante 5 minutos.
3 Vierta la salsa de atún sobre la pasta y revuelva. Esparza el perejil restante por encima. En la foto, está adornado con bayas de alcaparra.
NOTA: Use cucharas de madera para revolver.

VALOR NUTRITIVO POR RACIÓN: *Proteínas 40 g; grasas 35 g; hidratos de carbono 90 g; fibra dietética 5 g; colesterol 155 mg; 3570 kJ (850 cal)*

OTRAS SUGERENCIAS

ENSALADA DE COLES CON SÉSAMO
Corte en tiritas la cuarta parte de un repollo y la cuarta parte de una lombarda. Corte en juliana 100 g de tirabeques, 2 tallos de apio, 2 zanahorias y 1 pimiento rojo. Mézclelo todo en un cuenco grande, junto con mayonesa hecha con huevos enteros, para aliñar la ensalada. Decore con hojas de menta picadas y semillas de sésamo tostadas.

PROSCIUTTO
En Italia, prosciutto significa jamón, y se puede comprar hervido, *cotto,* que se parece a cualquier otro jamón cocido, o *crudo,* que se cura en su hueso, salándolo y dejándolo secar al aire. Es éste el que figura en las recetas de cocina, conocido por su versatilidad y sabor suave. Se come en ensaladas, con pan, con las salsas de la pasta, o bien se usa para dar sabor a salsas, guisos y sopas. Si es muy curado, su carne presenta un color granate oscuro, su grasa es amarillenta y su sabor y aroma son concentrados. Si es más tierno, resulta más jugoso, su carne posee un tono rosado y su grasa es blanca.

PÁGINA SIGUIENTE:
Carbonara gratinada (superior); orecchiette con salsa de atún, limón y alcaparras

ARRIBA: Fettucine Alfredo

SALSA ALFREDO

Se trata de una rica mezcla de mantequilla, nata líquida y parmesano, inmortalizada por Alfredo en su restaurante de Roma. Tradicionalmente se sirve con fettucine, y se come tan pronto como la pasta se mezcla con la salsa, para que el plato no resulte pastoso. Por ello, éste es uno de los pocos platos de pasta que se finaliza en la mesa, una vez servido.

FETTUCINE ALFREDO

Tiempo de preparación: 10 minutos
Tiempo de cocción: 15 minutos
Para 6 personas

500 g de fettucine o tagliatelle
90 g de mantequilla
1 1/2 tazas (150 g) de parmesano recién
   rallado
1 1/4 tazas (315 ml) de nata líquida
3 cucharadas de perejil fresco picado

1 Cueza la pasta en una olla grande con agua hirviendo y sal, hasta que esté al dente. Escúrrala y devuélvala a la olla.
2 Mientras tanto, caliente la mantequilla en una cacerola mediana a fuego lento. Añada el parmesano y la nata líquida y lleve a ebullición, sin dejar de remover. Reduzca el fuego y cueza durante 10 minutos, o hasta que la salsa espese

un poco. Agregue el perejil, sal y pimienta al gusto, y remueva. Añada la salsa a la pasta caliente y mézclelas bien. Adorne el plato con un ramito de hierbas aromáticas frescas, si lo desea.

VALOR NUTRITIVO POR RACIÓN: *Proteínas 20 g; grasas 45 g; hidratos de carbono 60 g; fibra dietética 5 g; colesterol 135 mg; 2985 kJ (710 cal)*

OTRAS SUGERENCIAS

PILAF DE HIERBAS FRESCAS En una sartén grande y honda con un poco de mantequilla, fría una cebolla en rodajas finas. Añada 1 cucharada de cilantro fresco y otra de perejil fresco. Agregue una taza (200 g) de arroz basmati y 375 ml de caldo vegetal o de pollo. Condimente. Cuando hierva, baje el fuego y cueza unos 20 minutos, hasta que el arroz esté listo. Escurra el líquido sobrante y añada otra cucharada de cada hierba. Corónelo con trocitos de mantequilla y pimienta negra machacada.

LINGUINE CON CREMA DE LIMÓN

Tiempo de preparación: 10 minutos
Tiempo de cocción: 20 minutos
Para 4 personas

400 g de linguine o espaguetis frescos
¼ cucharadita de hebras o polvo de azafrán, opcional
1¼ tazas (315 ml) de nata líquida
250 ml de caldo de pollo
1 cucharada de ralladura de limón

1 Cueza la pasta en una olla grande con agua hirviendo y sal, hasta que esté al dente. Escúrrala y manténgala caliente.
2 Si usa hebras de azafrán, póngalas en remojo en un poco de agua caliente durante 5 minutos. Mientras se cuece la pasta, mezcle la nata líquida, el caldo de pollo y la ralladura de limón en una sartén grande. Lleve a ebullición, removiendo de vez en cuando.
3 Reduzca el fuego y deje cocer a fuego lento durante 10 minutos. Condimente al gusto con sal y pimienta. Agregue la pasta cocida y deje cocer de 2 a 3 minutos más.
4 Añada las hebras de azafrán junto con el líquido, y remueva. Sirva el plato adornado con tiras muy finas de piel de limón, si lo desea.
NOTA: Si no dispone de azafrán, puede utilizar ¼ cucharadita de cúrcuma.

VALOR NUTRITIVO POR RACIÓN: *Proteínas 15 g; grasas 35 g; hidratos de carbono 75 g; fibra dietética 5 g; colesterol 105 mg; 2755 kJ (660 cal)*

AZAFRÁN

El azafrán son los estambres desecados de la flor del azafrán o crocus de otoño. Se puede comprar en hebras o en polvo. Su color naranja oscuro tiñe la comida, mientras que su sabor fuerte se suaviza con la cocción. Para extraer su sabor, ponga las hebras en remojo. Si desea que resulte más intenso, tueste las hebras hasta que oscurezcan, déjelas enfriar y redúzcalas a un polvo grueso. El azafrán es caro porque la tarea de extraer los estambres de cada flor es muy laboriosa.

ARRIBA: Linguine con salsa cremosa de limón

ARRIBA: Ravioli de cerdo y ternera con salsa de queso

PARMESANO RALLADO
Una variación interesante para servir queso parmesano o pecorino rallado con la pasta es mezclar ralladura de limón con alguno de estos quesos. De este modo se obtiene un delicioso sabor picante que realza muchas salsas, especialmente las de nata líquida, y combina bien con los ravioli de carne. Las proporciones deben ser adecuadas a su salsa. Un buen punto de referencia es una proporción de 1 cucharada de queso por 1 cucharadita de ralladura de limón.

RAVIOLI DE CERDO Y TERNERA CON SALSA DE QUESO

Tiempo de preparación: 1 hora
Tiempo de cocción: 15 minutos
Para 4 personas

Masa

2 tazas (250 g) de harina
2 huevos ligeramente batidos
2 cucharadas de aceite

Relleno

1 cucharada de aceite
4 cebolletas finamente picadas
3 dientes de ajo majados
250 g carne de cerdo y de ternera picada
1 huevo ligeramente batido

Salsa

60 g de mantequilla
1 taza (220 g) de queso mascarpone
1/3 taza (35 g) de parmesano recién rallado
2 cucharadas de salvia fresca picada

1 Para hacer la masa, mezcle la harina, los huevos batidos, el aceite y 80 ml de agua con el robot de cocina durante 5 segundos, o hasta obtener una bola de masa. Cúbrala con film transparente y déjela en el frigorífico durante 15 minutos. Si no tiene robot, mezcle los ingredientes con los dedos en un cuenco.

2 Para el relleno, caliente el aceite en una sartén de fondo pesado, añada las cebolletas y el ajo y fríalos 2 minutos a fuego medio, removiendo. Añada la carne picada y fríala, sin dejar de remover, a fuego rápido, unos 4 minutos, o hasta que esté dorada y el líquido se haya evaporado. Use un tenedor para deshacer los grumos mientras se fríe. Déjela enfriar, añada el huevo y remueva.

3 Extienda la mitad de la masa con el rodillo sobre una superficie enharinada, hasta que quede muy fina. Córtela en cuadrados de 6 cm con un cuchillo largo y afilado. Unte la mitad de los cuadrados con agua, y póngales encima una cucharadita de relleno. Coloque otro cuadrado encima de cada uno y presione para cerrarlos bien. Póngalos en una sola capa sobre las bandejas de horno bien enharinadas. Repita la operación con la masa y el relleno restantes.

4 Para hacer la salsa, derrita la mantequilla en una cacerola mediana, añada el mascarpone y remueva a fuego medio hasta que se haya derretido. Agregue el parmesano y la salvia, y caliéntelos durante 1 minuto, sin dejar de remover.

5 Cueza los ravioli en una olla con agua hirviendo durante 5 minutos, o hasta que estén tiernos. Escúrralos y sírvalos con la salsa.

VALOR NUTRITIVO POR RACIÓN: *Proteínas 35 g; grasas 65 g; hidratos de carbono 50 g; fibra dietética 4 g; colesterol 270 mg; 3855 kJ (915 cal)*

OTRAS SUGERENCIAS

ZANAHORIAS A LA NARANJA Y ENELDO Cueza zanahorias pequeñas en agua hirviendo, al vapor o en el microondas. Caliente en un cazo un poco de zumo de naranja, una rama de canela, licor de naranja y miel. Cuando hierva, baje el fuego y cueza durante 3 minutos. Retire la canela. Esparza la salsa y el eneldo fresco picado sobre las zanahorias.

ESTOFADO DE PUERROS CON PIÑONES Fría rodajas de puerro en un poco de aceite y mantequilla hasta que estén dorados; cúbralos con caldo vegetal y vino blanco. Cueza hasta que los puerros estén tiernos y añada hierbas frescas picadas. Aderece con piñones tostados y parmesano.

PASTA CON HIERBA DE LIMÓN, VIEIRAS Y LIMA

Tiempo de preparación: 20 minutos
Tiempo de cocción: 15 minutos
Para 4 personas

500 g de espaguetis o fettucine de guindilla

1 cucharada de aceite

1 cebolla cortada en rodajas

2 cucharadas de hierba de limón picada fina

500 g de vieiras

1 taza (250 ml) de leche de coco

2 hojas de lima cafre cortadas en tiritas

$^{1}/_{2}$ taza (15 g) de hojas de cilantro

1 Cueza la pasta en agua hirviendo y sal, hasta que esté al dente y escúrrala.

2 Mientras tanto, caliente el aceite en una sartén grande de fondo pesado, agregue la cebolla y la hierba de limón y fría a fuego medio durante 5 minutos, o hasta que la cebolla esté tierna. Añada las vieiras por tandas y déjelas cocer hasta que estén tiernas y ligeramente doradas. Retírelas de la sartén y manténgalas calientes.

3 Añada la leche de coco y las hojas de lima cafre a la sartén, y déjelas cocer a fuego lento 5 minutos, o hasta que la salsa espese un poco.

4 Vuelva a incorporar las vieiras y deje que se calienten bien. Mezcle la pasta con la salsa y con las hojas de cilantro. Salpimiente al gusto.

VALOR NUTRITIVO POR RACIÓN: *Proteínas 30 g; grasas 20 g; hidratos de carbono 90 g; fibra dietética 7 g; colesterol 40 mg; 2775 kJ (660 cal)*

HIERBA DE LIMÓN

La hierba de limón es una planta aromática con base bulbosa y hojas herbáceas, usada en Asia por su sabor a limón balsámico. La base se prepara quitando la capa exterior áspera y picando o moliendo el corazón blanco y fresco para incorporarlo en caldos, fritos y curries. El tallo fresco entero o las hojas desecadas se pueden añadir a las sopas o al curry. Las hojas secas se deben poner a remojo en agua durante unos 30 minutos antes de usarlas y su sabor es adecuado para substituir a las frescas. Se puede adquirir fresca en verdulerías y fresca o seca en los comercios especializados en comida asiática.

IZQUIERDA: Pasta con hierba de limón, vieiras y lima

QUESO
Pasta y parmesano, una combinación famosa. Pero en Italia se producen muchas otras variedades de queso; desde los blancos, cremosos y suaves, hasta los fuertes quesos azules, que, con razón, son todo un orgullo.

MOZZARELLA
Es un queso maduro, y de textura y sabor suaves; originariamente, se hacía con leche de búfalo, pero actualmente, a veces se usa leche de vaca o una mezcla de ambas. Se produce en todo el mundo, y en varias formas (en bola, en barra…). Derretido, tiene una textura filamentosa. Es famoso por su uso en las pizzas, pero se puede añadir en las salsas o cortado en rodajas y derretido sobre filetes de ternera.

BOCCONCINI Y OVOLINI
Las bolas de mozzarella pequeñas se llaman bocconcini, y a veces también mini mozzarella. Son frescos, inmaduros, y todavía se elaboran según el método tradicional. A diferencia de la mozzarella madurada, se toman como aperitivo. Los más pequeños se llaman ovolini. En el frigorífico, y cubiertos con el suero con que son vendidos, se conservan hasta tres semanas. Deséchelos si amarillean. Sírvalos escu-

rridos y cortados en rodajas finas. Se utilizan en ensaladas, para cubrir pizzas o bruschetta o para la pasta al horno.

RICOTTA
Es un queso cuajado fresco, elaborado con suero, normalmente el suero escurrido de cuando se hace mozzarella. Puede ser de leche de oveja (ricotta pecora) o de vaca (ricotta vaccina) y se suele vender en la cestilla en la que ha sido elaborado, ya

que es muy delicado. Se conserva poco tiempo. No lo compre si está descolorido o seco. Escurra el suero sobrante antes de usarlo. Apropiado para platos dulces y salados por su sabor suave, se usa mucho para el relleno de canelones, para tortitas o para untar. El ricotta seco se puede rallar.

GORGONZOLA

Originariamente, se producía en un pequeño pueblo cerca de Milán, pero hoy en día se elabora en todo el mundo. Apreciado por su textura muy cremosa y su sabor suave, resulta menos salado que la mayoría de los quesos azules. Compre sólo el que necesite, porque su fuerte aroma impregnará los otros alimentos del frigorífico. Es delicioso en salsas cremosas para pasta, ensaladas, derretido sobre peras o con higos. Antes de servir, déjelo a temperatura ambiente.

PROVOLONE

Se suele vender envuelto en una capa de cera y colgando de un cordón a rayas rojas y blancas. Cuanto más tierno, más suave es su sabor. A menudo es ligeramente ahumado y queda bien en una tabla junto con otros quesos. Es delicioso rallado en salsas para pasta, en fondues o derretido sobre carne. En el frigorífico y envuelto en plástico se conserva dos semanas.

PECORINO

Es una variedad de quesos cuajados de leche de oveja, cocidos y duros. Su textura es granulosa, parecida a la del parmesano, y generalmente se usa rallado para cocinar, como el parmesano. El *pecorino romano* es el más maduro, y por consiguiente el más duro y adecuado para ser rallado. El *pecorino pepato* lleva granos de pimienta negra y tiene un sutil sabor a pimienta. El *pecorino fresco* es un queso fresco y tierno.

El pecorino se conserva durante meses en el frigorífico. Envuélvalo bien en plástico, porque su fuerte aroma podría impregnar otros alimentos.

MASCARPONE

Es un queso cuajado muy cremoso, que parece más una crema que un queso. Contiene mucha grasa y su sabor es suave aunque ligeramente ácido. Se puede emplear para una salsa cuatro-quesos o para una salsa bechamel al horno. A menudo se sirve como postre con fruta fresca o hervida. En el frigorífico se conserva hasta cinco días.

EN EL SENTIDO DE LAS AGUJAS DEL RELOJ, SUPERIOR IZQUIERDA: Mozzarella, ricotta, gorgonzola, provolone, mascarpone, pecorino, pecorino pepato, pecorino fresco mini ricotta, ovolini, bocconcini

QUESO

FONTINA

Este queso dulce con sabor a nuez, textura suave aterciopelada y agujeritos, se vende en bola, con una corteza marrón dorada. Es un queso semi-duro, apreciado porque se derrite muy bien, y constituye el ingrediente básico de la versión italiana de la fondue, la *fonduta*. En Italia, la ley restringe el uso del nombre *fontina* para los quesos producidos en el valle de Aosta, cerca del Monte Fontino. Se hacen imitaciones en otras regiones de Italia y en otros lugares. Son conocidas como *fontal* y suelen ser más suaves. El fontina resulta delicioso derretido encima de polenta o ñoquis, y también en salsas. En el frigorífico y envuelto en plástico, se conserva hasta una semana.

PARMIGIANO REGGIANO

El parmesano debe su nombre a la región de Parma, en el norte de Italia, donde se elabora. Es duro y quebradizo. Se cura durante 2 ó 3 años en ruedas de madera grandes, y sólo puede llevar la marca *parmigiano reggiano* si está elaborado en las provincias de Parma y Reggio, donde todavía se usa el método original. Lo mejor es comprar un trozo y rallarlo, ya que el queso que lleva tiempo rallado suele ser seco e insípido. Compre parmesano que conserve la corteza, y que no presente indicios de blanqueo en los bordes. Se puede servir tal y como se compra, o bien rallado o cortado en virutas para espolvorear sobre salsa para pasta, ensaladas o sopas. Envuélvalo en papel antigrasa y papel de aluminio y guárdelo en el compartimento inferior de su frigorífico.

GRANA

Al igual que el parmesano, éste es un queso duro, para rallar y, como su nombre indica, de textura granulosa. Puede identificarlo por la marca estampada en su corteza, que garantiza su autenticidad. Se puede servir como queso de aperitivo, ya que su sabor es más delicado que el del parmesano. Consérvelo en el frigorífico, envuelto en plástico.

BEL PAESE

Se puede identificar fácilmente por su envoltura de papel de aluminio verde y plateado, con un mapa de Italia.

Es suave, cremoso y algo dulce, se usa en sandwiches, aperitivos o derretido en gratinados y pizzas. Madura deprisa, en unas 4 ó 6 semanas, y hay que guardarlo envuelto en el papel de aluminio hasta usarlo. Se vende en forma de bola grande o en porciones individuales pequeñas.

TALEGGIO

Su nombre procede del pueblo en el cual se produce y existen dos variedades. Una de ellas es la cuajada cocida, de fina corteza grisácea, interior de color pajizo y sabor suave. La cuajada sin cocer es un queso de superficie madura, de fina corteza rojiza enmohecida e interior mantecoso amarillo pálido. Tiene un delicado sabor dulce, pero el centro es un poco ácido. Compre taleggio sólo cuando lo necesite. Póngalo a temperatura ambiente antes de servirlo como aperitivo. También se conoce como *stracchino*.

ASIAGO

Puede rallarse o emplearse como queso de aperitivo, depende de cómo haya sido curado y prensado. El más joven, el *asiago d'allevo*, tiene una fina corteza dorada que al madurar oscurece hacia un tono marrón oxidado. Por dentro es amarillo pálido, de textura algo granulosa y con agujeritos. Con el tiempo, su sabor es más fuerte. El queso maduro y prensado, el *asiago pressato*, tiene una gruesa corteza dorada y por dentro es de color pazijo muy pálido. Su sabor suave lo hace apropiado para los postres. Se conserva bien en el frigorífico, envuelto en plástico.

QUESO DE CABRA

Tiene un sabor acre muy característico. Su textura puede variar de suave y quebradiza a firme y arcillosa, dependiendo del tiempo y método de elaboración. Cuando es tierno, se puede untar en el pan o desmenuzar sobre pasta o ensaladas. La variedad más firme se puede trocear y macerar en aceite y hierbas aromáticas. Debe ser blanco y sin indicios de sequedad en los bordes. Cómprelo sólo cuando lo necesite. En el frigorífico se conserva hasta dos semanas. Según la variedad, su corteza puede variar de negra a blanca. El queso gris de cabra se obtiene envolviendo totalmente el queso de cabra en una capa uniforme de hierbas frescas previamente cocidas hasta ennegrecer.

*EN EL SENTIDO DE LAS AGUJAS DEL RELOJ DESDE SUPERIOR IZQUIERDA:
Fontina, parmigiano-reggiano, bel paese, queso de cabra, queso gris de cabra, asiago, grana*

ENSALADAS DE PASTA

Las ensaladas de pasta surgieron con la evolución de la pasta. Aunque no se trate de una auténtica creación italiana, la mezcla de verdura fresca, aceite de oliva de alta calidad y pasta al dente fría, tiene un sabor muy mediterráneo. Existen pocos alimentos que sean tan versátiles hasta el punto de resultar deliciosos fríos y calientes. La pasta es uno de ellos, y seguro que, ante estas ensaladas, los cocineros italianos se preguntarán: "¿Cómo no se nos había ocurrido?"

ORÉGANO

El orégano italiano (también conocido como mejorana silvestre) tiene un estrecho parentesco con el rigani utilizado en la cocina griega y con la mejorana dulce, tan común en la cocina francesa y del norte de Italia. Resulta más suave que el rigani, pero más fuerte que la mejorana dulce. Es muy compatible con el tomate, el ajo y la cebolla, y es la especia más utilizada para las pizzas. La planta es resistente y sus hojas se secan bien, lo que asegura un suministro constante.

ARRIBA: Ensalada de farfalle con tomates secados al sol y espinacas

ENSALADA DE FARFALLE CON TOMATES SECADOS AL SOL Y ESPINACAS

Tiempo de preparación: 20 minutos
Tiempo de cocción: 12 minutos
Para 6 personas

500 g de farfalle o espirales

3 cebolletas

50 g de tomates secados al sol cortados en tiras

1 kg de espinacas inglesas, sin los tallos y con las hojas cortadas en tiras

1/3 taza (50 g) de piñones tostados

1 cucharada de orégano fresco picado

1/4 taza (60 ml) de aceite de oliva

1 cucharadita de guindilla fresca picada

1 diente de ajo majado

1 Cueza la pasta en una olla grande con agua hirviendo y sal, hasta que esté al dente. Escúrrala, pásela por agua fría y vuélvala a escurrir. Déjela enfriar y póngala en una ensaladera.
2 Limpie las cebolletas y córtelas diagonalmente en rodajas finas. Añádalas a la pasta junto con las espinacas, los piñones y el orégano.
3 Para hacer el aliño, mezcle el aceite, la guindilla, el ajo, y sal y pimienta al gusto en un tarro con tapón de rosca y agite bien.
4 Vierta el aliño sobre la ensalada. Revuelva y sirva.

VALOR NUTRITIVO POR RACIÓN: *Proteínas 15 g; grasas 15 g; hidratos de carbono 60 g; fibra dietética 10 g; colesterol 0 mg; 1930 kJ (460 cal)*

ENSALADA DE ESPAGUETIS Y TOMATE

Tiempo de preparación: 25 minutos
Tiempo de cocción: 15 minutos
Para 6 personas

500 g de espaguetis o bucatini

1 taza (50 g) de hojas de albahaca fresca picadas

250 g de tomates cherry partidos por la mitad

1 diente de ajo majado

1/2 taza (75 g) aceitunas negras picadas

1/4 taza (60 ml) de aceite de oliva

1 cucharada de vinagre balsámico

1/2 taza (50 g) de parmesano recién rallado

1 Cueza la pasta en una olla grande con agua hirviendo y sal, hasta que esté al dente. Escúrrala, pásela por agua fría y vuelva a escurrirla.
2 Mezcle la albahaca, el tomate, el ajo, las aceitunas, el aceite y el vinagre en una ensaladera.

Resérvelo 15 minutos. Mézclelo con la pasta.
3 Aderece con el parmesano y sal y pimienta.

VALOR NUTRITIVO POR RACIÓN: *Proteínas 15 g; grasas 15 g; hidratos de carbono 60 g; fibra dietética 5 g; colesterol 10 mg; 1780 kJ (425 cal)*

OTRAS SUGERENCIAS

SCONES DE CALABAZA Y SAL-VIA
Tamice 250 g de harina de fuerza en un bol con una pizca de sal. Incorpore 250 g de puré de calabaza cocida y 20 g de mantequilla. A continuación, añada 1 cucharada de salvia fresca picada. Una bien la mezcla con un poco de leche y póngala sobre una bandeja de horno. Forme una bola y haga un disco de 3 cm de grosor. Divídalo en segmentos y póngalos en el horno a una temperatura de 180°C durante 15 a 20 minutos, hasta que estén cocidos y ligeramente dorados.

ARRIBA: Ensalada de espaguetis y tomate

2 Mientras se cuece la pasta, mezcle el aceite de oliva, el ajo, la piel y el zumo de limón, la albahaca, el tomate, las aceitunas y el orégano en una ensaladera grande. Salpimiente al gusto.

3 Corte el pollo en tiras finas. Caliente el aceite en una sartén mediana de fondo pesado. Añada el pollo y cuézalo a fuego medio, removiendo de vez en cuando, durante 4 minutos, o hasta que esté bien cocido.

4 Agregue el pollo escurrido y la pasta caliente a la mezcla de tomate, y remuévalo todo bien. Decore el plato con las hojas de oruga.

VALOR NUTRITIVO POR RACIÓN: *Proteínas 20 g; grasas 15 g; hidratos de carbono 25 g; fibra dietética 5 g; colesterol 45 mg; 1330 kJ (320 cal)*

ENSALADA DE PASTA, TOMATE Y ALBAHACA

Tiempo de preparación: 15 minutos
Tiempo de cocción: 10 minutos
Para 6 personas

500 g de penne rigate cocidos

15 g de albahaca fresca en tiritas

1 ó 2 dientes de ajo majados

2 cucharadas de aceite de oliva

1 cucharada de vinagre balsámico

1 cucharadita de azúcar moreno

4 tomates de pera

60 g de prosciutto

ENSALADAS TIBIAS

Una ensalada con todos o algunos de sus ingredientes tibios constituye un entrante o una comida ligera muy apetitosos. Los alimentos cocinados, recién sacados del fuego, son suculentos, y conservan todo su sabor y buen aspecto, mientras que la verdura cruda tradicional de la ensalada aporta un toque fresco y crujiente.

ARRIBA: Ensalada tibia de pasta y pollo
DERECHA: Ensalada de pasta, tomate y albahaca

ENSALADA TIBIA DE PASTA Y POLLO

Tiempo de preparación: 20 minutos
Tiempo de cocción: 15 minutos
Para 6 personas

180 g de penne rigate

1/4 taza (60 ml) de aceite de oliva virgen

2 dientes de ajo majados

la piel de 1 limón cortada en tiras finas

1 cucharada de zumo de limón

3 cucharadas de albahaca fresca rallada

4 tomates medianos sin pepitas y troceados

18 aceitunas negras deshuesadas y cortadas en rodajas

1/2 cucharadita de orégano fresco picado

400 g de filetes de pechuga de pollo

1 cucharada de aceite

1/2 taza (20 g) de hojas de oruga

1 Cueza la pasta en una olla grande con agua hirviendo y sal, hasta que esté al dente; escúrrala.

1 Mezcle la pasta con la albahaca, el ajo, el aceite, el vinagre, el azúcar moreno, y sal y pimienta al gusto.

2 Corte los tomates de pera en gajos y mézclelos bien con los demás ingredientes.

3 Ase el prosciutto hasta que esté crujiente, trocéelo y póngalo por encima de la ensalada.

VALOR NUTRITIVO POR RACIÓN: *Proteínas 5 g; grasas 5 g; hidratos de carbono 30 g; fibra dietética 5 g; colesterol 5 mg; 910 kJ (215 cal)*

ENSALADA DE PASTA Y ATÚN

Tiempo de preparación: 20 minutos
Tiempo de cocción: 15 minutos
Para 6 personas

500 g de conchiglie o fusilli

200 g de judías troceadas

2 pimientos rojos cortados en rodajas finas

2 cebolletas picadas

425 g de atún de lata en aceite

2 cucharadas de aceite

1/4 taza (60 ml) de vinagre de vino blanco

1 cucharada de zumo de limón

1 diente de ajo majado

1 cucharadita de azúcar

1 pepino grande cortado en rodajas finas

6 huevos duros cortados en cuartos

4 tomates cortados en gajos

1/2 taza (80 g) de aceitunas negras

2 cucharadas de albahaca fresca picada

1 Cueza la pasta en una olla grande con agua hirviendo y sal, hasta que esté al dente. Escúrrala, pásela por agua fría y vuélvala a escurrir.

2 Mezcle la pasta, las judías, el pimiento y las cebolletas en un bol grande. Escurra el atún, reservando el aceite, y desmenúcelo con un tenedor.

3 Mezcle el aceite del atún, el aceite, el vinagre, el zumo de limón, el ajo y el azúcar en un tarro pequeño con tapón de rosca. Agítelo bien durante 2 minutos, hasta que esté mezclado.

4 Ponga la pasta en el centro de una bandeja. Disponga el pepino, el huevo y el tomate en los bordes, y riéguelo con la mitad del aliño. Esparza el atún, las aceitunas y la albahaca por encima y rocíe con el aliño restante antes de servir.

VALOR NUTRITIVO POR RACIÓN: *Proteínas 35 g; grasas 25 g; hidratos de carbono 65 g; fibra dietética 10 g; colesterol 235 mg; 2650 kJ (630 cal)*

OTRAS SUGERENCIAS

PAN DE POLENTA Vierta en polenta cocida 1/2 taza (50 g) de parmesano rallado, hierbas frescas picadas (albahaca, perejil, orégano, salvia), un diente de ajo majado y nata líquida y remueva. Mézclelo todo bien y condiméntelo al gusto. Viértalo en una fuente, y hornee a 200°C de temperatura, hasta que la superficie esté dorada y la polenta bien cuajada. Corte el pan en rebanadas y sírvalo caliente.

CHIPS DE BONIATO Y CHIRIVÍA Pele y corte los boniatos y las chirivías en rodajas o tiras muy finas, usando un pelador de verdura afilado. Fríalas por tandas, en aceite caliente, hasta que estén crujientes. Escúrralas y manténgalas calientes en el horno a 180°C mientras fríe las restantes. Sírvalas con mayonesa de ajo.

ARRIBA: Ensalada de pasta y atún

ENSALADA DE ATÚN, CEBOLLA Y JUDÍAS VERDES

Tiempo de preparación: 20 minutos
Tiempo de cocción: de 10 a 15 minutos
Para 4 personas

200 g de judías verdes, preparadas y troceadas
300 g de penne rigate
1/2 taza (125 ml) de aceite de oliva
250 g de filete de atún fresco cortado en
    rodajas gruesas
1 cebolla roja cortada en rodajas finas
1 cucharada de vinagre balsámico

1 Cueza las judías troceadas en una olla grande con agua hirviendo durante 1 o 2 minutos, hasta que estén tiernas pero todavía crujientes. Retírelas del fuego con una espumadera y páselas por agua fría. Escúrralas y póngalas en una fuente de servir.
2 Cueza la pasta en una olla grande con agua hirviendo y sal, hasta que esté al dente. Escúrrala, pásela por agua fría y vuélvala a escurrir antes de añadirla a las judías.
3 Caliente la mitad del aceite en una sartén. Agregue el atún y la cebolla, y saltee hasta que el atún esté cocido. Remueva el atún con cuidado para evitar que se rompa. Añada el vinagre, aumente a fuego rápido y déjelo cocer hasta que el aliño haya reducido y cubra ligeramente el atún. Incorpore el atún y la cebolla a la fuente, sin dejar nada en la sartén.
4 Remueva ligeramente las judías, la pasta, el atún y la cebolla, junto con el aceite restante, y la sal y la pimienta al gusto. Antes de servirla, deje que se enfríe a temperatura ambiente.

VALOR NUTRITIVO POR RACIÓN: *Proteínas 25 g; grasas 30 g; hidratos de carbono 55 g; fibra dietética 6 g; colesterol 45 mg; 2535 kJ (605 cal)*

ENSALADA DE PASTRAMI, PEPINO Y CHAMPIÑONES

Tiempo de preparación: 20 minutos
Tiempo de cocción: de 5 a 10 minutos
Para 4 personas

200 g de lasagnette partidos en cuartos
250 g de rodajas de pastrami cortadas en tiras
1 tallo de apio cortado en radajas
2 tomates pequeños cortados en gajos
1 pepino cortado en rodajas finas
80 g de champiñones botón cortados en
    láminas finas
1 cucharada de cilantro fresco finamente
    picado, para decorar

Aliño

1/4 taza (60 ml) de aceite de oliva
2 cucharadas de vinagre de vino tinto
1/2 cucharadita de mostaza de Dijon
1 diente de ajo majado
1/4 cucharadita aceite de guindilla picante

1 Cueza las lasagnette en una olla grande con agua hirviendo y sal, hasta que estén al dente. Escúrralas, páselas por agua fría y vuélvalas a escurrir. Déjelas enfriar y póngalas en una ensaladera grande.
2 Añada el pastrami, el apio, el tomate en gajos, el pepino y los champiñones a la pasta.
3 Para preparar el aliño, mezcle todos los ingredientes en un tarro de tapón de rosca y agite hasta que esté bien mezclado.
4 Vierta la salsa sobre la pasta y revuelva. Cubra la mezcla y refrigérela durante unas horas. Rectifique el aliño y espolvoree con el cilantro fresco antes de servir.

VALOR NUTRITIVO POR RACIÓN: *Proteínas 15 g; grasas 55 g; hidratos de carbono 35 g; fibra dietética 4 g; colesterol 280 mg; 3050 kJ (725 cal)*

PASTRAMI
El pastrami es una pieza de carne magra de ternera, curada y sazonada con gran cantidad de pimentón, pimienta, comino y ajo; también puede ser ahumado. Se cree que su origen es balcánico y que guarda un estrecho parentesco con la pastirma de Turquía, aunque se popularizó en Estados Unidos. Cortado en lonchas muy finas y frío resulta delicioso.

PÁGINA SIGUIENTE:
Ensalada de atún, cebolla y judías verdes (superior); ensalada de pastrami, pepino y champiñones

CORAZONES DE ALCACHOFA

La alcachofa es un cardo y su parte comestible es la cabezuela de la flor. En su centro se halla la pelusa que, de hecho, constituye la flor, y que yace sobre una base tierna en forma de cáliz. Está rodeada de hojas carnosas, de las cuales se desechan las más externas y duras para descubrir el corazón de la alcachofa: las delicadas hojas interiores que rodean la pelusa y el cáliz. Enlatado o hervido, el corazón de la alcachofa conserva igualmente su rico sabor, y es un buen sustituto si no lo tiene fresco.

ARRIBA: Ensalada de pasta y pollo a la italiana

ENSALADA DE PASTA Y POLLO A LA ITALIANA

Tiempo de preparación: 30 minutos + 3 horas en adobo
Tiempo de cocción: 10 minutos
Para 8 personas

3 filetes de pechuga de pollo
1/4 taza (60 ml) de zumo de limón
1 diente de ajo majado
100 g de prosciutto cortado en rodajas finas
1 pepino
2 cucharadas de pimienta al limón
2 cucharadas de aceite de oliva
1 1/2 tazas (135 g) de penne cocidos
1/2 taza (80 g) de tomates secados al sol cortados en láminas finas
1/2 taza (70 g) de aceitunas negras deshuesadas
1/2 taza (110 g) de corazones de alcachofa en conserva cortados por la mitad
1/2 taza (50 g) de virutas de parmesano fresco

Aliño cremoso de albahaca
1/3 taza (80 ml) de aceite de oliva
1 cucharada de vinagre de vino blanco
1/4 cucharadita de pimienta sazonada
1 cucharadita de mostaza de Dijon
3 cucharaditas de fécula de maíz
2/3 taza (170 ml) de nata líquida
1/3 taza (20 g) de albahaca fresca en tiras

1 Quite la grasa y los nervios del pollo. Aplane ligeramente el pollo con un mazo o un rodillo.
2 Mezcle el zumo de limón y el ajo en un cuenco. Añada el pollo y remueva hasta que esté recubierto. Cúbralo con plástico y póngalo en el frigorífico durante 3 horas o toda la noche, girándolo de vez en cuando.
3 Corte el prosciutto en tiras finas. Corte el pepino por la mitad, de arriba a abajo, y luego corte cada mitad en rodajas.
4 Escurra el pollo y añádale la pimienta al limón. Caliente el aceite en una sartén grande de fondo pesado. Fría el pollo 4 minutos por cada lado, o bien hasta que esté dorado por fuera y bien

hecho por dentro. Retírelo del fuego, déjelo enfriar y córtelo en trozos pequeños.

5 Para el aliño, mezcle el aceite, el vinagre, la pimienta y la mostaza en un cazo mediano. Mezcle la fécula de maíz con 80 ml de agua en un bol pequeño hasta que se forme una pasta sin grumos. Incorpórela al cazo. Bátalo 2 minutos a fuego medio, o hasta que hierva y espese. Agregue la nata líquida, la albahaca y sal al gusto. Remueva hasta que esté bien caliente.

6 Mezcle la pasta, el pollo, el pepino, el prosciutto, los tomates desecados, las aceitunas partidas por la mitad y los corazones de alcachofa en una fuente grande de servir. Vierta el aliño caliente y mézclelo. Sirva la ensalada fría o caliente, cubierta con virutas de parmesano.

VALOR NUTRITIVO POR RACIÓN: *Proteínas 15 g; grasas 30 g; hidratos de carbono 15 g; fibra dietética 2 g; colesterol 60 mg; 1555 kJ (370 cal)*

ENSALADA CREMOSA DE MARISCO

Tiempo de preparación: 30 minutos
Tiempo de cocción: de 5 a 10 minutos
Para 8 personas como primer plato,
   para 4 personas como plato principal

400 g de conchiglie medianos
1 taza (250 g) de mayonesa de huevos enteros
3 cucharadas de estragón fresco, o bien
   2 cucharadas de estragón seco
1 cucharada de perejil fresco picado
pimienta de Cayena al gusto
1 cucharadita de zumo fresco de limón,
   o al gusto
1 kg de marisco cocido: gambas, langosta,
   cangrejo (cualquiera de ellos o una mezcla)
   cortado en dados
2 rábanos rojos suaves en rodajas finas
1 pimiento verde pequeño cortado en juliana

1 Cueza la pasta en agua hirviendo y sal hasta que esté al dente. Escúrrala, pásela por agua fría, y vuélvala a escurrir. Póngala en una fuente grande y mézclela con 1 ó 2 cucharadas de mayonesa. Déjela enfriar a temperatura ambiente, removiendo de vez en cuando para que no se vuelva pastosa.

2 Si usa estragón seco, hiérvalo a fuego lento en 60 ml de leche durante 3 a 4 minutos, y luego escúrralo. Mezcle bien el estragón, el perejil, la pimienta de Cayena y el zumo de limón en un cuenco con el resto de la mayonesa.

3 Añada el marisco, los rábanos y el pimiento a la pasta, y salpimiente al gusto. Mezcle con la mayonesa de estragón. Cubra y deje enfriar en el frigorífico antes de servir. Añada mayonesa o zumo de limón si queda un poco seco.

NOTA: Para hacer mayonesa, bata en un bol 2 yemas de huevo, 1 cucharadita de mostaza de Dijon y dos cucharaditas de zumo de limón durante 30 segundos, hasta que esté suave y cremosa. Añada 250 ml de aceite de oliva ligero cucharadita a cucharadita, y sin dejar de batir. Aumente la cantidad de aceite a medida que la mayonesa espesa. Cuando lo haya incorporado todo, agregue 2 cucharaditas más de zumo de limón, y sazónela al gusto con sal y pimienta blanca. Puede usar el robot de cocina: utilice los mismos ingredientes, pero bata las yemas, la mostaza y el zumo durante 10 segundos. Sin detener el motor, vierta el aceite a chorrito hasta que esté todo mezclado.

VALOR NUTRITIVO POR RACIÓN (8): *Proteínas 35 g; grasas 10 g; hidratos de carbono 40 g; fibra dietética 3 g; colesterol 245 mg; 1755 kJ (415 cal)*

ARRIBA: Ensalada cremosa de marisco

ENSALADA DE PASTA, TOMATE, SALAMI Y ORUGA

Tiempo de preparación: 20 minutos
Tiempo de cocción: 18 minutos
Para 6 personas

350 g de orecchiette

6 lonchas (50 g) de salami italiano picante cortado en tiras

150 g de oruga cortada en tiras

200 g de tomates "cherry" por la mitad

4 cucharadas de aceite de oliva

3 cucharadas de vinagre de vino blanco

1 cucharadita de azúcar

1 Cueza la pasta en una olla grande con agua hirviendo y sal, hasta que esté al dente. Escúrrala, pásela por agua fría. Escúrrala de nuevo y deje enfriar.
2 Caliente una sartén a fuego medio, añada el salami y fríalo hasta que esté crujiente. Escúrralo bien sobre papel de cocina.
3 Mezcle el salami, la pasta, la oruga y los tomates "cherry" en una fuente grande.
4 Mezcle durante 1 minuto el aceite, el vinagre, el azúcar, ¼ cucharadita de sal y lo mismo de pimienta en un robot de cocina pequeño. Aliñe la ensalada con esta salsa antes de servir.

VALOR NUTRITIVO POR RACIÓN: *Proteínas 9 g; grasas 15 g; hidratos de carbono 45 g; fibra dietética 4 g; colesterol 9 mg; 1505 kJ (360 cal)*

OTRAS SUGERENCIAS

DAMPER Tamice 4 tazas (500 g) de harina de fuerza con una cucharadita de sal y una cucharadita de caramelo líquido en un bol grande. Utilice un cuchillo para mezclar la leche, más o menos 1½ tazas (375 ml), y para elaborar una masa suficientemente espesa que se adhiera a los lados del bol. Amásela durante 1 minuto en una superficie enharinada y forme una bola. Coloque la bola sobre una bandeja de horno engrasada y aplánela un poco. Haga 2 cortes en forma de cruz arriba, úntela con leche y hornee a 210°C durante 15 minutos. Reduzca la temperatura a 180°C y hornee 20 minutos más, o hasta que esté dorada y la base suene a hueco al golpearla.

ENSALADA DE PASTA, POLLO Y PERA

Tiempo de preparación: 35 minutos
Tiempo de cocción: 30 minutos
Para 6 personas

350 g de gemelli o fusilli

200 g de filetes de pechuga de pollo

2 peras maduras

3 cebolletas cortadas en rodajas finas

2 cucharadas de tiras de almendras tostadas

100 g de queso azul cremoso

3 cucharadas de nata agria

3 cucharadas de agua helada

1 Cueza la pasta en una olla grande con agua hirviendo y sal, hasta que esté al dente. Escúrrala, pásela por agua fría y vuélvala a escurrir. Déjela enfriar.
2 Ponga las pechugas de pollo en una sartén, cúbralas con agua fría y déjelas cocer a fuego lento durante 8 minutos, o bien hasta que estén tiernas, dándoles la vuelta de vez en cuando. Retírelas de la sartén, déjelas enfriar, córtelas en lonchas delgadas y colóquelas en una fuente junto con la pasta ya fría.
3 Corte las peras por la mitad y quíteles el corazón. Córtelas en finas lonchas del mismo tamaño que las del pollo e incorpórelas a la fuente de la pasta junto con las cebolletas y las almendras.
4 Mezcle en un robot de cocina el queso azul cremoso y la nata agria con 3 cucharadas de agua helada, ¼ cucharadita de sal y lo mismo de pimienta, hasta que se convierta en una pasta fina. Emplee esta salsa para aliñar la ensalada, y remueva para mezclarlo todo. Disponga la ensalada en una fuente de servir, o bien en una bandeja. Decórela con trocitos de cebolleta, si lo desea.

VALOR NUTRITIVO POR RACIÓN: *Proteínas 20 g; grasas 15 g; hidratos de carbono 50 g; fibra dietética 5 g; colesterol 45 mg; 1655 kJ (395 cal)*

PERAS
La pera es una fruta muy versátil. Se puede comer fresca, en postres y dulces, o cocida en sabrosos platos. Su textura fresca y firme reacciona muy bien ante el calor, y su sabor es compatible con muchos otros alimentos. Combina especialmente bien con la carne de ave, el queso, la ensalada y, por extraño que parezca, con el aceite de oliva. Hay un amplio abanico de variedades: se pueden clasificar en peras para postre, que tienen una carne clara, fresca y dulce, para ser comidas frescas, y las peras destinadas a ser cocinadas, que tienen una carne firme, a menudo granulosa y un sabor más ácido.

PÁGINA ANTERIOR:
Ensalada de pasta, tomate, salami y oruga (superior); ensalada de pasta, pollo y pera

ENSALADA DE PASTA Y POLLO A LA BARBACOA

Tiempo de preparación: 15 minutos
Tiempo de cocción: 15 minutos
Para 6 personas

★

1 pollo a la barbacoa
500 g de penne
¼ taza (60 ml) de aceite de oliva
2 cucharadas de vinagre de
    vino blanco
200 g de tomates "cherry" partidos
    por la mitad
⅓ taza (20 g) de hojas de albahaca
    fresca picada
½ taza (75 g) de aceitunas negras
    deshuesadas y picadas
pimienta negra recién molida,
    al gusto

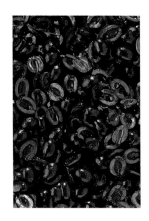

*ARRIBA: Ensalada
de pasta y pollo
a la barbacoa*

1 Separe la carne y la piel del pollo asado a la barbacoa y córtelo en tiras finas.
2 Cueza los penne en una olla grande con agua hirviendo y sal, hasta que estén al dente. Escúrralos y póngalos en una fuente de servir. Mezcle el aceite y el vinagre, incorpórelos a la pasta todavía caliente y remueva bien.
3 Agregue el pollo, los tomates "cherry", la albahaca y las aceitunas a la pasta, y revuelva bien para mezclarlo todo. Espolvoree con pimienta negra recién molida. Sirva la ensalada caliente como plato principal, o bien a temperatura ambiente como parte de un surtido de ensaladas.
NOTA: Esta ensalada se puede preparar con 2 horas de antelación. Guarde el pollo en el frigorífico casi hasta el momento de usarlo e incorpórelo a la ensalada en el último instante. Proceda del mismo modo con la albahaca: píquela y añádala a la ensalada justo antes de servir, porque después de cortarla pierde su color.

VALOR NUTRITIVO POR RACIÓN: *Proteínas 30 g; grasas 20 g; hidratos de carbono 60 g; fibra dietética 5 g; colesterol 70 mg; 2500 kJ (595 cal)*

ENSALADA DE PASTA, LIMÓN Y VERDURA

Tiempo de preparación: 20 minutos
Tiempo de cocción: 15 minutos
Para 4 personas

250 g de farfalle

¹/₃ taza (80 ml) de aceite de oliva

250 g de brécol cortado en ramilletes

125 g de tirabeques sin hilos ni las puntas

150 g de calabacín de botón pequeño y amarillo cortado en cuartos

2 cucharadas de nata agria

1 cucharada de zumo de limón

2 cucharaditas de piel de limón rallada muy fina

1 tallo de apio cortado en rodajas finas

1 cucharada de perifollo picado

ramitas de perifollo para decorar

1 Cueza los farfalle en una olla grande con agua hirviendo y sal, hasta que estén al dente. Escúrralos bien, mézclelos con 1 cucharada del aceite de oliva y déjelos enfriar aparte.

2 Mezcle el brécol, los tirabeques y el calabacín en una fuente grande, cúbralos con agua hirviendo y déjelos durante 2 minutos. Escúrralos, sumérjalos en agua helada, vuélvalos a escurrir y séquelos con papel de cocina.

3 Ponga la crema agria, el zumo y la ralladura de limón y el aceite restante en un tarro de tapón de rosca, y agítelo durante 30 segundos hasta que esté todo mezclado. Salpimiente al gusto.

4 Mezcle la pasta fría, el apio y la verdura escurrida en una fuente grande; espolvoree con el perifollo, rocíe con el aliño y remueva bien para mezclar. Decore con ramitas de perifollo y sirva la ensalada a temperatura ambiente.

VALOR NUTRITIVO POR RACIÓN: *Proteínas 10 g; grasas 25 g; hidratos de carbono 50 g; fibra dietética 5 g; colesterol 15 mg; 1910 kJ (455 cal)*

PERIFOLLO
Esta planta umbelífera, que se cultiva en maceta, posee un delicado sabor ligeramente anisado. Sus tallos rígidos y sus exquisitas hojas rizadas se pueden picar, pero a menudo se dejan enteras, como pequeños pétalos. Su aroma se desvanece con rapidez, por lo que es mejor usar las hojas frescas o añadirlas en platos calientes justo antes de servir. Pruebe el perifollo en tortilla, espolvoreado sobre sopas o como adorno.

ARRIBA: Ensalada de pasta, limón y verdura

PAN
Fresco y crujiente, el pan, en todas sus deliciosas variedades,

acompaña a la perfección la mayoría de las comidas. Sírvalo solo o bien aliñado

con ajo, queso, albahaca fresca, perejil y otras hierbas aromáticas.

GRISSINES DE AJO
Precaliente el horno a 200°C. Mezcle 2 dientes de ajo majados y 1 cucharada de aceite de oliva. Unte con ello un paquete de grissines. Envuelva cada palito con una tira de prosciutto fina como el papel. Hornee durante 5 minutos, hasta que los extremos estén crujientes. Deje enfriar antes de servir. Para 25 unidades.

VALOR NUTRITIVO POR RACIÓN: *Proteínas 2 g; grasas 2 g; hidratos de carbono 6 g; fibra dietética 0 g; colesterol 4 mg; 210 kJ (50 cal)*

PANECILLOS CON HIERBAS Y QUESO
Precaliente el horno a 220°C. Mezcle 125 g de mantequilla ablandada con 1 cucharada de albahaca, otra de perejil y otra de cebollinos, todo fresco y picado,

y 30 g de queso cheddar rallado. Salpimiente. Corte 4 panecillos rosetta en rebanadas pero sin que se desprendan del todo. Unte las rebanadas con la mezcla. Hornee 15 minutos, o hasta que estén crujientes y dorados. Para 4 personas.

VALOR NUTRITIVO POR RACIÓN: *Proteínas 10 g; grasas 30 g; hidratos de carbono 45 g; fibra dietética 3 g; colesterol 90 mg; 2055 kJ (490 cal)*

TOSTADAS DE FOCACCIA CRUJIENTES CON PESTO

Corte por la mitad horizontalmente un cuadrado de focaccia de unos 20 cm de diámetro. Mezcle 1 taza (50 g) de hojas de albahaca con 2 dientes de ajo, 3 cucharadas de piñones tostados y 4 cucharadas de parmesano recién rallado en un robot de cocina y píquelo todo grueso. Sin detener el motor del robot, añada gradualmente 1/4 taza (60 ml) de aceite de oliva y siga picando hasta obtener una pasta sin grumos. Unte la focaccia con aceite de oliva y tueste ambos lados hasta que se dore. Úntela con el pesto y córtela en pequeños rectángulos. De 16 a 20 unidades.

VALOR NUTRITIVO POR RACIÓN: *Proteínas 2 g; grasas 6 g; hidratos de carbono 4 g; fibra dietética 0 g; colesterol 3 mg; 340 kJ (80 cal)*

BRUSCHETTA DE PIMIENTO ASADO

Corte un pimiento rojo y otro amarillo por la mitad, y retíreles las semillas y la membrana. Colóquelos bajo el grill con la piel hacia arriba, hasta que la piel ennegrezca y se hinche. Cúbralos con un paño húmedo y déjelos enfriar. Pélelos y córtelos en tiras finas. Corte 1 barra de pan italiano de leña en rebanadas y tuéstelo hasta que esté dorado. Frote los lados con dientes de ajo partidos por la mitad y úntelos ligeramente con aceite de oliva virgen extra. Coloque encima un poco de pimiento y tomillo de limón fresco. Para unas 30 rebanadas.

VALOR NUTRITIVO POR RACIÓN: *Proteínas 2 g; grasas 2 g; hidratos de carbono 10 g; fibra dietética 1 g; colesterol 0 mg; 315 kJ (75 cal)*

CROSTINI DE TOMATE Y ANCHOAS

Corte 1 baguette francesa en rebanadas diagonales gruesas. Úntelas ligeramente con aceite de oliva y tuéstelas hasta que se doren. Úntelas con 250 g de pesto de tomates secados al sol y ponga por encima 50 g de anchoas escurridas y finamente troceadas, 50 g de aceitunas negras picadas y albahaca fresca cortada en tiritas. Para unas 15 porciones.

VALOR NUTRITIVO POR RACIÓN: *Proteínas 4 g; grasas 5 g; hidratos de carbono 15 g; fibra dietética 1 g; colesterol 4 mg; 535 kJ (125 cal)*

DESDE LA IZQUIERDA: Grissines de ajo, panecillos con hierbas y queso, tostadas de focaccia crujientes con pesto, bruschetta de pimiento asado, crostini de tomate y anchoas

185

MAÍZ PEQUEÑO FRESCO

Puede adquirirlo en las verdulerías y en algunos supermercados. Debe ser crujiente y seco, de color amarillo suave sin manchas, y en ningún caso debe sobrepasar los 8 cm de longitud. Sabe a maíz fresco y dulce, y la mazorca se come entera. Se popularizó en la cocina asiática, pero hoy en día se usa en muchos estilos de cocina debido a su sabor dulce y textura crujiente.

ARRIBA: Pasta con verdura al estilo tailandés

PASTA CON VERDURA AL ESTILO TAILANDÉS

Tiempo de preparación: 20 minutos
Tiempo total de cocción: 15 minutos
Para 6 personas

350 g de fettucine al natural o de tomate
   y hierbas
100 g de maíz pequeño fresco partido por
   la mitad de arriba abajo
1 zanahoria cortada en juliana
200 g de brécol cortado en pequeños ramilletes
1 pimiento rojo cortado en finas tiras
3 cucharadas de salsa dulce de guindilla
2 cucharadas de miel
2 cucharadas de salsa de pescado
3 cebolletas cortadas en juliana
2 cucharaditas de semillas de sésamo

1 Cueza la pasta en una olla grande con agua hirviendo y sal, hasta que esté al dente. Escúrrala, aclárela con agua fría y vuélvala a escurrir. Déjela enfriar.

2 Escalde el maíz durante 1 minuto en otra cazuela con agua hirviendo. Trasládelo con una espumadera a un cuenco con agua helada. Escalde la zanahoria, el brécol y el pimiento rojo durante 30 segundos, escúrralo todo y añádalo al agua fría. Cuando la verdura se haya enfriado, escúrrala y mézclela en una fuente con la pasta.

3 Bata conjuntamente la salsa dulce de guindilla, la miel y la salsa de pescado hasta que esté todo bien mezclado. Espárzalo sobre la pasta y mézclelo bien. Decórelo con la cebolleta y las semillas de sésamo.

VALOR NUTRITIVO POR RACIÓN: *Proteínas 10 g; grasas 2 g; carbohidratos 60 g; fibra dietética 6 g; colesterol 0 mg; 1210 kJ (290 cal)*

PASTA CON VERDURA AL ESTILO MEDITERRÁNEO

Tiempo de preparación: 30 minutos
Tiempo total de cocción: 15 minutos
Para 6 personas

350 g de maccheroni

200 g de rodajas de berenjena frita y marinada (véase nota)

100 g de tomates desecados o semidesecados

60 g de aceitunas kalamata deshuesadas

200 g de jamón doblemente ahumado cortado en lonchas o en virutas

2 cucharadas de salsa dulce de guindilla

1 cucharada de vinagre de vino blanco

1 tablespoon olive oil

2 cucharadas de perejil fresco picado

1 Cueza la pasta en una olla grande con agua hirviendo y sal, hasta que esté al dente. Escúrrala, aclárela con agua fría y vuélvala a escurrir. Déjela enfriar y trasládela a una fuente.

2 Corte la berenjena, el tomate, las aceitunas y el jamón en tiras y añádalo todo a la pasta. Corte las virutas de jamón en trozos bastante pequeños.

3 Bata conjuntamente la salsa dulce de guindilla, el vinagre, el aceite, y sal y pimienta al gusto, hasta que esté todo bien mezclado. Esparza el aliño sobre la pasta y la verdura y revuelva bien. Sirva el plato espolvoreado con el perejil fresco.

NOTA: La verdura marinada se puede obtener en las tiendas de platos preparados. Si lo prefiere, puede usar pimientos rojos o verdes o incluso calabacín.

VALOR NUTRITIVO POR RACIÓN: *Proteínas 15 g; grasas 8 g; carbohidratos 45 g; fibra dietética 4 g; colesterol 15 mg; 1280 kJ (305 cal)*

JAMÓN EN VIRUTAS

Se trata de jamón cortado en lonchas finísimas pero todavía distinguibles, que se separan formando un montón voluminoso. Este método de preparación le da una textura delicada al jamón. Se puede obtener en las tiendas de comida preparada y debe ser consumido tan pronto como sea posible, puesto que se estropea muy rápidamente.

ARRIBA: Pasta con verdura al estilo mediterráneo

VINAGRE BALSÁMICO

El vinagre balsámico, *aceto balsamico*, es una especialidad de la región de Módena, en el centro del norte de Italia. Se elabora a partir del jugo recién exprimido de cierto tipo de uva selecta, que se hierve hasta que reduce a un tercio su volumen. El almíbar resultante se deja envejecer durante un número determinado de años en toneles de madera, hasta que se vuelve concentrado, suave y muy aromático. Es denso, casi negro, y se usa moderadamente, no como un vinagre común, sino como condimento. Un buen vinagre balsámico debe ser dulce, almibarado pero no empalagoso, con una fragancia y un sabor muy intensos. Existen muchas imitaciones y las copias baratas se parecen muy poco al auténtico. En este caso, merece la pena gastar más dinero para comprar el artículo genuino.

*PÁGINA SIGUIENTE:
Ensalada de conchiglie con bocconcini, espárragos y orégano (superior); ensalada tibia de fettucine, gambas y ajo*

ENSALADA DE CONCHIGLIE CON BOCCONCINI, ESPÁRRAGOS Y ORÉGANO

Tiempo de preparación: 25 minutos
Tiempo de cocción: de 10 a 15 minutos
Para 4 a 6 personas

350 g de conchiglie
155 g de espárragos frescos
200 g de queso bocconcini cortado en rodajas finas
100 g de tomates "cherry" cortados en cuartos
2 cucharadas de hojas de orégano frescas
4 cucharadas de aceite de nuez
1 cucharada de vinagre de vino blanco
1 cucharada de vinagre balsámico
¼ cucharadita de sal y la misma cantidad de pimienta negra recién molida

1 Cueza los conchiglie en una olla con agua hirviendo y sal, hasta que estén al dente. Escúrralos, páselos por agua fría y vuélvalos a escurrir. Déjelos enfriar.
2 Corte los espárragos en trozos cortos. Ponga agua en una cacerola pequeña y llévela a ebullición, añada los espárragos y escáldelos durante 1 minuto. Escúrralos, trasládelos a un cuenco con agua helada para enfriarlos y vuelva a escurrirlos.
3 Mezcle los conchiglie, los espárragos, los bocconcini, el tomate y el orégano en una fuente grande. Bata conjuntamente el aceite de nuez, los dos tipos de vinagre, y sal y pimienta en un cuenco pequeño, hasta que esté todo bien mezclado.
4 Distribuya el aliño sobre la ensalada y revuelva bien antes de servir.

VALOR NUTRITIVO POR RACIÓN (6): *Proteínas 15 g; grasas 25 g; hidratos de carbono 40 g; fibra dietética 5 g; colesterol 35 mg; 1900 kJ (455 cal)*

ENSALADA TIBIA DE FETTUCINE, GAMBAS Y AJO

Tiempo de preparación: 30 minutos
Tiempo de cocción: 25 minutos
Para 4 a 6 personas

300 g de fettucine
2 cucharadas de aceite de oliva
4 dientes de ajo majados
300 g de carne de gamba cruda
2 cucharadas de whisky
½ taza (125 ml) de nata líquida
3 cebolletas picadas

1 Cueza los fettucine en una olla grande con agua hirviendo y sal, hasta que estén al dente. Escúrralos, páselos por agua fría y vuélvalos a escurrir. Déjelos enfriar y resérvelos aparte.
2 Caliente el aceite en una sartén de fondo pesado. Añada el ajo y cuézalo 30 segundos. Agregue las gambas y saltéelas a fuego rápido hasta que cambien de color. Incorpore el whisky y cuézalo hasta que se evapore. Añada la nata líquida y las cebolletas y cuézalas a fuego lento 2 minutos.
3 Distribuya la salsa sobre la pasta y condimente con sal y pimienta abundantes.

VALOR NUTRITIVO POR RACIÓN (6): *Proteínas 15 g; grasas 15 g; hidratos de carbono 35 g; fibra dietética 5 g; colesterol 125 mg; 1530 kJ (365 cal)*

OTRAS SUGERENCIAS

TORTITAS DE PARMESANO

Tamice 2 tazas (250 g) de harina con 1 cucharadita de levadura en polvo, ¼ cucharadita de pimentón y ½ cucharadita de sal en un cuenco. Mézclelo todo con 60 g de mantequilla. Añada ¼ taza (25 g) de parmesano finamente rallado y 185 ml de leche, y revuelva bien. Aplique el rodillo hasta que la masa tenga unos 2 cm de grosor y córtela en tortitas y espolvoréelas con un poco más de parmesano. Hornee a 220°C durante 15 minutos.

RIGATONI

Este tipo de pasta resulta muy versátil: se sirve en ensaladas pero también con salsas espesas, especialmente las que llevan tomate o carne. Si se revuelve bien, la salsa penetra dentro de los tubos y se adhiere a las estrías de la superficie exterior. Los tortiglioni son similares pero con una ligera curva en el medio.

ARRIBA: Rigatoni con tomate, haloumi y espinacas

RIGATONI CON TOMATE, HALOUMI Y ESPINACAS

Tiempo de preparación: 30 minutos
Tiempo de cocción: 1 hora
Para 6 personas

6 tomates de pera partidos por la mitad
azúcar para espolvorear
4 dientes de ajo majados
400 g de rigatoni
1/4 taza (60 ml) de zumo de limón
1/4 taza (60 ml) de aceite de oliva
200 g de queso haloumi cortado
   en rodajas finas
100 g de espinacas pequeñas

1 Precaliente el horno a 180°C. Hornee los tomates durante 1 hora en una bandeja de horno, sobre papel de aluminio y espolvoreados con abundante sal, azúcar, pimienta y ajo, hasta que estén bastante deshidratados y arrugados. Déjelos enfriar y vuelva a partirlos por la mitad.

2 Mientras tanto, cueza la pasta en una olla con agua hirviendo y sal, hasta que esté al dente. Escúrrala, pásela por agua fría y vuélvala a escurrir. Déjela enfriar.

3 Mezcle el zumo de limón con el aceite de oliva y salpimiente al gusto.

4 Remueva bien la pasta con el aliño y revuelva suavemente con el tomate, el queso haloumi y las espinacas. Sirva el plato espolvoreado con pimienta negra recién machacada, al gusto.

VALOR NUTRITIVO POR RACIÓN: *Proteínas 20 g; grasas 35 g; hidratos de carbono 50 g; fibra dietética 5 g; colesterol 25 mg; 2530 kJ (605 cal)*

ZITI CON DÁTILES AL LIMÓN

Tiempo de preparación: de 15 a 20 minutos
Tiempo de cocción: 25 minutos
Para 4 a 6 personas

2 tazas (360 g) de dátiles desecados,
  deshuesados y partidos
  por la mitad
1 1/2 tazas (375 ml) de oporto
375 g de ziti
1/4 taza (60 ml) de vinagre balsámico
1/2 taza (125 ml) de aceite de oliva
150 g de oruga limpia
la piel de 3 limones en conserva (véase nota),
  picada muy fina

1 Coloque los dátiles y el oporto en una cazuela. Déjelos hervir, reduzca el fuego y cueza a fuego lento durante 10 minutos. Cuele los dátiles y reserve el oporto. Déjelo enfriar.

2 Cueza los ziti en agua hirviendo y sal, hasta que estén al dente. Escúrralos, páselos por agua fría y vuélvalos a escurrir. Déjelos enfriar.

3 Mezcle el vinagre balsámico, el oporto reservado y el aceite de oliva en un cuenco. Condimente con un poco de azúcar si es necesario.

4 Vierta el aliño sobre la pasta, los dátiles, la oruga y la piel de limón y revuelva bien.

NOTA: Los limones en conserva se pueden comprar a granel o envasados, en una tienda de comida preparada o especializada. Esta salsa también resulta deliciosa caliente.

VALOR NUTRITIVO POR RACIÓN (6): *Proteínas 10 g; grasas 20 g; hidratos de carbono 95 g; fibra dietética 10 g; colesterol 0 mg; 2715 kJ (650 cal)*

DÁTILES
Las palmeras datileras crecen en regiones desérticas y hace miles de años que se cultivan. Los dátiles frescos tienen una pulpa húmeda frutal, y un alto contenido en hierro, ácido fólico, vitamina B6 y fibra. Hay dátiles duros y blandos, siendo estos últimos los preferidos para comer. Ambos se desecan bien, pero los blandos permanecen suaves y suculentos. En las recetas se pueden usar dátiles frescos o bien blandos y desecados, siendo estos últimos más dulces y su sabor más concentrado.

ARRIBA: Ziti con dátiles al limón

la piel hacia arriba y déjelos cocer durante 8 minutos, o hasta que la piel ennegrezca y se hinchen. Retírelos del fuego y cúbralos con un paño húmedo. Cuando estén fríos, pélelos, deseche la piel y córtelos en tiras finas.

3 En una ensaladera mezcle la pasta con las tiras de pimiento, la cebolla, el perejil, las anchoas, el aceite, el zumo de limón, y sal y pimienta al gusto. Remuévalo todo y sírvalo inmediatamente.

NOTA: Para evitar que la pasta se pegue, añádale un poco del aceite después de pasarla por agua fría y revuélvala.

VALOR NUTRITIVO POR RACIÓN: *Proteínas 10 g; grasas 10 g; hidratos de carbono 65 g; fibra dietética 5 g; colesterol 0 mg; 1675 kJ (400 cal)*

ENSALADA TIBIA DE PASTA Y CANGREJO

Tiempo de preparación: 20 minutos
Tiempo de cocción: 10 minutos
Para 6 personas

200 g de espaguetis

2 cucharadas de aceite de oliva

30 g de mantequilla

3 latas de 200 g de carne de cangrejo escurrida

1 pimiento rojo grande cortado en tiras finas

2 cucharaditas de piel de limón rallada muy fina

3 cucharadas de parmesano fresco rallado

2 cucharadas de cebollino picado

3 cucharadas de perejil fresco picado

1 Parta los espaguetis por la mitad y cuézalos en una olla grande con agua hirviendo y sal, hasta que estén al dente. Escúrralos.

2 Coloque los espaguetis en una fuente de servir grande y revuélvalos bien con el aceite y la mantequilla. Incorpore los demás ingredientes y mezcle todo bien. Espolvoree con pimienta y sirva caliente.

NOTA: Substituya el cangrejo en conserva por 500 g de carne de cangrejo fresca, si lo prefiere.

VALOR NUTRITIVO POR RACIÓN: *Proteínas 20 g; grasas 15 g; hidratos de carbono 25 g; fibra dietética 2 g; colesterol 100 mg; 1245 kJ (295 cal)*

ARRIBA: Ensalada de anchoas y pimientos al grill

ENSALADA DE ANCHOAS Y PIMIENTOS AL GRILL

Tiempo de preparación: 15 minutos
Tiempo de cocción: 25 minutos
Para 6 personas

500 g de penne o pasta en espiral

2 pimientos verdes grandes

1 cebolla roja pequeña picada

1 taza (20 g) de hojas de perejil plano fresco

2 ó 3 anchoas enteras o picadas

¼ taza (60 ml) de aceite de oliva

2 cucharadas de zumo de limón

1 Cueza la pasta en una olla grande con agua hirviendo y sal, hasta que esté al dente. Escúrrala, pásela por agua fría y vuelva a escurrir.

2 Corte los pimientos por la mitad y extraiga las pepitas y la membrana. Póngalos bajo el grill con

ENSALADA DE PASTA TIBIA A LA TOSCANA

Tiempo de preparación: 15 minutos
Tiempo de cocción: 15 minutos
Para 6 personas

500 g de rigatoni

¹/₃ taza (80 ml) de aceite de oliva

1 diente de ajo majado

1 cucharada de vinagre balsámico

425 g de corazones de alcachofa escurridos y cortados en cuatro partes

8 lonchas finas de prosciutto picadas

80 g de tomates secados al sol en aceite, escurridos y cortados en láminas finas

¹/₄ taza (15 g) de hojas de albahaca fresca cortada en tiras

2 tazas (70 g) de hojas de oruga lavadas y escurridas

¹/₄ taza (40 g) de piñones ligeramente tostados

¹/₄ taza (45 g) de aceitunas negras pequeñas italianas

1 Cueza los rigatoni en una olla grande con agua hirviendo, hasta que estén al dente. Escúrralos bien y páselos a una fuente de servir grande.

2 Mientras la pasta se cuece, mezcle y bata el aceite, el ajo y el vinagre balsámico.

3 Mezcle el aliño con la pasta caliente. Deje enfriar ligeramente la pasta. Añada los corazones de alcachofa, el prosciutto, los tomates desecados, la albahada, la oruga, los piñones y las aceitunas.

4 Revuelva todo bien y condimente al gusto con sal y pimienta negra recién molida.

NOTA: Tueste los piñones en una sartén seca a fuego medio durante 1 o 2 minutos, hasta que estén un poco dorados. Déjelos enfriar.

VALOR NUTRITIVO POR RACIÓN: *Proteínas 15 g; grasas 20 g; hidratos de carbono 60 g; fibra dietética 10 g; colesterol 15 mg; 2145 kJ (510 cal)*

SAL

Existen dos tipos de sal o cloruro sódico: la sal gema, en forma cristalina, que se extrae de minas, y la sal marina, que se extrae del agua del mar. La sal marina refinada se puede adquirir en forma cristalina pura (que debe ser molida), en finos copos (lista para ser usada), o molida. A esta sal de mesa ya lista se le han añadido productos como fosfato de calcio, para evitar que la sal pura vuelva a su forma cristalina con la humedad. La sal pura es la que aporta el mejor sabor.

ARRIBA: Ensalada de pasta tibia a la toscana

ENSALADA DE PASTA, HUEVO, ENELDO Y SALMÓN AHUMADO

Tiempo de preparación: 20 minutos
Tiempo de cocción: 15 minutos
Para 4 a 6 personas

350 g de farfalle o fusilli
2 huevos
200 g de salmón ahumado cortado en tiritas
1 cucharada de eneldo fresco picado muy fino
3 cucharadas de nata agria
2 cucharadas de zumo de limón
1/4 cuchadadita de sal y otra de pimienta negra recién molida
1 cucharada de perejil fresco picado

1 Hierva la pasta en una olla con agua y sal, hasta que esté al dente. Escúrrala, pásela por agua fría y vuélvala a escurrir. Déjela enfriar.
2 Mientras tanto, cueza los huevos durante 12 minutos o hasta que estén duros. Déjelos enfriar. Pélelos y píquelos o rállelos muy finos. Reserve.
3 Ponga la pasta en cuencos de servir y esparza el salmón ahumado y el eneldo por encima.
4 Bata conjuntamente la nata agria, el zumo de limón, sal y pimienta en un cuenco pequeño. Vierta el aliño sobre la pasta. Decore la ensalada con el huevo y el perejil y sírvala en seguida.

VALOR NUTRITIVO POR RACIÓN (6): *Proteínas 15 g; grasas 10 g; hidratos de carbono 40 g; fibra dietética 3 g; colesterol 90 mg; 1280 kJ (305 cal)*

OTRAS SUGERENCIAS

PAN DE PIZZA AL AJO
Prepare la masa de una base para pizza y extiéndala sobre una bandeja de horno hasta conseguir un círculo fino. Unte la superficie de la masa con aceite de oliva y espolvoréela con ajo majado, perejil fresco picado y sal gruesa. Hornéela hasta que esté dorada. Córtela en tiras con un cuchillo o un corta-pizzas.

ENSALADA DE NARANJA Y ACEITUNAS
Corte 8 naranjas peladas en rodajas gruesas. Dispóngalas en una bandeja junto con rodajas finas de cebolla roja y menta fresca picada. Decore con aceitunas y aliñe con zumo de naranja, ajo majado y un poco de aceite de sésamo.

ENSALADA DE PASTA, TOMATE, ACEITUNAS Y HUMMUS DE ORIENTE

Tiempo de preparación: 25 minutos
Tiempo de cocción: 15 minutos
Para 6 personas

350 g de tiburones o conchiglie
200 g de tomates "cherry" cortados en cuartos
1 calabacín grande rallado
1 cebolla pequeña rallada
50 g de aceitunas negras deshuesadas y picadas

Aliño de hummus

2 cucharadas de hummus
2 cucharadas de yogur natural
1 cucharada de aceite de oliva
1 diente de ajo finamente picado
1 cucharadita de ralladura de limón
1 cucharada de perejil fresco picado

1 Cueza la pasta en una olla con agua hirviendo y sal, hasta que esté al dente. Escúrrala, pásela por agua fría y vuélvala a escurrir. Coloque la pasta en una fuente grande con el tomate, el calabacín, la cebolla y las aceitunas.
2 Para hacer el aliño de hummus, mezcle el hummus, el yogur, el aceite de oliva, el ajo y la ralladura de limón con un robot de cocina o con una batidora. Añada suficiente sal y pimienta, y vuelva a batirlo brevemente.
3 Vierta el aliño sobre la ensalada, agregue el perejil y remueva bien para mezclarlo todo.

VALOR NUTRITIVO POR RACIÓN: *Proteínas 8 g; grasas 7 g; hidratos de carbono 45 g; fibra dietética 5 g; colesterol 1 mg; 1145 kJ (270 cal)*

ENELDO
El eneldo es originario del Mediterráneo y ha sido empleado desde tiempos ancestrales por sus propiedades medicinales y culinarias. Aunque toda la parte superior de la planta es aromática, el sabor y el aroma de sus delicadas hojas son más sutiles. Su sabor agridulce es un buen complemento para los productos lácteos como la nata líquida, la mantequilla y el queso, y realza especialmente bien el sabor del pescado. Su aceite esencial es extremadamente volátil, por lo que se evapora muy rápidamente a temperaturas superiores a 30°C. Por ello debe ser añadido al plato cocinado justo antes de servir.

PÁGINA ANTERIOR:
Ensalada de pasta, huevo, eneldo y salmón (superior); ensalada de pasta, tomate, aceitunas y hummus de oriente

ÑOQUIS

Los ñoquis deben su popularidad a su sencillez y adaptabilidad. Mientras que la elaboración casera de espaguetis puede ser una tarea desalentadora, cualquiera puede dominar la técnica de hacer ñoquis. Y cuando le salga a la perfección la receta básica de patata, puede experimentar con otros ingredientes, como calabaza, zanahorias, espinacas o chirivías. Los ñoquis se prestan a salsas de mantequilla, cremosas o de tomate. Y sea cual sea la combinación, resultan simplemente deliciosos.

ÑOQUIS A LA ROMANA
(ÑOQUIS DE SÉMOLA CON RICA SALSA DE QUESO)

Tiempo de preparación: 20 minutos
  + 1 hora en el frigorífico
Tiempo de cocción: 40 minutos
Para 4 personas

✹ ✹

3 tazas (750 ml) de leche
1/2 cucharadita de nuez moscada molida
2/3 taza (85 g) de sémola
1 huevo batido
1 1/2 tazas (150 g) de parmesano recién rallado
60 g de mantequilla derretida
1/2 taza (125 ml) de nata líquida
1/2 taza (75 g) de queso mozzarella recién
  rallado

1 Forre con papel parafinado un molde hondo para postres. Mezcle la leche, la mitad de la nuez moscada y sal y pimienta negra recién molida al gusto en una cacerola mediana. Llévelo a ebullición, reduzca el fuego y agregue gradualmente la sémola, sin dejar de remover. Cueza de 5 a 10 minutos, removiendo de vez en cuando o hasta que la sémola esté muy espesa.

2 Retire la cacerola del fuego, añada el huevo y 1 taza de parmesano. Remueva para mezclarlo todo y a continuación vierta la mezcla en el molde. Refrigere durante 1 hora, o hasta que la masa esté firme.

3 Precaliente el horno a 180°C. Corte la sémola en círculos usando un cortapastas enharinado de 4 cm de diámetro, y dispóngalos en una fuente de horno plana engrasada.

4 Vierta encima la mantequilla derretida, y a continuación la nata líquida. Mezcle el parmesano restante con el queso mozzarella y espárzalo sobre los círculos. Espolvoréelos con la nuez moscada restante. Póngalos en el horno de 20 a 25 minutos, o bien hasta que estén dorados. Puede servirlos adornados con un ramito de hierbas aromáticas frescas.

NOTA: Hay quien afirma que el origen de este plato tradicional de Roma se remonta a la época del Imperio Romano. Para acompañar esta deliciosa receta, lo mejor es una ensalada jardinera bien fresca.

VALOR NUTRITIVO POR RACIÓN: *Proteínas 30 g; grasas 50 g; hidratos de carbono 25 g; fibra dietética 1 g; colesterol 200 mg; 2790 kJ (670 cal)*

SÉMOLA

La sémola es un término que describe una harina especial que es molida del grano. Normalmente es de trigo y sus granos son gruesos, no como la harina, que es un polvo fino. Es más rica en proteínas que la harina, y tiene una textura más firme que aporta "consistencia" a la pasta o a la masa. Se muele en diferentes grados, prefiriéndose la fina para hacer ñoquis y la mediana para postres y puddings al horno.

*ARRIBA: Ñoquis
a la Romana*

OTRAS SUGERENCIAS

NABOS CON TOMATE, VINO Y AJO
Caliente un poco de aceite de oliva en una sartén, añada un poco de ajo, guindilla y cebolla picados, y fría a fuego lento hasta que estén dorados. Agregue una lata de tomates triturados en su jugo, y un poco de vino tinto; llévelo todo a ebullición y cuézalo a fuego lento. Añada nabos cortados en rodajas y déjelos cocer a fuego lento hasta estén tiernos y la salsa se espese. No los cueza demasiado, o se desharán. Antes de servir, agregue un poco de albahaca y remueva bien.

ÑOQUIS CON SALSA DE TOMATE Y ALBAHACA

Tiempo de preparación: I hora
Tiempo de cocción: de 45 a 50 minutos
Para 4 a 6 personas

Salsa de tomate

I cucharada de aceite

I cebolla picada

I tallo de apio picado

2 zanahorias picadas

2 x 425 g latas de tomate triturado

I cucharadita de azúcar

¹/₂ taza (30 g) de albahaca fresca picada

Ñoquis de patata

I kg de patatas viejas

30 g de mantequilla

2 tazas (250 g) de harina

2 huevos batidos

parmesano recién rallado para servir

I Para la salsa de tomate, caliente el aceite en una sartén grande, añada la cebolla, el apio y la zanahoria, y fríalos 5 minutos, removiendo. Agregue el tomate, el azúcar y salpimiente al gusto. Cuando hierva, reduzca el fuego y cueza 20 minutos a fuego muy lento. Déjela enfriar un poco y, por tandas, redúzcala a una masa fina con el robot. Añada la albahaca y reserve.

2 Para los ñoquis, pele las patatas, córtelas y hiérvalas en agua o al vapor hasta que estén muy tiernas. Escúrralas y redúzcalas a una pasta. Añada la mantequilla y la harina y remueva, e incorpore a continuación los huevos. Deje enfriar.

3 Ponga la masa en una superficie enharinada y divídala en dos partes. Déles una forma larga y cilíndrica, córtelas en trozos pequeños y presione cada trozo con el dorso de un tenedor.

4 Cueza los ñoquis por tandas, en una olla grande con agua hirviendo y sal, durante 2 minutos, o hasta que floten en la superficie. Escúrralos con una espumadera y colóquelos en cuencos de servir. Sírvalos con la salsa de tomate y parmesano recién rallado. Adórnelos con hierbas frescas, si lo desea.

VALOR NUTRITIVO POR RACIÓN (6): *Proteínas 15 g; grasas 10 g; hidratos de carbono 60 g; fibra dietética 5 g; colesterol 75 mg; 1680 kJ (400 cal)*

PATATAS

Las mejores patatas para hacer ñoquis son las viejas y feculentas, que contienen poca agua. Su carne harinosa hace que los ñoquis sean tiernos y ligeros. Si retienen mucha humedad, será necesaria más harina para preparar los ñoquis, lo que hará que éstos queden gomosos. Como mejor saben las patatas es al horno, al vapor o hervidas, y no se debe utilizar el robot de cocina para hacerlas puré, pues su textura sería pegajosa e inadecuada para la masa de los ñoquis.

IZQUIERDA: Ñoquis de patata, y salsa de tomate y albahaca

ÑOQUIS CON TOMATE Y ALBAHACA FRESCA

Tiempo de preparación: 10 minutos
Tiempo de cocción: 15 minutos
Para 4 personas

1 cucharada de aceite de oliva

1 cebolla finamente picada

2 dientes de ajo majados

410 g de tomates de lata

2 cucharadas de puré de tomate (doble concentrado)

1 taza (250 ml) de nata líquida

1/4 taza (40 g) de tomates secados al sol picados

375 g de ñoquis de patata frescos

1 cucharada de albahaca fresca finamente picada

60 g de queso pepato rallado

1 Caliente el aceite en una cacerola y fría la cebolla durante 2 minutos, o hasta que esté tierna. Agregue el ajo y cueza durante 1 minuto más. Añada, mientras remueve, el tomate y el puré de tomate, aumente el fuego y deje cocer durante aproximadamente 5 minutos.
2 Reduzca el fuego, incorpore la nata líquida y los tomates secados al sol, y remueva bien. Deje cocer a fuego lento durante 3 minutos más.
3 Mientras tanto, cueza los ñoquis por tandas en una olla grande con agua hirviendo y sal durante 2 minutos, o bien hasta que floten en la superficie. Escúrralos mediante una espumadera e incorpórelos a la salsa junto con la albahaca fresca. Condiméntelos con sal y pimienta negra recién molida. Trasládelos a una fuente resistente al horno y espolvoréelos con el queso pepato rallado. Horneélos bajo el grill durante 5 minutos, hasta que burbujeen. Decórelos con hierbas frescas, si lo desea.
NOTA: El queso pepato es un queso bastante fuerte, que está sazonado con pimienta. Emplee un queso más suave, si así lo prefiere.

VALOR NUTRITIVO POR RACIÓN: *Proteínas 10 g; grasas 40 g; hidratos de carbono 30 g; fibra dietética 5 g; colesterol 130 mg; 2160 kJ (515 cal)*

ÑOQUIS

Se trata de bolitas de masa, a veces tan pequeñas como guisantes, pero nunca mayores que un bocado. Tradicionalmente, se preparan con harina de sémola, queso ricotta o patata, pero hoy en día se hacen con diferentes tipos de grano, como el trigo alforfón, y de verduras, incluídas la calabaza y la alcachofa. Se suelen servir con una salsa como primer plato, pero también constituyen un buen acompañamiento. Una vez hechos, deben ser cocidos y comidos tan pronto como sea posible.

ARRIBA: Ñoquis con queso

ÑOQUIS CON QUESO

Tiempo de preparación: 10 minutos
Tiempo de cocción: 15 minutos
Para 4 personas

500 g de ñoquis de patata frescos

30 g de mantequilla picada

1 cucharada de perejil fresco picado

100 g de queso fontina cortado en láminas

100 g de queso provolone cortado en rodajas

1 Precaliente el horno a 200°C. Cueza los ñoquis, por tandas, en una olla grande con agua hirviendo, durante 2 minutos, o bien hasta que floten en la superficie. Retírelos cuidadosamente de la olla con una espumadera y escúrralos bien.
2 Dispóngalos en una fuente de horno ligeramente engrasada. Esparza por encima la mantequilla y el perejil. Coloque el queso fontina y provolone sobre los ñoquis. Condiméntelos con sal marina y pimienta negra machacada y horneélos durante 10 minutos, o hasta que el queso se derrita.

VALOR NUTRITIVO POR RACIÓN: *Proteínas 25 g; grasas 30 g; hidratos de carbono 10 g; fibra dietética 1 g; colesterol 115 mg; 1755 kJ (420 cal)*

La más apropiada es la que tiene una carne dura y un color intenso. La carne húmeda y dulce de la calabaza bonetera, por ejemplo, no sirve. La calabaza más adecuada es seca y de color naranja vivo: hará que los ñoquis sean ligeros, con todo el sabor y el color. Trabaje la masa ligeramente y con rapidez, y emplee la menor cantidad de harina posible, para que no queden duros. No hierva la calabaza, cuézala al vapor o en el horno, y amásela con un tenedor o pasapuré, nunca con el robot de cocina.

ÑOQUIS DE CALABAZA CON MANTEQUILLA DE SALVIA

Tiempo de preparación: 45 minutos
Tiempo de cocción: 1 hora 30 minutos
Para 4 personas

500 g de calabaza

1 1/2 tazas (185 g) de harina

1/2 taza (50 g) de parmesano recién rallado

1 huevo batido

100 g de mantequilla

2 cucharadas de salvia fresca picada

1 Precaliente el horno a 160°C. Unte una bandeja de horno con aceite o mantequilla derretida. Corte la calabaza en trozos grandes, sin quitar la piel y colóquela en la bandeja. Hornee durante 1 1/4 horas, o hasta que esté tierna. Déjela enfriar un poco. Raspe la piel para separarla de la carne, retirando las partes más duras, pásela a un cuenco grande. Tamice la harina sobre el cuenco, añada la mitad del parmesano, el huevo y un poco de pimienta negra. Mézclelo todo, póngalo sobre una superficie enharinada y amáselo 2 minutos, hasta conseguir una masa homogénea.

2 Divida la masa en dos partes. Con las manos enharinadas, déles una forma alargada y cilíndrica de unos 40 cm de longitud. Córtela en 16 partes iguales. Déles una forma ovalada y presiónelas con las púas de un tenedor enharinado para hacer las estrías.

3 Cueza los ñoquis por tandas en una olla grande con agua hirviendo y sal, durante 2 minutos, o hasta que floten en la superficie. Escúrralos con una espumadera y manténgalos calientes.

4 Para hacer la mantequilla de salvia, derrita la mantequilla en un cazo pequeño, retírela del fuego y mézclela con la salvia picada.

5 Para servir, distribuya los ñoquis en cuatro platos, rocíelos con la mantequilla de salvia y espolvoréelos con el parmesano restante.

VALOR MUTRITIVO POR RACIÓN: *Proteínas 20 g; grasas 35 g; hidratos de carbono 55 g; fibra dietética 5 g; colesterol 115 mg; 2465 kJ (590 cal)*

ARRIBA: Ñoquis de calabaza con mantequilla de salvia

LOS ÑOQUIS

Hoy en día los preferidos son los ñoquis de patata, pero los hay de verdura, como

la calabaza o las chirivías, de queso, e incluso los tradicionales ñoquis de sémola.

Los ñoquis son pequeñas bolas de masa. Tanto si son de patata como de otro ingrediente, la consistencia de su masa debe ser blanda y ligera. Si cuece verduras para hacer ñoquis, asegúrese de que no queden demasiado acuosas, ya que entonces debería añadir más harina de la habitual, y la masa resultaría demasiado pesada. Trabaje la masa con rapidez, para que no sea demasiado blanda o pegajosa.

Los ñoquis deben ser comidos recién hechos. Por esta razón, debería tener preparada la salsa que los acompañará antes de cocerlos.

ÑOQUIS DE PATATA TRADICIONALES
Para hacer ñoquis de patata, es importante emplear patatas harinosas, preferentemente viejas, porque contienen menos agua. Tradicionalmente, las patatas se preparan asándolas con su piel, para mantenerlas secas. Sin embargo, este proceso requiere mucho tiempo, por lo que la mayoría de la gente prefiere cocerlas en agua hirviendo o al vapor. Si lo hace así, asegúrese de que no las cuece demasiado, que no se deshagan ni absorban demasiada agua. Es importante que las escurra muy bien.

Muchas recetas de ñoquis de patata incluyen huevos para hacerlos más manejables. Pero si se añaden huevos, debe añadirse también más harina para absorber la humedad que sobra, y esto hace que queden algo duros. Experimente hasta saber cómo prefiere hacerlos. A continuación, le presentamos el método tradicional. Para 4 a 6 personas, necesita 1 kg de patatas viejas y harinosas sin pelar, y aproximadamente 200 g de harina.

1 Sin pelar las patatas, pínchelas con un tenedor por todas partes. Póngalas en el horno a 200°C durante 1 hora, o hasta que estén tiernas. No las envuelva en papel de aluminio. Cuando se hayan enfriado suficientemente para manejarlas, pero todavía estén calientes, pélelas y hágalas puré en un cuenco, o páselas por el pasapuré a un cuenco.

2 Añada gradualmente tres cuartas partes de la harina y trabájela con las manos. Cuando tenga una masa floja, trasládela a una superficie un poco enharinada y amásela suavemente. Mientras amasa, vaya agregando la harina restante, pero sólo la necesaria para que la masa sea blanda y ligera, y no se pegue a sus manos ni a la superficie enharinada, pero que todavía esté suficientemente húmeda para trabajarla. Deje de amasar en este punto. Enharine un poco la superficie de trabajo y el lado interno de las púas de un tenedor. Coja la quinta parte de la masa y déle forma de cordón, del grosor de un dedo. Córtela en trozos de 2 cm.

3 Ponga uno de los trozos sobre las púas del tenedor y presione hacia abajo con el dedo, haciéndolo girar para darle una forma cóncava de caracola, con estrías en la superficie exterior. Haga una hendidura grande en el centro, para que la cocción sea uniforme y se impregnen bien con la salsa. Repita la operación con el resto de la masa.

4 Vierta los ñoquis en tandas de 20 cada vez, en una olla grande con agua hirviendo y sal. Estarán cocidos cuando floten en la superficie, tras 2 ó 3 minutos. Retírelos con una espumadera y manténgalos calientes mientras cuece los ñoquis restantes. Añádales la salsa y sírvalos.

Una vez se les ha dado la forma, los ñoquis de patata se pueden conservar congelados durante dos meses, si son crudos. Primero deberá congelarlos en una sola capa sin que entren en contacto unos con otros, y a continuación guardarlos en recipientes herméticos. Cuando quiera usarlos, viértalos con cuidado, por tandas, en agua hirviendo, recién sacados del congelador.

QUESO FONTINA

Es un queso semiduro pro-
cedente de los Alpes.
Posee una textura cremo-
sa y un dulce sabor a nuez.
Se come como queso de
aperitivo, pero también es
ideal para cocinar porque
se derrite completamente
hasta formar una crema
espesa e intensa. Se em-
plea en salsas para pasta y
verduras y es el ingrediente principal de la famosa
fonduta, la versión pia-
montesa de la fondue.

ÑOQUIS CON SALSA DE FONTINA

Tiempo de preparación: 10 minutos
Tiempo de cocción: 15 minutos
Para 4 personas

200 g de queso fontina finamente picado
1/2 taza (125 ml) de nata líquida
80 g de mantequilla
2 cucharadas de parmesano recién rallado
400 g de ñoquis de patata frescos

1 Mezcle el queso fontina con la nata líquida, la
mantequilla y el queso parmesano en una fuente
sobre una cacerola con agua hirviendo a fuego
lento. Caliéntelo, removiendo de vez en cuando,
de 6 a 8 minutos, o bien hasta que el queso se
haya derretido y la salsa no tenga grumos y esté
caliente.
2 Cuando la salsa esté por la mitad de su
cocción, vierta los ñoquis, por tandas, en una
olla grande con agua hirviendo y sal, y cuézalos
durante aproximadamente 2 minutos, o bien
hasta que los ñoquis floten en la superficie.
3 Escurra los ñoquis con una espumadera y sírvalos con la salsa por encima. Puede decorarlos
con hojas de orégano frescas u otro tipo de
hierbas aromáticas.

VALOR NUTRITIVO POR RACIÓN: *Proteínas 25 g;
grasas 60 g; hidratos de carbono 10 g; fibra dietética 0 g;
colesterol 185 mg; 2790 kJ (670 cal)*

*ARRIBA: Ñoquis
con salsa de fontina*

ÑOQUIS DE PATATA A LAS HIERBAS CON TOMATE

Tiempo de preparación: 1 hora
Tiempo de cocción: 30 minutos
Para 4 personas

500 g de patatas harinosas troceadas

1 yema de huevo

3 cucharadas de parmesano rallado

3 cucharadas de hierbas frescas picadas
  (perejil, albahaca y cebollinos)

1 taza (125 g) de harina

2 dientes de ajo majados

1 cebolla picada

4 lonchas de bacon cortadas a trozos

150 g de tomates secados al sol en trozos

425 g de tomates pelados de lata

1 cucharadita de azúcar moreno

2 cucharaditas de vinagre balsámico

1 cucharada de albahaca fresca rallada

parmesano cortado en virutas para servir

1 Para hacer los ñoquis, cueza las patatas al vapor o en agua hirviendo, hasta que estén tiernas. Escúrralas, déjelas enfriar y hágalas puré. Pase 2 tazas de patata a una fuente. Agregue la yema, el parmesano rallado y las hierbas, y revuelva. Añada gradualmente suficiente harina para hacer una masa más bien pegajosa. Amásela durante 5 minutos, con más harina si es necesario, hasta que no tenga grumos.

2 Divida la masa en cuatro partes. Extienda cada parte hasta darle una forma alargada de 2 cm de grosor, y córtela en trozos de 2,5 cm. Dé a cada trozo forma ovalada y hágalo girar con cuidado sobre las púas enharinadas del dorso de un tenedor. Colóquelos en una bandeja de horno anti-adherente un poco enharinada y cúbralos hasta su utilización.

3 Para hacer la salsa, caliente una cucharada de aceite de oliva en una sartén, añada el ajo y la cebolla, y fríalos 5 minutos a fuego medio, o hasta que la cebolla esté tierna y dorada.

4 Añada el bacon y fríalo, removiendo de vez en cuando, 5 minutos, o hasta que esté dorado.

5 Incorpore los tomates secados al sol, el tomate, el azúcar, el vinagre, y remueva. Espere a que hierva, reduzca el fuego, y cueza a fuego lento durante 15 minutos hasta que se espese. Justo antes de servir, añada la albahaca y remueva.

6 Cueza los ñoquis por turnos en una olla con agua hirviendo y sal, durante 2 minutos, o hasta que floten en la superficie. Escúrralos y sírvalos cubiertos con la salsa y las virutas de parmesano.

VALOR NUTRITIVO POR RACIÓN: *Proteínas 20 g; grasas 6 g; hidratos de carbono 45 g; fibra dietética 6 g; colesterol 70 mg; 1340 kJ (320 cal)*

ABAJO: Ñoquis de patata a las hierbas con tomate

QUESO FETA

Originario de Grecia, se elaboraba en las montañas con leche de oveja. Es un queso blanco, puro y semiduro, de textura quebradiza, sin madurar, pero conservado en un líquido hecho con su suero y salmuera. Posee un sabor fresco, suave y ligeramente salado, y estas características se intensifican a medida que el queso envejece. El feta es el ingrediente esencial de la ensalada griega y se emplea para rellenar verduras, en pasteles o en tartas.

PÁGINA SIGUIENTE:
Ñoquis de zanahoria y feta con especias (superior), ñoquis de espinacas y ricotta

ÑOQUIS DE ZANAHORIA Y FETA CON ESPECIAS

Tiempo de preparación: 45 minutos
Tiempo de cocción: 40 minutos
Para 6 a 8 personas

1 kg de zanahorias cortadas en trozos grandes
200 g de queso feta desmenuzado
2¹/4 tazas (280 g) de harina blanca
¹/4 cucharadita de nuez moscada molida
¹/4 cucharadita de garam masala
1 huevo ligeramente batido

Salsa cremosa mentolada

30 g de mantequilla
2 dientes de ajo majados
2 cebolletas cortadas en rodajas
1 taza (250 ml) de nata líquida
2 cucharadas de menta fresca rallada

1 Cueza las zanahorias en agua hirviendo, al vapor o en el microondas, hasta que estén tiernas. Escúrralas y déjelas enfriar ligeramente antes de pasarlas al robot de cocina.
2 Triture las zanahorias y el feta juntos, hasta reducirlos a una masa fina. Traslade la mezcla a una fuente grande. Añada, removiendo, la harina tamizada, las especias y el huevo, y mézclelo todo hasta formar una masa blanda.
3 Enharínese ligeramente los dedos, coja cucharaditas de masa y forme con ella círculos planos.
4 Para hacer la salsa cremosa mentolada, derrita la mantequilla en una sartén, añada el ajo y las cebolletas y fría a fuego medio durante 3 minutos, o hasta que el ajo esté tierno y dorado. Añada la nata líquida, llévela a ebullición, reduzca el fuego y cuézala a fuego lento durante 3 minutos, o hasta que la nata espese ligeramente. Retírela del fuego, mézclela con la menta y rocíe los ñoquis con ella.
5 Cueza los ñoquis por tandas en una olla con agua hirviendo y sal, durante 2 minutos, o bien hasta que floten en la superficie. Con una espumadera, páselos a platos de servir entibiados.
NOTA: Esta mezcla no es tan firme como otras recetas. Asegúrese de poner la masa en una superficie un poco enharinada y de mantener sus dedos enharinados cuando dé forma a los ñoquis.

VALOR NUTRITIVO POR RACIÓN (8): *Proteínas 10 g; grasas 25 g; hidratos de carbono 35 g; fibra dietética 5 g; colesterol 90 mg; 1615 kJ (385 cal)*

ÑOQUIS DE ESPINACAS Y RICOTTA

Tiempo de preparación: 45 minutos
  + 1 hora en el frigorífico
Tiempo de cocción: 30 minutos
Para 4 a 6 personas

4 rebanadas de pan blanco
¹/2 taza (125 ml) de leche
500 g de espinacas descongeladas
250 g de queso ricotta
2 huevos
¹/2 taza (50 g) de parmesano recién rallado y un poco de parmesano en virutas para servir

1 Retire la costra del pan y embébalo con la leche en un plato llano, durante 10 minutos. Exprima el líquido sobrante y exprima también el líquido sobrante de las espinacas.
2 En un cuenco, mezcle el pan con las espinacas, el queso ricotta, los huevos, el parmesano, sal y pimienta. Mézclelo todo con un tenedor. Cúbralo y póngalo durante 1 hora en el frigorífico.
3 Enharínese ligeramente las puntas de los dedos, coja cucharaditas de la mezcla y forme con ella pequeños ñoquis lisos. Viértalos por tandas en una olla grande con agua hirviendo y sal. Cuézalos durante 2 minutos, o bien hasta que floten en la superficie. Dispóngalos en platos de servir. Rocíelos con mantequilla derretida y espumosa, si lo desea, y virutas de parmesano.

VALOR NUTRITIVO POR RACIÓN (6): *Proteínas 15 g; grasas 10 g; hidratos de carbono 10 g; fibra dietética 3 g; colesterol 95 mg; 905 kJ (215 cal)*

OTRAS SUGERENCIAS

MAGDALENAS Bata 1 taza (250 g) de harina con 4 huevos en un robot de cocina hasta que la mezcla forme "migas". Sin detener el robot, añada 125 ml de nata líquida, 250 ml de leche y 45 g de mantequilla derretida. Unte con mantequilla un molde para magdalenas y reparta la mezcla entre los huecos. Hornee a 200°C durante 35 minutos, o hasta que las magdalenas hayan subido y estén doradas.

CHIRIVÍAS

Aunque las chirivías son tubérculos, pertenecen a la familia de las plantas umbelíferas, al igual que el perejil. Se cultivan por su raíz primaria, que es grande, estrecha, de color marfil y con un sabor y aroma frutales. Su carne feculenta se reduce fácilmente a puré, mientras que las chirivías enteras proporcionan sabor a estofados y guisos. Si observa que la chirivía ha desarrollado un corazón duro, retírelo y deséchelo antes de usarla.

ARRIBA: Ñoquis de chirivía

ÑOQUIS DE CHIRIVÍA

Tiempo de preparación: 1 1/2 horas
Tiempo de cocción: 45 minutos
Para 4 personas

★★

500 g de chirivías
1 1/2 tazas (185 g) de harina
1/2 taza (50 g) de parmesano recién rallado

Mantequilla de ajo y hierbas

100 g de mantequilla
2 dientes de ajo majados
3 cucharadas de tomillo de limón fresco picado
1 cucharada de piel de limón finamente rallada

1 Pele las chirivías y córtelas en trozos grandes. Cuézalas en una olla grande con agua hirviendo durante 30 minutos, o hasta que estén muy tiernas. Escúrralas bien y déjelas entibiarse.
2 Triture las chirivías en una fuente hasta reducirlas a una masa fina. Tamice la harina en la fuente y añada la mitad del parmesano. Condiméntelo con sal y pimienta y mézclelo hasta formar una masa blanda.
3 Divida la masa en dos partes. Con las manos enharinadas, haga rodar cada parte hasta darle una forma alargada y cilíndrica de 2 cm de grosor. Córtela en trozos pequeños, dé a los trozos una forma ovalada y presiónelos por arriba con las púas enharinadas de un tenedor.
4 Vierta los ñoquis por tandas en una olla grande con agua hirviendo y sal. Cuézalos durante 2 minutos, o bien hasta que floten en la superficie. Con una espumadera, colóquelos en platos individuales.
5 Para hacer la mantequilla de ajo y hierbas, mezcle todos los ingredientes en una cacerola pequeña y déjelos cocer a fuego medio durante 3 minutos, o hasta que la mantequilla haya adquirido un color tostado. Rocíe los ñoquis con esta salsa y espolvoréelos con el parmesano restante.

VALOR NUTRITIVO POR RACIÓN: *Proteínas 10 g; grasas 20 g; hidratos de carbono 30 g; fibra dietética 4 g; colesterol 60 mg; 1450 kJ (345 cal)*

ÑOQUIS DE PIMIENTO ROJO CON QUESO DE CABRA

Tiempo de preparación: 1 hora
Tiempo de cocción: 40 minutos
Para 6 a 8 personas

1 pimiento rojo grande

500 g de boniatos picados

500 g de patatas viejas picadas

1 cucharada de sambal oelek

1 cucharada de piel de naranja rallada

2³/₄ tazas (340 g) de harina

2 huevos ligeramente batidos

2 tazas (500 ml) de salsa para pasta, envasada

100 g de queso de cabra

2 cucharadas de hojas de albahaca fresca ralladas

1 Corte el pimiento rojo por la mitad y deseche las semillas y la membrana. Póngalo bajo el grill, con la piel hacia arriba, durante 8 minutos, o bien hasta que la piel ennegrezca y se hinche. Retírelo del grill y cúbralo con un paño de cocina húmedo. Cuando esté frío, pélelo y tritúrelo en un robot de cocina, hasta obtener un puré sin grumos.

2 Cueza el boniato y las patatas en una olla grande con agua hirviendo o al vapor, hasta que estén muy tiernos. Escúrralos bien, colóquelos en un cuenco grande y cháfelos hasta que se forme una masa fina. Déjelos enfriar un poco.

3 Añada el puré de pimiento, el sambal oelek, la piel de naranja, la harina y los huevos, y mézclelo todo hasta formar una masa blanda. Con las manos enharinadas, coja una cucharadita colmada de masa y déle forma ovalada. Haga las estrías en uno de los lados del ñoqui presionándolo contra las púas ligeramente enharinadas del dorso de un tenedor.

4 Vierta los ñoquis por tandas en una olla grande con agua hirviendo y sal. Cuézalos durante aproximadamente 2 minutos, o bien hasta que floten en la superficie. Retírelos con una espumadera y distribúyalos en platos de servir entibiados. Rocíelos con la salsa caliente. Desmenuce el queso de cabra y espárzalo por encima junto con la albahaca rallada.

VALOR NUTRITIVO POR RACIÓN (8): *Proteínas 15 g; grasas 7 g; hidratos de carbono 75 g; fibra dietética 7 g; colesterol 70 mg; 1830 kJ (435 cal)*

OTRAS SUGERENCIAS

CAPUCHINA Y ENSALADA DE BERROS
Mezcle un manojo de berros con los pétalos de 10 flores de capuchina, 20 hojas de capuchina pequeñas y las hojas de 1 endibia. Rocíe con un aliño ligero de ensalada César. Sírvalo con pacanas picadas.

ENSALADA DE BACON, ORUGA Y BONIATOS CALIENTES
Ase o hierva trozos de boniato hasta que estén tiernos. Mézclelos con oruga y bacon tostado y esparza por encima queso de cabra desmenuzado. Cúbralo con un aliño hecho de granos enteros de mostaza, vinagre de vino tinto y aceite de oliva.

QUESO DE CABRA
El queso de cabra varía de fresco, tierno y suave, a maduro y muy fuerte. Para cocinar, lo mejor es que no sea ninguno de estos dos extremos: un queso de textura cremosa, con sabor suave pero algo acre. El queso de cabra tiene una textura frágil que tiende a desmenuzarse. Se elabora en forma de barritas, cilindros o pirámides.

ARRIBA: Ñoquis de pimiento rojo con queso de cabra

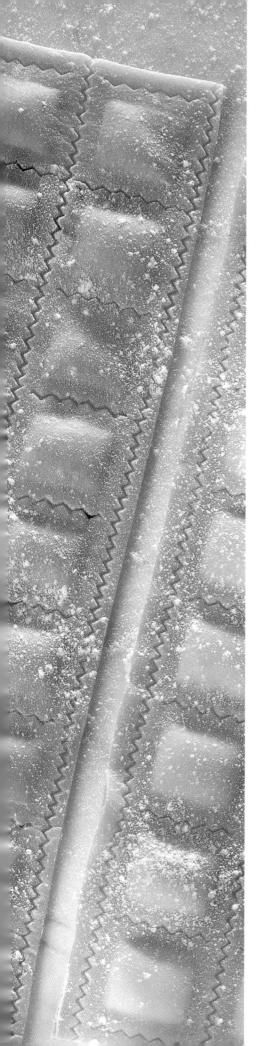

PASTA RELLENA

Elabore su propia pasta, puede darle forma de delicados ravioli, enrollarla en su dedo y conseguir tortellini, o enrollarla en tubos para hacer canelones. Puede rellenar minúsculas porciones de pasta con algunos de sus ingredientes favoritos, desde puré de verduras, espinacas y ricotta a una consistente salsa de carne. En algunas regiones de Italia, rellenar la pasta con sobras es parte de la tradición, o sea que no existen límites. Naturalmente, si no tiene tiempo, puede comprar la pasta y añadir su propia salsa... pero no resulta tan entretenido.

1 diente de ajo majado

1/4 cucharadita de especias mezcladas

Salsa de tomate

2 cucharadas de aceite de oliva

1 cebolla picada finamente

2 dientes de ajo majados

2 x 425 g latas de tomates machacados

3 cucharadas de albahaca fresca picada

1/2 cucharadita de hierbas desecadas mezcladas

ramitos de hierbas, opcional

1 Para hacer la pasta, tamice la harina y una pizca de sal en un bol grande, y abra un hueco en el centro. Bata conjuntamente los huevos, el aceite y una cucharada de agua, añádalo todo gradualmente a la harina y forme con ello una bola. Amásela sobre una superficie enharinada durante 5 minutos, o bien hasta que la masa sea suave y elástica. Trasládela a un cuenco untado con aceite, cúbralo con un envoltorio de plástico y déjelo reposar durante 30 minutos.

2 Para hacer el relleno, mezcle todos los ingredientes, junto con sal y pimienta al gusto, en un robot de cocina, hasta que estén bien picados.

3 Para hacer la salsa de tomate, caliente el aceite en una cacerola, agregue la cebolla y el ajo, y fría a fuego lento hasta que la cebolla esté tierna. Aumente el fuego, agregue el tomate, la albahaca, las hierbas, y sal y pimienta al gusto. Deje hervir, reduzca el fuego y déjelo cocer a fuego lento durante 15 minutos. Reserve.

4 Extienda la mitad de la masa hasta que tenga 1 mm de grosor. Córtela en tiras de 10 cm de anchura con un cuchillo o un cortapastas dentado. Coloque 1 cucharadita de relleno cada 5 cm a lo largo de uno de los lados de las tiras. Bata la yema de huevo junto con 3 cucharadas de agua y unte con esta mezcla uno de los lados de la masa y el espacio entre cada montoncito de relleno. Doble la masa sobre el relleno hasta unirla con el otro lado. Repita con el resto del relleno y de la masa. Selle los bordes de la masa presionando con los dedos. Corte entre el relleno con un cuchillo o cortapastas dentado. Cueza los ravioli por turnos en una olla grande con agua hirviendo y sal, durante 10 minutos. Recaliente la salsa en una cazuela grande, añada los ravioli y revuelva hasta que esté todo caliente. Decore el plato y sírvalo.

VALOR NUTRITIVO POR RACIÓN: *Proteínas 35 g; grasas 35 g; carbohidratos 60 g; fibra dietética 7 g; colesterol 315 mg; 2850 kJ (680 cal)*

RAVIOLI CON RELLENO DE JAMÓN

Tiempo de preparación: 1 hora
+ 30 minutos de reposo
Tiempo total de cocción: 35 minutos
Para 4 personas

Pasta

2 tazas (250 g) de harina

3 huevos

1 cucharada de aceite de oliva

1 yema de huevo, adicional

Relleno

125 g de carne de pollo picada

75 g de queso ricotta o cottage

60 g de hígado de pollo limpio y picado

30 g de prosciutto picado

1 loncha de salami picada

2 cucharadas de parmesano recién rallado

1 huevo batido

1 cucharada de perejil fresco picado

ARRIBA: Ravioli con relleno de jamón

MEZZELUNE DE POLLO CON SALSA CREMOSA

Tiempo de preparación: 45 minutos
Tiempo de cocción: 15 minutos
Para 4 a 6 personas como primer plato

 ★ ★

250 g (8 oz) de láminas de gow gee de paquete

Relleno de pollo y jamón

250 g de filete de pechuga de pollo
1 huevo batido
90 g de jamón o prosciutto cocido
2 cebollinos picados
2 cucharaditas de mejorana fresca picada

Salsa cremosa

30 g de mantequilla
2 cebolletas picadas
2 cucharadas de vino blanco
1 ½ tazas (375 ml) de nata líquida

1 Para hacer el relleno, retire la grasa y los nervios del filete de pollo. Trocee la carne y píquela en un robot. Añada el huevo, ½ cucharadita de sal y una pizca de pimienta blanca, y tritúrelo todo muy fino. Trasládelo a una fuente. Pique el jamón o prosciutto y agréguelo con las hierbas al pollo, sin dejar de remover.

2 Extienda seis láminas de gow gee sobre la superficie de trabajo y ponga una cucharadita de relleno de pollo en el centro de cada una. Unte los bordes con agua fría, dóblelas por la mitad para darles forma de media luna y séllelas presionando los bordes. Colóquelas sobre un paño y repita con el resto de los círculos.

3 Si usted hace la pasta, extienda la masa sobre una superficie enharinada hasta dejarla tan fina como sea posible, o pásela por una máquina de pasta 5 ó 6 veces. Córtela en círculos con un cortapastas de 8 cm, rellénela y séllela.

4 Para hacer la salsa, caliente la mantequilla en un cazo, agregue las cebolletas y fríalas de 2 a 3 minutos. Añada el vino y la nata líquida, y deje cocer la salsa a fuego lento hasta que se haya reducido. Condiméntela al gusto.

5 Vierta la pasta por tandas en agua hirviendo y sal y cuézala de 2 a 3 minutos, hasta que el pollo esté cocido. Si lo deja cocer demasiado tiempo, el pollo quedará seco. Escurra.

6 Vierta la salsa inmediatamente sobre las mezzelune y decore el plato, si así lo desea.

VALOR NUTRITIVO POR RACIÓN (6): *Proteínas 10 g; grasas 30 g; hidratos de carbono 30 g; fibra dietética 2 g; colesterol 120 mg; 1810 kJ (430 cal)*

ABAJO: Mezzelune de pollo con salsa cremosa

QUESO RICOTTA

El ricotta no se sala ni se deja madurar, y se elabora a partir del suero de la leche de vaca o de oveja. Se conserva poco tiempo, y sólo se puede usar cuando es fresco, pues si se guarda demasiado tiempo, se vuelve agrio y un tanto ácido. Tiene un delicado sabor cremoso y una textura ligera y desmenuzable, que combina bien con otros ingredientes, especialmente con otros productos lácteos. El ricotta, que significa literalmente recocido, toma su nombre de su método de elaboración: después de la elaboración ordinaria del queso, sobra suero caliente, que se vuelve a calentar. Las partes de leche sólida se desnatan y se escurren.

ARRIBA: Caracolas de espinacas y ricotta

CARACOLAS DE ESPINACAS Y RICOTTA

Tiempo de preparación: 20 minutos
Tiempo de cocción: 15 minutos
Para 4 personas

20 conchiglie gigantes

1 cucharada de aceite

2 lonchas de bacon picadas

1 cebolla picada

500 g de espinacas picadas

750 g de queso ricotta

1/3 taza (35 g) de parmesano recién rallado

250 g de salsa de tomate envasada especial para pasta

1 Cueza las conchiglie en una olla con agua hirviendo y sal, hasta que estén al dente; escúrralas.
2 Caliente el aceite en una cacerola, añada el bacon y la cebolla, y remueva a fuego medio durante 3 minutos, o hasta que esté ligeramente dorado. Agregue las espinacas y remueva a fuego lento hasta que hayan menguado. Añada el queso ricotta y revuelva bien.
3 Coloque la mezcla dentro de las caracolas y espolvoréelas con parmesano. Colóquelas bajo el grill en una bandeja fría y untada con aceite. Déjelas cocer a fuego medio-rápido 3 minutos, o hasta que estén ligeramente doradas y calientes.
4 Vierta la salsa de tomate para pasta en un cazo y remueva a fuego rápido durante 1 minuto, o hasta que esté bien caliente. Vierta la salsa en los platos y coloque encima las caracolas.

VALOR NUTRITIVO POR RACIÓN: *Proteínas 45 g; grasas 40 g; hidratos de carbono 80 g; fibra dietética 10 g; colesterol 110 mg; 3470 kJ (830 cal)*

TORTELLONI DE GAMBAS

Tiempo de preparación: 40 minutos
Tiempo de cocción: de 20 a 30 minutos
Para 4 personas

 ✩ ✩

300 g de gambas crudas

20 g de mantequilla

1 diente de ajo majado

2 cebolletas picadas

125 g de queso ricotta

1 cucharada de albahaca fresca picada

200 g de láminas gow gee de paquete

Salsa

5 cucharadas de aceite de oliva

la piel y la cabeza de las gambas

1 diente de ajo majado

2 cebolletas picadas, incluida la parte verde

1 guindilla desecada desmenuzada

1 tomate firme cortado en pequeños dados,
   o 1 cucharada de tomates secados al sol,
   cortados en dados

1 Pele las gambas, reservando la cáscara y las cabezas, que proporcionarán sabor a la salsa. Con un cuchillo afilado, corte de arriba a abajo la gamba por detrás, y deseche la vena negra que tiene dentro. Pique las gambas gruesas.

2 Caliente la mantequilla y cueza poco a poco las cebolletas y el ajo, hasta que esté todo tierno y dorado. Deje enfriar, mezcle con las gambas, el ricotta y la albahaca, y condimente al gusto. Coloque una cucharadita de esta mezcla sobre cada lámina de gow gee, humedezca los bordes con agua, dóblelos por encima del relleno para cerrarlos en semicírculo, y presione los bordes con firmeza para sellarlos. Una las esquinas y presiónelas, para darles forma de tortelloni. Si desea que tengan una forma circular más grande, ponga más relleno y cúbralos con otro círculo de pasta.

3 Para hacer la salsa, caliente 3 cucharadas de aceite de oliva en una sartén grande. Cuando esté caliente, añada la cáscara y las cabezas de las gambas y remueva a fuego rápido hasta que hayan enrojecido. Reduzca el fuego y deje cocer durante unos minutos, presionando las cabezas para extraer tanto sabor como sea posible. Agregue 125 ml de agua, cubra y deje cocer a fuego lento durante 5 minutos. Retire la cáscara y las cabezas del fuego con una espumadera, escurriendo el aceite que pueda antes de desecharlas.

4 En otra sartén, caliente las 2 cucharadas de aceite de oliva restantes, añada el ajo, las cebolletas y la guindilla desecada, y remueva a fuego lento hasta que el ajo esté dorado. Añada el caldo de gambas y los tomates cortados en dados, y deje se calienten bien.

5 Ponga a hervir una olla grande con agua y sal. Eche los tortelloni en el agua hirviendo, y déjelos cocer durante 3 ó 4 minutos. Escúrralos, incorpórelos a la salsa y remueva bien hasta que la pasta esté bien recubierta.

NOTA: Los tortelloni son tortellini grandes.

VALOR NUTRITIVO POR RACIÓN: *Proteínas 25 g; grasas 35 g; hidratos de carbono 35 g; fibra dietética 4 g; colesterol 140 mg; 2260 kJ (540 cal)*

ARRIBA: Tortelloni de gambas

Repita este proceso con las láminas y el relleno restantes.

3 Unte ligeramente una fuente resistente al horno con aceite o mantequilla derretida. Coloque los lazos en la fuente, ponga trocitos de mantequilla y cúbralos por el centro con la salsa para pasta. Tape y hornee durante 5 minutos, o hasta que estén bien calientes. Sirva inmediatamente, con parmesano recién rallado y albahaca fresca por encima.

VALOR NUTRITIVO POR RACIÓN: *Proteínas 10 g; grasas 15 g; hidratos de carbono 15 g; fibra dietética 2 g; colesterol 80 mg; 1015 kJ (250 cal)*

RAVIOLI DE ESPINACAS CON SALSA DE TOMATES SECADOS AL SOL

Tiempo de preparación: 20 minutos
Tiempo de cocción: 15 minutos
Para 4 personas

★★

$^3/_4$ taza (155 g) bien apretada de espinacas
   inglesas cocidas y picadas
250 g de queso ricotta bien escurrido
2 cucharadas de parmesano recién rallado
1 cucharada de cebollino fresco picado
1 huevo ligeramente batido
200 g de láminas de gow gee de paquete

Salsa

$^1/_3$ taza (80 ml) de aceite de oliva virgen extra
3 cucharadas de piñones
100 g de tomates secados al sol cortados en
   láminas

LAZOS DE LASAÑA

Tiempo de preparación: 20 minutos
Tiempo de cocción: 20 minutos
Para 6 personas

★★

cuatro láminas de lasaña frescas de 16 x 24 cm
400 g de queso ricotta fresco
1 huevo ligeramente batido
$^1/_4$ cucharadita de nuez moscada molida
1 taza (50 g) de hierbas frescas picadas
30 g de mantequilla picada
300 g de salsa de tomate para pasta envasada
parmesano recién rallado para servir
hojas frescas de albahaca ralladas para decorar

1 Precaliente el horno a 200°C. Cueza las láminas en una olla con agua hirviendo y sal, hasta que estén al dente, removiendo de vez en cuando para que no se peguen unas con otras.

2 Mientras se cuece la pasta, mezcle el ricotta, el huevo batido, la nuez moscada y las hierbas en un bol. Escurra la pasta, y extienda una lámina con cuidado sobre una superficie plana. Ponga 2 ó 3 cucharadas de la mezcla en el centro de la lámina. Doble el tercio de la lámina que está encima del relleno sobre el mismo, y luego doble encima el tercio que está debajo. Tuerza los extremos con cuidado, para que parezca un lazo.

*ARRIBA: Lazos de lasaña
DERECHA: Ravioli de
espinacas con salsa de
tomates secados al sol*

1 Mezcle las espinacas con el ricotta, el parmesano, el cebollino y la mitad del huevo batido en un bol mediano. Revuelva y salpimiente al gusto. Ponga 1½ cucharadita de esta mezcla en el centro de una lámina gow gee. Unte ligeramente los bordes de la lámina con un poco del huevo batido restante, y cúbralo con otra lámina, hasta que estén todas usadas. Selle los bordes presionándolos. Corte los ravioli en círculos con un cortapastas de 7 cm de diámetro.

2 Cueza los ravioli por tandas en una olla grande con agua hirviendo y sal, durante 4 minutos, o hasta que estén al dente. No llene demasiado la olla. Manténgalos calientes. Escúrralos con cuidado, añada la salsa y revuelva con mucho cuidado.

3 Para hacer la salsa, mezcle los ingredientes en una cacerola y caliéntelos lentamente.

VALOR NUTRITIVO POR RACIÓN: *Proteínas 20 g; grasas 40 g; hidratos de carbono 35 g; fibra dietética 5 g; colesterol 80 mg; 2440 kJ (580 cal)*

RAVIOLI DE CALABAZA Y HIERBAS

Tiempo de preparación: 40 minutos
  + 30 minutos de reposo
Tiempo de cocción: 1 hora 15 minutos
Para 6 personas

500 g de calabaza cortada en trocitos

1¾ tazas (215 g) de harina

3 huevos ligeramente batidos

¼ cucharadita de nuez moscada molida

15 hojas de salvia

15 hojas de perejil plano fresco

125 g de mantequilla derretida

60 g de parmesano recién rallado

1 Precaliente el horno a 180°C. Hornee la calabaza en una bandeja de horno durante 1 hora, o hasta que esté tierna. Deje enfriar antes de pelarla.

2 Bata la harina y los huevos en un robot de cocina durante 30 segundos, o bien hasta obtener una masa. Pásela a una superficie un poco enharinada y amásela durante 3 minutos, hasta dejarla suave y elástica. Cúbrala con un paño limpio y déjela reposar durante 30 minutos.

3 Traslade la calabaza a un bol con la nuez moscada y tritúrela con un tenedor. Extienda la masa hasta formar un rectángulo de 1 mm de espesor. Extienda la otra mitad de la masa hasta

formar un rectángulo un poco mayor que el anterior.

4 Coloque cucharaditas colmadas de relleno de calabaza sobre el primer rectángulo de masa, en filas y separadas por unos 5 cm. Aplane un poco los montoncitos de calabaza y ponga una hoja entera de salvia o de perejil encima de cada uno.

5 Unte ligeramente el espacio entre los montoncitos con agua. Coloque la segunda lámina de masa encima, y presione con cuidado hacia abajo, entre los montoncitos de relleno, para sellarlo. Corte en cuadrados con un cuchillo o con un cortapastas dentado. Cueza los ravioli, por tandas, en una olla grande con agua hirviendo y sal, durante 4 minutos, o hasta que estén al dente. No llene demasiado la olla. Escúrralos bien y sírvalos espolvoreados con sal y pimienta al gusto, y cubiertos de mantequilla derretida y parmesano.

VALOR NUTRITIVO POR RACIÓN: *Proteínas 15 g; grasas 25 g; hidratos de carbono 35 g; fibra dietética 5 g; colesterol 155 mg; 1645 kJ (390 cal)*

ARRIBA: Ravioli de calabaza y hierbas

RELLENOS
Las ventajas de elaborar en casa el relleno y la pasta son muchas, pues puede elegir cual será el sabor, el tamaño y la forma de la pasta, así como los ingredientes y la textura del relleno.

EL RELLENO
Los ingredientes de la pasta rellena son frescos e interesantes. Algunos, como los quesos o la calabaza, deben quedar finos, mientras que otros, como el marisco, es mejor trocearlos. Por lo general, cuanto más fino sea el relleno, más pequeña es la pasta. Suele ser necesario un ingrediente que lo una todo, a menudo un queso suave como el ricotta, pero también puede ser nata líquida o salsa. Se debe controlar la humedad añadiendo parmesano rallado, pan rallado, o incluso patata triturada, sino, en poco tiempo, la humedad del relleno rezumará a través de la pasta, haciéndola pegajosa. Por lo tanto, el relleno debe ser bastante seco, especialmente si no va a cocer la pasta inmediatamente. La pasta fresca rellena debe consumirse enseguida.

EL EQUIPO
Necesitará un cuchillo largo y afilado, un pincel para untar, y una rueda cortapastas para que la pasta se selle bien. Una rueda cortapastas ondulada proporciona un buen sellado pero es poco manejable en los bordes curvados. Puede encontrar corta-ravioli o corta-agnoloti. Las bandejas especiales para ravioli le permitirán hacer muchos a la vez, cuando ya domine la técnica.

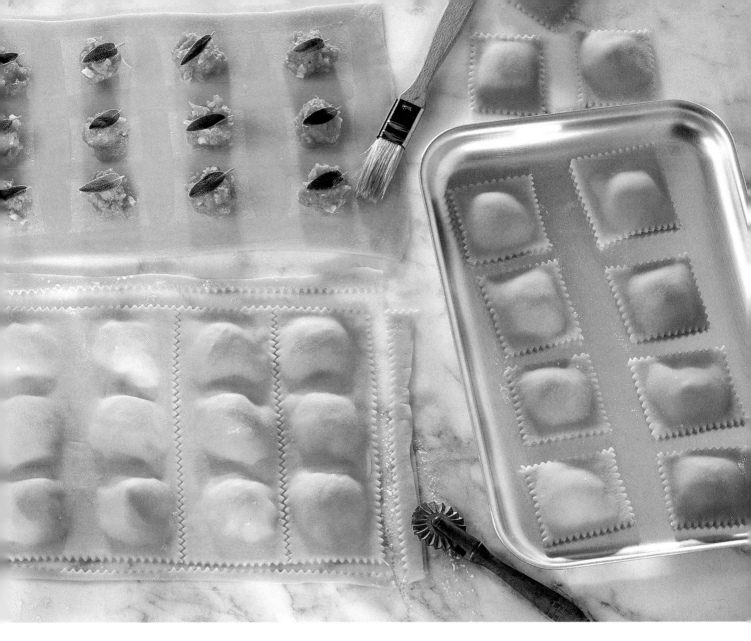

RAVIOLI

Para 4 ó 6 personas, necesita los ingredientes de la masa básica (página 17), 1½ tazas de relleno y un huevo batido para sellar los bordes. Hay dos métodos para elaborar los ravioli de forma manual: la primera consiste en cortar la masa en porciones rectangulares y doblar cada una sobre el relleno. La segunda, por su parte, consiste en distribuir varios montoncitos de relleno sobre una lámina grande de masa, cubrirla a continuación con otra lámina de masa, y cortar después los ravioli. El método de doblar es muy simple y el sellado queda mejor, puesto que sólo hay tres bordes cortados que deben unirse manualmente. El método de las dos láminas resulta más rápido, pero los ravioli tienen los cuatro bordes cortados, lo que incrementa el riesgo de que se abran y se vierta el relleno.

EL MÉTODO DE LAS DOS LÁMINAS

1 Enharine una superficie grande de trabajo. Divida la masa en cuatro partes. Trabaje dos partes hasta formar láminas muy finas (2,5 mm o menos) con un rodillo o una máquina de hacer pasta. Haga una algo mayor que la otra, y cúbrala con un paño.

2 Ponga la lámina más pequeña sobre la superficie. Marque dos o tres ravioli en una esquina, para ver el tamaño. Coloque un poco de relleno en el centro con una cuchara, y aplánelo con el dorso de la misma. Esto le ayudará a determinar la cantidad de relleno que debe poner y a qué distancia. El relleno debe cubrir dos tercios de cada cuadrado. Distribuya las mismas cantidades de relleno, y a la misma distancia, sobre la lámina. Aplánelas.

3 Unte los espacios vacíos con el huevo. Coja la lámina mayor y, empezando por un extremo, póngala sobre la primera, haciendo coincidir los lados, y presione por todas partes para que se peguen la una a la otra, sin resbalar. No las estire, deje que se coloquen con naturalidad.

4 Recorra con los dedos las líneas de corte para pegarlas, o use el borde fino de una regla, que las marcará y a la vez las sellará. Corte a lo largo de estas líneas con un cuchillo afilado, o bien una rueda cortapastas normal o en zig-zag.

5 Trasládelos a una bandeja de horno enharinada o bien a una bandeja grande, y refrigérelos mientras prepara los ravioli con el resto de masa y de relleno. No los amontone, o se pegarán. Cubiertos, pueden permanecer en la nevera durante 3 horas, dependiendo del grado de humedad del relleno. El tiempo de cocción varía de acuerdo con el grosor de la pasta y el tipo de relleno.

RELLENOS

TORTELLINI

Estos pequeños círculos de pasta se rellenan con todo tipo de ingredientes, desde carne cocida, pollo y pescado, a verduras y quesos suaves. Luego se sellan y se les da forma de anillo. Para hacer tortellini para 4 ó 6 personas, necesita los ingredientes de la masa básica (página 17), 1½ tazas de rellenos de textura fina y huevo batido para sellarlos.

1 Enharine una superficie de trabajo grande. Divida la masa en cuatro partes, cubriéndolas hasta que las necesite. Con un rodillo o una máquina de hacer pasta, extienda una parte hasta que tenga unos 2,5 mm de espesor o menos.

2 Ponga la masa sobre una superficie ligeramente enharinada y evite añadir harina a partir de ahora. Córtela en círculos con un cortapastas de 6 cm de diámetro o con un vaso boca abajo.

3 Unte ligeramente los bordes de cada círculo con huevo batido o agua, y coloque aproximadamente ½ cucharadita de relleno en el centro de cada uno.

4 Doble un lado del círculo sobre el otro, para encerrar el relleno. Los bordes no deben coincidir exactamente, sino que uno debe sobresalir un poco. Presione los bordes para unirlos, repartiendo el relleno a lo largo de la media-luna. Doble el borde que sobresale por encima del otro. A continuación, con el borde doblado hacia fuera, enróllelo en su dedo índice, una los dos extremos y presione para pegarlos. Puede necesitar un poco de agua para sellarlos.

5 Coloque los tortellini sobre una bandeja de horno un poco enharinada, o en una bandeja grande, y guárdelos en el frigorífico mientras sigue con la pasta y el relleno restantes. Se conservarán en el frigorífico durante 6 horas, dependiendo del grado de sequedad del relleno.

CANELONES

Estos tubos de pasta rellenos no son difíciles de hacer. Los rellenos pueden constar de carne cocida con queso, espinacas con ricotta o calabaza triturada con pi-

ñones. Como muestra orientativa, dependiendo del tamaño de los canelones que escoja o de la cantidad de relleno que quiera poner, con los ingredientes de la masa básica (página 17) hará unos 20 tubos de 10 cm de longitud. Corte la pasta con la anchura suficiente para envolver cómodamente el relleno que usted desea usar. En los tubos grandes, deje que sobresalgan 2,5 cm para cerrar bien y la mitad en los tubos más pequeños. Si la pestaña es demasiado pequeña, los canelones se pueden ensanchar y abrir cuando están en el horno, lo que dificultará la tarea de servir; si es demasiado grande, habrá demasiada pasta y no serán gustosos. Es recomendable cortar una o dos láminas adicionales por si alguna se rompe durante la cocción. Para 20 tubos, necesitará unas 4 tazas de relleno.

1 Con un rodillo o una máquina de hacer pasta, extienda la masa hasta formar una lámina de unos 2,5 mm de grosor.
2 Ponga a hervir una olla grande con agua y engrase una fuente de horno plana.
3 Corte la pasta en láminas del tamaño que necesite, teniendo en cuenta que aumentarán durante la cocción. Los cortes deben hacerse según el sentido de la veta de la pasta.
4 Mantenga cubiertas las láminas crudas. Vierta en el agua 3 ó 4 a la vez, según el tamaño, y déjelas hervir durante 1½ o 2 minutos. Recójalas con un colador o cedazo grande y extiéndalas sobre un paño mientras cuece las restantes. Déles la vuelta cuando estén parcialmente secas. No las deje secar demasiado, ya que los bordes podrían romperse cuando las enrolle. Recorte los bordes, si es nece-

sario. Puede guiarse con una plantilla de papel para que sean todas iguales.
5 Ponga un poco de relleno en el centro de cada lámina, siguiendo la misma dirección que la textura veteada. Enrolle la pasta con el relleno dentro, para formar un tubo. Coloque los tubos, uno al lado de otro y con la pestaña hacia abajo, en la fuente preparada. Los canelones suelen condimentarse con salsa y se cubren con queso antes de acabar de cocerlos en el horno, o bien bajo el grill.

LA CONGELACIÓN
La pasta rellena se puede congelar pero debe cocerse sin descongelarla previamente. Congélela en una sola capa o, si es necesario, separada con láminas de papel parafinado. Cúbrala con un paño de cocina y, cuando esté congelada, trasládela a un recipiente hermético.

1 Corte las láminas de lasaña en 15 trozos del mismo tamaño y recorte los bordes de modo que, una vez rellenos, quepan bien en una fuente de horno rectangular y profunda. En una olla grande con agua hirviendo cueza tandas de 1 ó 2 láminas hasta que estén blandas. El tiempo de cocción diferirá según sea el tipo y marca de lasaña, pero suelen ser unos 2 minutos. Retire las láminas cuidadosamente, con un colador o cedazo ancho, y colóquelas sobre un paño de cocina húmedo. Vuelva a hacer hervir el agua y repita el proceso con las otras láminas.

2 Caliente el aceite en una sartén de fondo pesado y fría la cebolla y el ajo hasta que estén dorados, removiendo con regularidad. Añada las espinacas lavadas, cuézalas durante 2 minutos, tape bien la sartén y déjelas cocer al vapor durante 5 minutos. Escúrralas, quitando tanto líquido como sea posible. Deben estar bastante secas, o la pasta quedará pegajosa. Mezcle bien las espinacas con el ricotta, los huevos, la nuez moscada, sal y pimienta al gusto. Reserve.

3 Para hacer la salsa de tomate, caliente el aceite en una sartén y fría la cebolla y el ajo durante 10 minutos a fuego lento, removiendo de vez en cuando. Añada el tomate picado, incluyendo el jugo, el puré de tomate, el azúcar, 125 ml de agua, y sal y pimienta al gusto. Lleve a ebullición la salsa, reduzca el fuego y déjela cocer a fuego lento durante 10 minutos. Si prefiere una salsa más fina, tritúrela en un robot de cocina hasta que tenga la consistencia que usted desee.

4 Precaliente el horno a 180°C. Unte la fuente para horno con mantequilla derretida o aceite. Vierta aproximadamente un tercio de la salsa de tomate en la fuente. De una en una, vaya poniendo 2½ cucharadas del relleno de espinacas en el centro de cada lámina, dejando libres los extremos. Enróllelas y dispóngalas, con la pestaña hacia abajo, en la fuente. Repita el proceso con el resto de la pasta y del relleno. Riegue los canelones con la salsa de tomate restante y espolvoréelos con la mozzarella.

5 Póngalos en el horno durante 30 a 35 minutos o hasta que estén dorados y burbujeen. Déjelos reposar durante 10 minutos antes de servir. Decórelos con ramitos de hierbas frescas, si lo desea.

NOTA: En lugar de láminas frescas de lasaña, puede emplear tubos secos de canelones. La textura de la pasta será más firme, pero el plato resultará igual de apetitoso.

VALOR NUTRITIVO POR RACIÓN: *Proteínas 35 g; grasas 30 g; hidratos de carbono 50 g; fibra dietética 10 g; colesterol 130 mg; 2555 kJ (610 cal)*

CANELONES DE ESPINACAS Y RICOTTA

Tiempo de preparación: 1 hora
Tiempo de cocción: 1 hora 15 minutos
Para 6 personas

★★★

375 g de láminas de lasaña frescas

2 cucharadas de aceite de oliva

1 cebolla grande picada

1 ó 2 dientes de ajo majados

1 kg de espinacas picadas

650 g de queso ricotta fresco triturado

2 huevos batidos

¼ cucharadita de nuez moscada recién molida

Salsa de tomate

1 cucharada de aceite de oliva

1 cebolla mediana picada

2 dientes de ajo picados

500 g de tomates muy maduros picados

2 cucharadas de puré de tomate (doble concentrado)

1 cucharadita de azúcar moreno

150 g de queso mozzarella rallado

CANELONES

Son rectángulos de pasta enrollados alrededor de un relleno. La pasta puede ser masa fresca al huevo, o bien láminas o tubos de lasaña secos, que deben ser escaldados antes de rellenarlos. También se puede adquirir pasta seca que no requiere cocción previa. Cuando los tubos estén rellenos, puede añadirles una salsa y gratinarlos con queso.

ARRIBA: Canelones de espinacas y ricotta

CONCHIGLIE CON POLLO Y PESTO

Tiempo de preparación: 45 minutos
Tiempo de cocción: 30 minutos
Para 4 personas

★ ★

20 conchiglie gigantes
  (de unos 5 cm de longitud)
2 cucharadas de aceite
2 puerros cortados en rodajas finas
500 g de carne de pollo picada
1 cucharada de harina
1 taza (250 ml) de caldo de pollo
4 cucharadas de pimiento morrón picado
1/2 taza (50 g) de parmesano recién rallado

Pesto

1 taza (50 g) de albahaca fresca
3 cucharadas de piñones
2 dientes de ajo majados
1/4 taza (60 ml) de aceite de oliva

1 Precaliente el horno a 180°C. Unte una fuente para horno poco profunda con mantequilla derretida o aceite. Cueza los conchiglie en una olla grande con agua hirviendo y sal, hasta que estén al dente y escúrralos bien.

2 Caliente el aceite en una sartén de fondo pesado, añada el puerro y sofríalo a fuego medio durante 2 minutos. Agregue la carne picada y remueva, deshaciendo los grumos, hasta que esté dorada y se haya evaporado el líquido. Añada la harina y remueva durante 1 minuto. Incorpore el caldo y el pimiento morrón, y remueva a fuego medio hasta que hierva. Reduzca el fuego y cuézalo a fuego lento durante 1 minuto, o hasta que la mezcla haya reducido y espesado.

3 Para hacer el pesto, triture la albahaca, los piñones, el ajo y el aceite en un robot de cocina, durante 30 segundos, o bien hasta que se forme una pasta fina. Con una cuchara, trasládelo a un pequeño bol o tarro, y cúbralo bien con un envoltorio de plástico para que no entre el aire.

4 Ponga la mezcla de pollo dentro de las caracolas frías, trasládelas a la fuente preparada para hornear y cúbralas con papel de aluminio. Hornéelas durante 15 minutos, o hasta que estén bien calientes. Sírvalas cubiertas con una cucharada de pesto y espolvoreadas con parmesano.

VALOR NUTRITIVO POR RACIÓN: *Proteínas 45 g; grasas 55 g; hidratos de carbono 75 g; fibra dietética 10 g; colesterol 110 mg; 4090 kJ (975 cal)*

OTRAS SUGERENCIAS

ARROZ SALVAJE Y PIMIENTO ASADO
Quite las semillas de 2 pimientos rojos, córtelos en cuartos, áselos, y córtelos en tiras finas. Cueza una mezcla de arroz salvaje y de grano largo hasta que esté tierno, y escúrralo. Mezcle 2 cucharadas de aceite de oliva con 2 cucharadas de vinagre balsámico, 1 diente de ajo majado, 2 cebolletas picadas y 2 tomates picaditos en un bol grande. Añada el arroz y los pimientos, salpimiente y revuelva. Decore con hojas frescas de cilantro antes de servir.

PUERROS CARAMELIZADOS Y BACON CRUJIENTE
Corte puerros por la mitad, de arriba a abajo, y luego en trozos largos, intentando mantener las hojas juntas. Cuézalos a fuego lento en mantequilla derretida y un poco de azúcar moreno, dándoles la vuelta de vez en cuando, hasta que estén muy tiernos y caramelizados. Procure no cocerlos demasiado, puesto que se desharían. Cúbralos con trozos de bacon frito y crujiente y perejil plano picado grueso.

Conchiglie con pollo y pesto

RAVIOLI DE POLLO CON SALSA DE SALVIA A LA MANTEQUILLA

Tiempo de preparación: 15 minutos
Tiempo de cocción: 10 minutos
Para 4 personas

★

500 g de ravioli o agnolotti rellenos de pollo
    frescos o secos
60 g de mantequilla
4 cebolletas picadas
2 cucharadas de salvia fresca picada
1/2 taza (50 g) de parmesano recién rallado
    para servir
hojas de salvia frescas adicionales para decorar

*ARRIBA: Ravioli de pollo
con salsa de salvia a la
mantequilla*

1 Cueza los ravioli en una olla grande con agua hirviendo y sal, hasta que estén al dente. Escúrralos y devuélvalos a la olla.
2 Mientras los ravioli se cuecen, derrita la mantequilla en una cacerola de fondo pesado, añada las cebolletas y la salvia, y remueva durante 2 minutos. Agregue sal y pimienta al gusto.
3 Añada la salsa a la pasta y revuelva bien. Distribúyalos en platos de servir precalentados y espolvoréelos con parmesano. Decórelos con hojas de salvia fresca y sírvalos inmediatamente.

VALOR NUTRITIVO POR RACIÓN: *Proteínas 20 g; grasas 25 g; hidratos de carbono 20 g; fibra dietética 2 g; colesterol 120 mg; 1590 kJ (380 cal)*

TORTELLINI CON SALSA CREMOSA DE CHAMPIÑONES

Tiempo de preparación: 15 minutos
Tiempo de cocción: 10 minutos
Para 4 personas

500 g de tortellini

185 g de champiñones de botón

1 limón pequeño

60 g de mantequilla

1 diente de ajo majado

1¼ tazas (315 ml) de nata líquida

una pizca de nuez moscada

3 cucharadas de parmesano recién rallado

1 Cueza los tortellini en una olla grande con agua hirviendo y sal, hasta que estén al dente. Escúrralos, vuelva a ponerlos en la olla y man-téngalos calientes. Corte los champiñones en láminas finas. Ralle la piel del limón.

2 Derrita la mantequilla en una cacerola y saltee los champiñones a fuego medio durante 2 minutos. Añada el ajo, la nata líquida, la ralladura de limón, la nuez moscada y pimienta negra recién molida al gusto. Remueva a fuego lento durante 1 ó 2 minutos. Agregue el parmesano rallado, remueva y déjelo cocer suavemente durante 3 minutos.

3 Incorpore la salsa a los tortellini y revuelva suavemente para mezclarlo bien. Reparta la pasta entre los platos y espolvoree algo más de pimienta por encima.

VALOR NUTRITIVO POR RACIÓN: *Proteínas 10 g; grasas 50 g; hidratos de carbono 35 g; fibra dietética 5 g; colesterol 155mg; 2570 kJ (610 cal)*

NATA LÍQUIDA

Se obtiene dejando reposar la leche. La grasa sube a la superficie y, cuando se desnata, el resultado es una nata líquida con un 10% ó un 20% de contenido graso, o en algunos países un 35%. La nata líquida para montar, con al menos un 30% de grasa, debe ser separada con máquinas, para que sea más espesa. Otras natas naturales, más densas y espesas, llegan a contener un 60% de grasa. La nata espesa contiene fécula o gelatina.

ARRIBA: Tortellini con salsa cremosa de champiñones

GUINDILLAS FRESCAS
Hay varios tipos: desde pequeñas y muy picantes, hasta gruesas, de sabor algo más suave. Las semillas y la membrana, que son las partes más picantes, se suelen extraer, excepto las de las guindillas más pequeñas. Cuando una receta requiera guindillas frescas, su experiencia debe dictarle cuáles debe usar. Las más picantes suelen ser las pequeñas, rojas o verdes. Las serranas, rojas, verdes o amarillas, también son pequeñas y muy picantes. Las jalapeñas son gruesas, de color verde o rojo, y tan picantes como las serrano, si pesan lo mismo. Identificarlas es difícil, sobre todo porque los mismos cultivadores no se ponen de acuerdo y los nombres varían según los países.

A LA DERECHA: Tortellini de albahaca con bacon y salsa de tomate

TORTELLINI DE ALBAHACA CON BACON Y SALSA DE TOMATE

Tiempo de preparación: 15 minutos
Tiempo de cocción: 25 minutos
Para 4 personas

500 g de tortellini de albahaca frescos o secos
1 cucharada de aceite de oliva
4 lonchas de bacon picadas
2 dientes de ajo majados
1 cebolla mediana picada
1 cucharadita de guindillas frescas picadas
425 g de tomates en conserva
1/2 taza (125 ml) de nata líquida
2 cucharadas de albahaca fresca picada

1 Cueza la pasta en una olla con agua hirviendo y sal, hasta que esté al dente. Escúrrala y vuelva a ponerla en la olla.

2 Mientras la pasta se cuece, caliente el aceite en una sartén mediana de fondo pesado. Añada el bacon, el ajo y la cebolla, y déjelo cocer a fuego medio durante 5 minutos, removiendo con regularidad.

3 Agregue la guindilla y el tomate picado sin escurrir. Reduzca el fuego y cueza a fuego lento durante 10 minutos. Agregue la nata líquida y la albahaca, y déjelo cocer durante 1 minuto. Añada la salsa a la pasta, revuelva y sirva inmediatamente.

VALOR NUTRITIVO POR RACIÓN: *Proteínas 25 g; grasas 25 g; hidratos de carbono 95 g; fibra dietética 9 g; colesterol 60 mg; 2990 kJ (710 cal)*

OTRAS SUGERENCIAS

JUDÍAS VERDES CON AJO Y COMINO Fría una cebolla en rodajas y un diente de ajo majado en aceite de oliva, añada una lata de 425 g de tomates picados y una pizca de comino molido. Cueza hasta que haya menguado hasta la mitad y añada 300 g de judías verdes troceadas. Déjelas cocer hasta que estén tiernas pero aún conserven su color verde vivo. Espolvoree con semillas de comino tostado.

RAVIOLI DE CHAMPIÑONES

Tiempo de preparación: 30 minutos
Tiempo de cocción: 15 minutos
Para 4 personas

½ taza (70 g) de avellanas tostadas y peladas

90 g de mantequilla sin sal

150 g de champiñones

1 cucharada de aceite de oliva

200 g de láminas won ton de paquete

1 Pique las avellanas en un robot de cocina. Caliente la mantequilla en una cacerola a fuego medio, hasta que chisporrotee o se dore. Retírela del fuego, viértala sobre las avellanas picadas y salpimiente al gusto.

2 Limpie los champiñones con papel de cocina y píquelos. Caliente el aceite en una cacerola, añada los champiñones y remueva hasta que estén blandos. Salpimiente al gusto y déjelos cocer hasta que el líquido se haya evaporado. Déjelos enfriar.

3 Extienda 12 láminas de won ton sobre una superficie de trabajo y coloque sobre seis de ellas una cucharadita del relleno de champiñones. Unte el borde de cada lámina con agua y coloque otra lámina encima. Séllelas presionando con firmeza. Si lo desea, recorte los bordes con un cortapastas. Ponga los ravioli sobre una bandeja forrada con papel de cocina limpio y cúbralos con otro papel. Repítalo con 12 más. Si rellena y cierra varios a la vez, evitará que se sequen.

4 Cuando haya hecho los ravioli, cuézalos por tandas en una olla con agua hirviendo y sal. No llene demasiado la olla. Si la pasta es muy fina, estará hecha en unos 2 minutos después de que el agua vuelva a hervir, retírelos con una espumadera y deje que se escurran en un colador. Sírvalos con la salsa de avellanas.

NOTA: Si no encuentra avellanas tostadas y peladas, póngalas crudas en una bandeja del horno y tuéstelas a temperatura moderada de 10 a 12 minutos. Déjelas enfriar y frótelas con papel de cocina para quitar toda la piel que pueda. Las mejores láminas won ton son las de huevo.

VALOR NUTRITIVO POR RACIÓN: *Proteínas 10 g; grasas 35 g; hidratos de carbono 35 g; fibra dietética 5 g; colesterol 60 mg; 2070 kJ (490 cal)*

RAVIOLI

Se cree que los ravioli fueron ideados en el puerto marítimo de Génova, cuando las amas de casa ahorradoras usaban pasta para envolver cucharaditas de sobras de comida, con la intención de disimularlas. Los marineros se llevaban sus *rabiole* al mar, ignorando la procedencia del relleno. Hoy en día, cuidamos más los rellenos que ponemos en los ravioli, y los llenamos de combinaciones muy bien estudiadas de carne, queso o verduras.

ARRIBA: Ravioli de champiñones

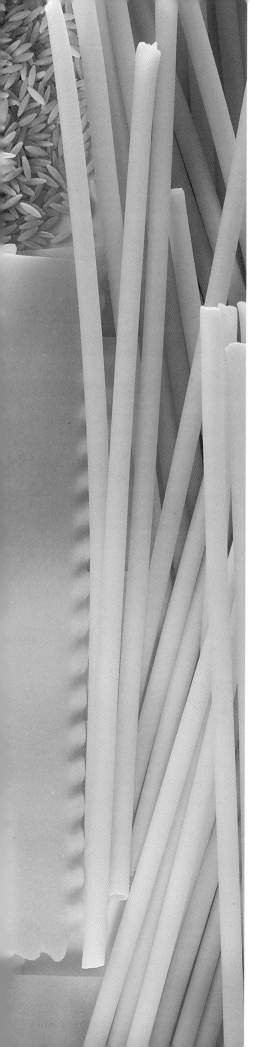

PASTA AL HORNO

Láminas de pasta con capas de ragú o deliciosa salsa de tomate, una suave y cremosa bechamel, espolvoreadas con parmesano rallado y gratinadas hasta que el queso se derrite, y el aroma se vuelve irresistible... Sin duda, actualmente la lasaña es el plato de pasta al horno más famoso (y tal vez el favorito). ¿Pero ha probado el pasticcio, los canelones o los maccheroni al queso? Si usted ya ha perfeccionado la lasaña, tal vez sea el momento de conocer otros estilos del arte de la pasta.

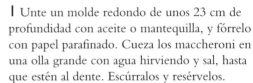

PASTEL DE MACCHERONI Y BERENJENA

Tiempo de preparación: 1 hora
Tiempo de cocción: 1 hora
Para 6 personas

★ ★

³/4 taza (115 g) de maccheroni

2 ó 3 berenjenas cortadas en finas lonchas
   longitudinales

1 cebolla picada

1 diente de ajo majado

500 g de carne picada de cerdo, ternera o pollo

425 g de tomates triturados de lata

2 cucharadas de puré de tomate
   (doble concentrado)

¹/2 taza (80 g) de guisantes congelados

1 taza (150 g) de queso mozzarella recién
   rallado

¹/2 taza (60 g) de queso cheddar recién rallado

1 huevo batido

¹/2 taza (50 g) de parmesano recién rallado

*ARRIBA: Pastel de
maccheroni y berenjena*

1 Unte un molde redondo de unos 23 cm de profundidad con aceite o mantequilla, y fórrelo con papel parafinado. Cueza los maccheroni en una olla grande con agua hirviendo y sal, hasta que estén al dente. Escúrralos y resérvelos.

2 Disponga la berenjena en bandejas, sálela y déjela reposar durante 20 minutos. Aclárela bien con agua y séquela con servilletas de papel. Caliente 2 cucharadas de aceite en una sartén, añada la berenjena y fríala, por tandas, en una sola capa, hasta que esté dorada por ambos lados. Añada más aceite, si es necesario. Escúrrala encima de servilletas de papel.

3 Agregue la cebolla y el ajo a la misma sartén, y remueva a fuego lento hasta que la cebolla esté tierna. Añada la carne picada y dórela, deshaciendo los grumos con un tenedor. Incorpore el tomate, el puré de tomate, y sal y pimienta al gusto, y remueva bien. Lleve a ebullición. Reduzca el fuego y deje cocer a fuego lento durante 15 a 20 minutos. Reserve.

4 Mezcle los guisantes con la mozzarella, el cheddar, el huevo y la mitad del parmesano en una fuente. Reserve.

5 Precaliente el horno a 180°C. Coloque una loncha de berenjena en el centro de la base del molde preparado. Disponga tres cuartas partes de la berenjena restante, formando un dibujo superpuesto, para cubrir completamente la base y los lados del molde. Espolvoree con la mitad del parmesano restante.

6 Una la mezcla de la carne con la de los maccheroni, y remueva bien. Con una cuchara, póngalo todo en el molde con las berenjenas, presionando bien para que quede compacto. Disponga el resto de las lonchas de berenjena sobre el relleno, superpuestas. Espolvoree con el parmesano restante.

7 Hornee el pastel, sin cubrir, de 25 a 30 minutos, o bien hasta que esté dorado. Déjelo reposar durante 5 minutos antes de desmoldarlo en una bandeja de servir. Sírvalo con ensalada, si así lo desea.

NOTA: Puede suprimir la carne picada y, en su lugar, añadir a la mezcla de tomate salchichas italianas cocidas y troceadas o bien pollo cocido y picado. Se puede servir una salsa de tomate adicional con este plato: cueza a fuego lento tomate triturado en conserva con un poco de ajo, pimienta y albahaca picada, hasta que la salsa espese.

VALOR NUTRITIVO POR RACIÓN: *Proteínas 35 g; grasas 20 g; hidratos de carbono 20 g; fibra dietética 5 g; colesterol 115 mg; 1780 kJ (425 cal)*

LASAÑA DE RICOTTA

Tiempo de preparación: 1 hora
Tiempo de cocción: 1 hora 30 minutos
Para 8 personas

500 g de láminas frescas de lasaña de espinacas
½ taza (30 g) de albahaca fresca picada
2 cucharadas de pan rallado
3 cucharadas de piñones
2 cucharaditas de pimentón
1 cucharada de parmesano recién rallado

Relleno de ricotta

750 g de ricotta fresco
½ taza (50 g) de parmesano recién rallado
una pizca de nuez moscada

Salsa de tomate

1 cucharada de aceite de oliva
2 cebollas picadas
2 dientes de ajo majados
800 g de tomate triturado de lata
1 cucharada de puré de tomate
   (doble concentrado)

Salsa bechamel

60 g de mantequilla
½ taza (60 g) de harina
2 tazas (500 ml) de leche
2 huevos ligeramente batidos
⅓ taza (35 g) de parmesano recién rallado

1 Unte una fuente de horno de 25 x 32 cm con mantequilla derretida o aceite. Corte la pasta en trozos grandes y cuézalos durante 3 minutos en agua hirviendo, por tandas de 2 ó 3. Escúrralos y déjelos sobre paños húmedos.

2 Para hacer el relleno, mezcle el ricotta, el parmesano, la nuez moscada y un poco de pimienta negra recién molida en un cuenco. Reserve.

3 Para hacer la salsa de tomate, caliente el aceite en una sartén, añada la cebolla y fríala durante 10 minutos, removiendo de vez en cuando, hasta que esté muy tierna. Agregue el ajo y cuézalo durante otro minuto. Añada el tomate y el puré de tomate y revuelva bien. Remueva hasta que la mezcla rompa el hervor. Reduzca el fuego y déjelo cocer a fuego lento, sin tapar, durante 15 minutos, o hasta que espese, removiendo de vez en cuando.

4 Para hacer la bechamel, caliente la mantequilla en un cazo. Añada la harina y remueva 1 minuto, hasta que esté dorada y fina. Retírela del fuego, e incorpore la leche gradualmente, mientras remueve. Vuelva a ponerla al fuego y remueva hasta que hierva y empiece a espesar. Retírela del fuego y, removiendo, añada los huevos. Caliéntela a fuego medio y remueva hasta que esté a punto de romper el hervor. Añada el queso y condimente al gusto. Cubra con un envoltorio de plástico para evitar que se forme una capa en la superficie. Caliente el horno a 200°C.

5 Ponga una capa de láminas de lasaña en la fuente. Añada un tercio del relleno, espolvoréelo con albahaca y cúbralo con un tercio de la salsa. Repita las capas, siendo la última de pasta.

6 Vierta la bechamel por encima, y distribúyala regularmente. Esparza el pan rallado, los piñones, el pimentón y el parmesano, previamente mezclado. Hornee durante 45 minutos, o hasta que se haya dorado bien. Deje reposar la lasaña durante 10 minutos antes de servir.

NOTA: Si deja reposar la lasaña antes de servirla, será más fácil de cortar.

VALOR NUTRITIVO POR RACIÓN: *Proteínas 30 g; grasas 30 g; hidratos de carbono 60 g; fibra dietética 5 g; colesterol 130 mg; 2670 kJ (635 cal)*

PIMENTÓN

El pimentón molido es la versión desecada y molida del pimiento rojo dulce, el *capsicum annuum*. Es de un color naranja rojizo vivo y, en cualquier cantidad, aporta cierto tono rosado a los platos. Con un sabor ligeramente picante, el pimentón proporciona al *gulash* húngaro su sabor característico, y la cocción lenta intensifica su sabor. Puede encontrar variedades más fuertes que otras; desde muy dulce y suave hasta la que posee un sabor y aroma intensos.

ARRIBA: Lasaña de ricotta

MARISCO CON PASTA

Tiempo de preparación: 30 minutos
Tiempo de cocción: 45 minutos
Para 6 personas

 ✷ ✷

250 g de láminas de lasaña instantáneas
500 g de filetes de pescado sin espinas
125 g de vieiras limpias
500 g de gambas crudas, peladas y limpias
125 g de mantequilla
1 puerro picado
2/3 taza (85 g) de harina blanca
2 tazas (500 ml) de leche
2 tazas (500 ml) de vino blanco seco
1 taza (125 g) de queso cheddar recién rallado
1/2 taza (125 ml) de nata líquida
1/2 taza (50 g) de parmesano recién rallado
2 cucharadas de perejil fresco picado

1 Precaliente el horno a 180°C. Forre una fuente de horno honda, engrasada, de unos 30 x 30 cm, con láminas de lasaña, rompiéndolas para no dejar espacios vacíos. Reserve.
2 Pique el pescado y las vieiras en trozos uniformes. Pique las gambas.
3 Derrita la mantequilla en una cazuela grande. Añada el puerro y déjelo cocer, removiendo, durante 1 minuto. Agregue la harina y cueza, removiendo, durante 1 minuto más. Incorpore gradualmente el vino y la leche, removiendo hasta que la mezcla esté fina. Cueza a fuego medio, removiendo constantemente, hasta que la salsa hierva y espese. Reduzca el fuego y cueza a fuego lento durante 3 minutos. Retírela del fuego y, removiendo, agregue el queso, y sal y pimienta al gusto. Añada el marisco y déjelo cocer a fuego lento 1 minuto. Retire del fuego.
4 Ponga la mitad del relleno de marisco sobre las láminas de lasaña y cúbralo con otra capa de lasaña. Siga añadiendo capas, hasta terminar todas las láminas.
5 Vierta la salsa por encima. Espolvoree con el parmesano y el perejil mezclados. Ponga la fuente en el horno, durante 30 minutos, o bien hasta que la cobertura burbujee y esté dorada.
NOTA: Puede adquirir láminas de lasaña lisas o con estrías.

VALOR NUTRITIVO POR RACIÓN: *Proteínas 50 g; grasas 45 g; hidratos de carbono 45 g; fibra dietética 5 g; colesterol 290 mg; 3460 kJ (825 cal)*

CHEDDAR
El cheddar, el más apreciado de los quesos ingleses, es originario del pueblo de Cheddar, en Somerset. Es un queso duro de leche de vaca, curado para proporcionar un buen equilibrio de sabores con un suave regusto.

ARRIBA: Marisco con pasta

OTRAS SUGERENCIAS

ENSALADA DE GUINDILLA DULCE, PATATAS Y CILANTRO
Trocee 1 kg de patatas desiree peladas, rocíelas con aceite de oliva y sazónelas con sal marina. Áselas en el horno hasta que estén crujientes y doradas. Trasládelas a un bol y rocíelas con bastante salsa de guindilla dulce. Añada unas 3 cucharadas de cilantro fresco picado y revuelva bien.

PASTEL DE PASTA

Tiempo de preparación: 20 minutos
Tiempo de cocción: 1 hora
Para 4 personas

★ ☆

250 g de maccheroni

1 cucharada de aceite de oliva

1 cebolla cortada en rodajas

125 g de pancetta picada

125 g de jamón picado

4 huevos

1 taza (250 ml) de leche

1 taza (250 ml) de nata líquida

2 cucharadas de cebollino troceado

1 taza (125 g) de queso cheddar rallado

125 g de bocconcini (4 aproximadamente)
  picados

1 Precaliente el horno a 180°C. Cueza los maccheroni en una olla grande con agua hirviendo y sal, hasta que estén al dente. Escúrralos y distribúyalos uniformemente sobre la base de una fuente redonda de 5 cm de profundidad.

2 Caliente el aceite en una cazuela grande, añada la cebolla y remueva, a fuego lento, hasta que esté tierna. Agregue la pancetta y cuézala durante 2 minutos. Añada el jamón y remueva bien. Retire del fuego y deje enfriar.

3 En un bol, bata conjuntamente los huevos, la leche, la nata líquida, el cebollino y sal y pimienta al gusto. Incorpore el cheddar, los bocconcini y la mezcla de pancetta y revuelva bien. Distribuya la salsa uniformemente por encima de los maccheroni. Hornee de 35 a 40 minutos, o hasta que la mezcla esté cuajada.

VALOR NUTRITIVO POR RACIÓN: *Proteínas 40 g; grasas 75 g; hidratos de carbono 50 g; fibra dietética 5 g; colesterol 470 mg; 4335 kJ (1035 cal)*

ARRIBA: Pastel de pasta

TRIGO DURO

El trigo duro contiene un alto nivel de proteínas, y por consiguiente, más gluten. Es considerado el mejor trigo para hacer pasta, y, según la ley, toda la pasta seca que se elabora en Italia debe contener un 100% de sémola pura de trigo duro, *pasta di semola di grano duro*. Además de propiedades nutritivas, proporciona un buen tono a la pasta, que varía del color limón pálido al dorado, así como más sabor. El trigo duro es necesario para conseguir la resistencia de la pasta de calidad y ayuda a conseguir el tan deseado estado de cocción conocido como "al dente".

ABAJO: Soufflé de pasta

SOUFFLÉ DE PASTA

Tiempo de preparación: 35 minutos
Tiempo de cocción: 55 minutos
Para 4 personas

★ ★

2 cucharadas de parmesano recién rallado
60 g de mantequilla
1 cebolla pequeña picada finamente
2 cucharadas de harina
2 tazas (500 ml) de leche
1/2 taza (125 ml) de caldo de pollo
3 huevos, con las yemas y las claras separadas
3/4 taza (115 g) de maccheroni pequeños cocidos
210 g de salmón en conserva, escurrido y troceado
1 cucharada de perejil fresco picado
la piel de 1 limón rallada

1 Precaliente el horno a 210°C. Unte un molde de soufflé redondo, de 18 cm de diámetro, con aceite. Cubra la base y los lados con parmesano y agítelo para retirar el parmesano sobrante.

2 Para forrar el molde de soufflé, corte un trozo de papel de aluminio o parafinado que sea 5 cm más largo que la circunferencia del molde. Dóblelo por la mitad longitudinalmente. Envuelva las paredes exteriores del molde con el papel de modo que sobresalgan 5 cm por encima del borde. Átelo con un cordel.

3 Caliente la mantequilla en una cazuela. Añada la cebolla y fríala a fuego lento hasta que esté tierna. Agregue la harina y remueva 2 minutos. Retire del fuego. Añada gradualmente la leche y el caldo, removiendo hasta que la mezcla esté fina. Devuélvala al fuego y remueva constantemente a fuego medio, hasta que hierva y espese. Reduzca el fuego y cueza a fuego lento 3 minutos. Agregue las yemas de huevo y bata hasta obtener una mezcla homogénea. Añada los maccheroni, el salmón, el perejil, la ralladura de limón y sal y pimienta al gusto. Revuélvalo todo bien y tras ládelo a un cuenco grande.

4 Bata las claras con una batidora eléctrica en un bol, hasta que estén a punto de nieve. Con una cuchara de metal, añádalas con cuidado a la mezcla de salmón. Con una cuchara, páselo todo al molde preparado. Hornee 40 ó 45 minutos, hasta que haya subido y se haya dorado. Sírvalo inmediatamente.

NOTA: Los soufflés se deben hacer justo antes de servir, ya que se desmoronan muy rápidamente tras sacarlos del horno. La mezcla básica hasta el punto 3 se puede preparar con antelación. Añada las claras batidas justo antes de hornear el soufflé.

VALOR NUTRITIVO POR RACIÓN: *Proteínas 25 g; grasas 25 g; hidratos de carbono 20 g; fibra dietética 1 g; colesterol 200 mg; 1690 kJ (405 cal)*

LASAÑA CLÁSICA

Tiempo de preparación: 40 minutos
Tiempo de cocción: 1 hora 40 minutos
Para 8 personas

★ ★ ★

2 cucharadas de aceite
30 g de mantequilla
1 cebolla grande picada
1 zanahoria picada
1 tallo de apio picado
500 g de carne de ternera picada
150 g de hígado de pollo picado
1 taza (250 ml) de puré de tomate
1 taza (250 ml) de vino tinto
2 cucharadas de perejil fresco picado
375 g de láminas de lasaña frescas

Salsa bechamel

60 g de mantequilla

$1/3$ taza (40 g) de harina

$2 1/4$ tazas (560 ml) de leche

$1/2$ cucharadita de nuez moscada

1 taza (100 g) de parmesano recién rallado

1 Caliente el aceite y la mantequilla en una sartén de fondo pesado, y fría la cebolla, la zanahoria y el apio a fuego medio, hasta que estén tiernos, removiendo constantemente. Aumente el fuego, agregue la carne picada y dórela, deshaciendo los grumos con un tenedor. Incorpore el hígado y cuézalo hasta que cambie de color. Añada el puré de tomate, el vino, el perejil, y sal y pimienta. Lleve a ebullición, reduzca el fuego y cueza durante 45 minutos. Reserve.

2 Para hacer la bechamel, derrita la mantequilla en una cazuela a fuego lento. Incorpore la harina y remueva 1 minuto. Retírela del fuego y añada gradualmente la leche. Vuelva a poner la salsa al fuego y remueva hasta que hierva y empiece a espesar. Cueza a fuego lento otro minuto más. Añada la nuez moscada y sal y pimienta al gusto.

Cubra con un envoltorio de plástico para evitar que se forme una película. Reserve.

3 Corte las láminas de lasaña para poder encajarlas cómodamente en una fuente de horno rectangular y honda. A veces, las láminas se deben cocer previamente; siga las instrucciones del fabricante y escúrralas antes de usarlas.

4 Para montar la lasaña, precaliente el horno a 180°C. Unte la fuente de horno con bastante mantequilla derretida o aceite. Ponga una capa fina de salsa de carne en la base, seguida de una capa fina de bechamel. Si la bechamel se ha enfriado y es demasiado espesa, caliéntela un poco. Coloque láminas de lasaña por encima, presionando para que salga el aire. Siga añadiendo capas, terminando con la bechamel. Espolvoree con parmesano y hornee durante 35 a 40 minutos, hasta que esté dorada. Déjela reposar durante 15 minutos antes de cortarla.

NOTA: Puede usar un paquete de lasaña instantánea en lugar de fresca. Siga las instrucciones del fabricante. Si lo desea, puede suprimir el hígado de pollo y aumentar la cantidad de carne picada.

VALOR NUTRITIVO POR RACIÓN: *Proteínas 30 g; grasas 30 g; hidratos de carbono 45 g; fibra dietética 5 g; colesterol 160 mg; 2415 kJ (575 cal)*

SALSA BECHAMEL
La bechamel es una salsa blanca que se hace añadiendo leche a un *roux*, aunque originalmente se elaboraba añadiendo nata líquida a un *velouté* espeso. Le debe su nombre a un cierto marqués Louis de Béchameil, un gran gourmet que era el mayordomo mayor de Luis XIV. No es probable que él creara la salsa, más bien se cree que uno de los cocineros del rey, queriendo congraciarse con el marqués, la llamó así en su honor.

ARRIBA: Lasaña clásica

CANELA

La canela de mejor calidad proviene del canelo de Sri Lanka, *cinnamomum zeylanicum*, que posee un aroma muy dulce y un sabor fresco y delicado. Se elabora a partir de sus brotes más jóvenes, de los cuales se extrae la corteza interior y se deseca, lo que hace que sus capas finas se abarquillen adoptando una forma cilíndrica. Se unen en rollos de diez y se cortan en barras de la misma longitud. Es más cara que la canela china, la *cassia*, de la cual se recolecta la corteza exterior, más vieja, para desecarla. La canela se emplea entera, troceada, o molida, para aportar sabor a los platos dulces y a los platos al horno, y es uno de los ingredientes del curry y del garam masala.

ARRIBA: Maccheroni al queso

MACCHERONI AL QUESO

Tiempo de preparación: 20 minutos
Tiempo de cocción: 35 minutos
Para 4 personas

2 tazas (500 ml) de leche

I taza (250 ml) de nata líquida

I hoja de laurel

I clavo de especia entero

1/2 rama de canela

60 g de mantequilla

2 cucharadas de harina

2 tazas (250 g) de queso cheddar recién rallado

1/2 taza (50 g) de parmesano recién rallado

375 g de maccheroni curvados

I taza (80 g) de pan recién rallado

2 lonchas de bacon, sin la corteza, picadas y
 fritas hasta que queden crujientes

I Precaliente el horno a 180°C. Vierta la leche y la nata líquida en un cazo mediano, junto con la hoja de laurel, el clavo y la canela en rama. Lleve a ebullición y, a continuación, retire del fuego y deje reposar durante 10 minutos. Cuele el líquido en un bote; retire y deseche las especias.

2 Derrita la mantequilla en una cacerola a fuego lento. Agregue la harina y remueva durante 1 minuto. Retire del fuego e incorpore gradualmente la mezcla de leche y nata líquida, removiendo hasta que obtenga una mezcla fina. Devuelva la cacerola al fuego y remueva constantemente, hasta que la salsa hierva y espese. Cuézala a fuego lento 2 minutos, retírela del fuego y añada la mitad del cheddar, la mitad del parmesano, y sal y pimienta al gusto. Reserve.

3 Cueza los maccheroni en una olla grande con agua hirviendo y sal, hasta que estén al dente. Escúrralos y vuelva a ponerlos en la olla. Añada la salsa, revuelva y trasládelo todo a una fuente honda, usando una cuchara. Espolvoree con el pan rallado, el bacon y el queso restante, todo mezclado. Hornee durante 15 a 20 minutos, o hasta que se doren. Sirva.

NOTA: Puede añadir pollo cocido y picado a la salsa blanca, antes de mezclarla con la pasta.

VALOR NUTRITIVO POR RACIÓN: *Proteínas 45 g; grasas 70 g; hidratos de carbono 90 g; fibra dietética 5 g; colesterol 185 mg; 4960 kJ (1185 cal)*

CONCHIGLIE CON POLLO Y RICOTTA

Tiempo de preparación: 15 minutos
Tiempo de cocción: 1 hora 10 minutos
Para 4 personas

500 g de conchiglie
2 cucharadas de aceite de oliva
1 cebolla picada
1 diente de ajo majado
60 g de prosciutto troceado
125 g de champiñones picados
250 g de carne de pollo picada
2 cucharadas de puré de tomate
    (doble concentrado)
425 g de tomates triturados en conserva
1/2 taza (125 ml) de vino blanco seco
1 cucharadita de orégano desecado
250 g de queso ricotta
1 taza (150 g) de queso mozzarella rallado
1 cucharadita de cebollino fresco troceado
1 cucharada de perejil fresco picado
3 cucharadas de parmesano recién rallado

1 Cueza los conchiglie en una olla grande con agua hirviendo y sal, hasta que estén al dente. Escúrralos bien.
2 Caliente el aceite en una sartén grande. Agregue la cebolla y el ajo, y remueva a fuego lento hasta que la cebolla esté tierna. Añada el prosciutto y remueva 1 minuto. Incorpore los champiñones y cuézalos durante 2 minutos. Añada la carne de pollo picada y dórela bien, deshaciendo los grumos con un tenedor mientras remueve.
3 Incorpore el puré de tomate, el tomate, el vino, el orégano, y sal y pimienta al gusto. Lleve a ebullición, reduzca el fuego y deje cocer lentamente durante 20 minutos.
4 Precaliente el horno a 180°C. Mezcle el ricotta, la mozzarella, el cebollino, el perejil y la mitad del parmesano. Con una cuchara, ponga un poco del relleno dentro de cada caracola. Vierta un poco de la salsa de pollo en la base de una fuente honda. Disponga los conghiglie encima. Distribuya el resto de la salsa por encima y espolvoree con el resto del parmesano. Hornee de 25 a 30 minutos, hasta que esté dorado.
NOTA: Para este plato, las conchiglie medianos o los grandes son los más adecuados.

VALOR NUTRITIVO POR RACIÓN: *Proteínas 50 g; grasas 40 g; hidratos de carbono 95 g; fibra dietética 9 g; colesterol 115 mg; 3945 kJ (940 cal)*

OTRAS SUGERENCIAS

ENSALADA DE REMOLACHA A LA FRAMBUESA Cueza remolachas en agua hirviendo a fuego lento hasta que estén tiernas, pélelas y córtelas en gajos. Haga un aliño con vinagre de frambuesa, zumo de naranja y miel. Mézclelo con la remolacha y esparza semillas de alcaravea.

ENSALADA DE ESPINACAS, NUECES Y CHEDDAR Mezcle hojas de espinacas pequeñas, nueces tostadas cortadas por la mitad y virutas de queso cheddar añejo en una ensaladera. Rocíelo todo con un aliño francés de buena calidad.

POLLO PICADO
La buena carne de pollo picada se elabora con carne de todas las partes del pollo. De este modo, tendrá una buena proporción de grasa, e incluirá carne blanca y oscura. Úsela recién picada, ya que se estropea con más rapidez que las piezas enteras. No compre carne picada que tenga un aspecto gris y desigual.

ARRIBA: Conchiglie con pollo y ricotta

FRITTATA DE ESPAGUETIS AL HORNO

Tiempo de preparación: 30 minutos
Tiempo de cocción: 35 minutos
Para 4 personas

☆☆

30 g de mantequilla

125 g de champiñones cortados en láminas

1 pimiento verde despepitado y picado

125 g de jamón troceado

1/2 taza (80 g) de guisantes congelados

6 huevos

1 taza (250 ml) de leche o nata líquida

100 g de espaguetis cocidos y troceados

2 cucharadas de perejil fresco picado

1/4 taza (25 g) de parmesano recién rallado

ARRIBA: Frittata de espaguetis al horno

1 Precaliente el horno a 180°C. Unte ligeramente un molde para tarta de 23 cm de diámetro con aceite o mantequilla derretida.

2 Derrita la mantequilla en una sartén, añada los champiñones y cuézalos a fuego lento entre 2 y 3 minutos. Agregue el pimiento y cuézalo durante 1 minuto. Añada el jamón y los guisantes, y remueva. Retire la sartén del fuego y deje que la mezcla se enfríe ligeramente.

3 Bata los huevos, la nata líquida y sal y pimienta al gusto en un cuenco pequeño. Removiendo, incorpore los espaguetis, el perejil y la mezcla de los champiñones, y viértalo todo en el molde preparado. Espolvoree la frittata con parmesano y hornéela durante 25 a 30 minutos.

NOTA: Acompañe con verduras asadas a la barbacoa y ensalada verde fresca.

VALOR NUTRITIVO POR RACIÓN: *Proteínas 25 g; grasas 20 g; hidratos de carbono 10 g; fibra dietética 5 g; colesterol 300 mg; 1320 kJ (315 cal)*

CANELONES A LA MILANESA

Tiempo de preparación: 40 minutos
Tiempo de cocción: 1 hora 50 minutos
Para 4 personas

500 g de carne picada de cerdo y ternera
1/2 taza (50 g) de pan rallado
1 taza (100 g) de parmesano recién rallado
2 huevos batidos
1 cucharadita de orégano seco
de 12 a 15 tubos de canelones
375 g de queso ricotta fresco
1/2 taza (60 g) de queso cheddar recién rallado

Salsa de tomate

425 ml de puré de tomate de lata (passata)
425 g tomates triturados de lata
2 dientes de ajo majados
3 cucharadas de albahaca fresca picada

1 Precaliente el horno a 180°C. Unte ligeramente una fuente rectangular con aceite o mantequilla derretida.
2 Mezcle en un cuenco la carne picada de cerdo y ternera con el pan rallado, la mitad del parmesano, el huevo, el orégano, y sal y pimienta al gusto. Use una cucharita para rellenar los tubos de canelones con esta mezcla. Reserve.
3 Para hacer la salsa de tomate, lleve a ebullición en una cacerola mediana el puré de tomate, el tomate y el ajo. Reduzca el fuego y cueza a fuego lento durante 15 minutos. Añada la albahaca y pimienta al gusto, y remueva bien.
4 Vierta la mitad de la salsa de tomate en la fuente preparada. Disponga encima los canelones rellenos y cúbralos con el resto de la salsa. Esparza por encima el queso ricotta. Espolvoree con los quesos cheddar y parmesano restantes mezclados. Cubra con papel de aluminio durante 1 hora. Retire el papel de aluminio y hornee durante 15 minutos más, o bien hasta que la superficie esté dorada. Corte cuadrados para servirlo.

VALOR NUTRITIVO POR RACIÓN: *Proteínas 60 g; grasas 40 g; hidratos de carbono 40 g; fibra dietética 5 g; colesterol 255 mg; 3190 kJ (762 cal)*

OTRAS SUGERENCIAS
COLIFLORES INDIVIDUALES AL QUESO
Cueza coliflores pequeñas, 1 por persona, en agua hirviendo, al vapor o en el microondas, hasta que estén tiernas. Escúrralas y trasládelas a una fuente resistente al calor. Haga salsa bechamel: derrita 30 g de mantequilla en un cazo, añada 1 cucharada de harina y remueva. Agregue 350 ml de leche y remueva a fuego medio 1 minuto, o hasta que hierva y espese. Añada 1/2 taza (60 g) de queso cheddar finamente rallado y 1/4 cucharadita de mostaza de Dijon, y mézclelo todo bien. Vierta la salsa sobre las coliflores, cúbralas con queso cheddar rallado y hornéelas a 210°C durante 10 minutos, o bien hasta que el queso esté dorado.

ARRIBA: Canelones a la milanesa

3 Añada el tomate, el orégano, la pimienta de Cayena y las aceitunas, y déjelo cocer todo 5 minutos a fuego lento. Vierta la salsa de verduras sobre la pasta y revuelva junto con un tercio de la mozzarella. Sazone al gusto con pimienta negra recién molida. Espolvoree con parmesano y distribuya la mozzarella restante por encima.

4 Hornee 10 minutos o hasta que el queso esté derretido y la superficie dorada. Sirva.

VALOR NUTRITIVO POR RACIÓN: *Proteínas 30 g; grasas 35 g; hidratos de carbono 75 g; fibra dietética 10 g; colesterol 45 mg; 3030 kJ (720 cal)*

TIMBALES DE PASTA Y ESPINACAS

Tiempo de preparación: 25 minutos
Tiempo de cocción: 45 minutos + reposo
Para 6 personas

✷✷

30 g de mantequilla
I cucharada de aceite de oliva
I cebolla picada
500 g de espinacas cocidas al vapor y bien escurridas
8 huevos batidos
I taza (250 ml) de nata líquida
100 g de espaguetis o tagliolini cocidos
¹/₂ taza (60 g) de queso cheddar rallado
¹/₂ taza (50 g) de parmesano recién rallado

RIGATONI GRATINADOS

Tiempo de preparación: 20 minutos
Tiempo de cocción: 30 minutos
Para 4 personas

✷✷

375 g de rigatoni
¹/₄ taza (60 ml) de aceite de oliva fino
300 g de berenjenas largas picadas
4 calabacines pequeños cortados en rodajas finas
I cebolla cortada en rodajas
410 g de tomates en conserva
I cucharadita de orégano fresco picado
una pizca de pimienta de Cayena
de 8 a 10 aceitunas negras deshuesadas y cortadas en rodajas
250 g de queso mozzarella cortado en daditos
2 cucharadas de parmesano recién rallado

I Precaliente el horno a 180°C. Cueza los rigatoni en una olla grande con agua hirviendo y sal, hasta que estén al dente. Escúrralos bien y trasládelos a una fuente poco honda resistente al calor y previamente untada con aceite.

2 Mientras se cuece la pasta, caliente el aceite en una cazuela y fría la berenjena, el calabacín y la cebolla durante 5 minutos, o hasta que estén ligeramente dorados.

*ARRIBA: Rigatoni gratinados
DERECHA: Timbales de pasta y espinacas*

1 Precaliente el horno a 180°C. Unte seis moldes para timbales de 1 taza de capacidad con aceite o mantequilla derretida. Forre las bases con papel parafinado. Caliente conjuntamente la mantequilla y el aceite en una sartén. Agregue la cebolla, y remueva a fuego lento hasta que quede tierna. Añada las espinacas bien escurridas y déjelas cocer durante 1 minuto. Retire la sartén del fuego y deje enfriar. Incorpore los huevos y la nata líquida, y bátalo todo. Agregue los espaguetis o tagliolini, los quesos rallados, y sal y pimienta recién molida al gusto; remueva bien. Con una cuchara, póngalo todo en los moldes preparados.

2 Coloque los moldes sobre una fuente de horno. Vierta agua hirviendo en la fuente, para cubrir los moldes hasta la mitad. Hornee durante 30 a 35 minutos, o bien hasta que la mezcla cuaje. Cuando haya llegado a la mitad del tiempo de cocción, puede que deba tapar la parte de arriba con una lámina de papel de aluminio, para evitar que se queme. Cuando esté a punto de finalizar el tiempo de cocción, pinche los timbales con la punta de un cuchillo. Si sale limpio, significa que están cocidos.

3 Deje reposar los timbales durante 15 minutos, antes de retirar los moldes. Pase la punta de un cuchillo por el borde de cada molde para despegarlos. Sírvalos boca abajo en platos individuales.

VALOR NUTRITIVO POR RACIÓN: *Proteínas 20 g; grasas 40 g; hidratos de carbono 7 g; fibra dietética 3 g; colesterol 330 mg; 1860 kJ (440 cal)*

PASTA CREMOSA CON QUESO AL HORNO

Tiempo de preparación: de 10 a 15 minutos
Tiempo de cocción: de 35 a 40 minutos
Para 4 personas

500 g de fusilli

2½ tazas (600 ml) de nata líquida

3 huevos

250 g de queso feta desmenuzado

2 cucharadas de harina

2 cucharaditas de nuez moscada molida

1 taza (125 g) de queso cheddar o mozzarella rallado

1 Cueza los fusilli en una olla grande con agua hirviendo y sal, hasta que estén al dente. Escúrralos, reservando 250 ml del agua de la cocción.

Reserve la pasta aparte para que se enfríe un poco.

2 Precaliente el horno a 180°C y unte una fuente de horno de 7 tazas de capacidad con aceite de oliva.

3 Bata la nata líquida, los huevos y el agua reservada en un cuenco grande, hasta que esté todo bien mezclado. Añada el feta desmenuzado, la harina, la nuez moscada, y sal y pimienta al gusto, y remueva.

4 Traslade la pasta que ha dejado enfriar a la fuente preparada. Vierta la mezcla de nata por encima y espolvoree con el parmesano rallado. Hornee de 30 a 35 minutos, o bien hasta que la mezcla haya cuajado y la superficie esté ligeramente dorada.

VALOR NUTRITIVO POR RACIÓN: *Proteínas 40 g; grasas 85 g; hidratos de carbono 95 g; fibra dietética 6 g; colesterol 380 g; 5520 kJ 1315 (cal)*

PIMIENTA BLANCA

Los granos de pimienta blanca provienen de la misma planta tropical que los de pimienta negra, pero las bayas son tratadas de forma diferente para suavizar su sabor y color. Estas características la hacen preferible para ciertos platos, sobre todo para las salsas blancas y las que se componen de nata líquida, ya que no alteran su aspecto. Sorprendentemente, la pimienta blanca es más aromática que la negra.

ARRIBA: Pasta cremosa con queso al horno

QUESO MOZZARELLA

La mayor parte de la mozzarella que se elabora hoy en día fuera de Italia está destinada a ser usada para cocinar, para cubrir pizzas o para la lasaña u otros platos al horno. Se trata de un queso curado y a veces amasado, con una textura elástica, que se derrite a la perfección. Cuando se calienta, se deshace completamente y se vuelve liso y blando, formando largos filamentos cuando se estira, para mayor goce de los niños. No se come como aperitivo. La mozzarella no cuajada (bocconcini), por otro lado, se come fresca. Es blanca, tiene un sabor cremoso y se conserva durante poco tiempo. A veces, en Italia todavía se elabora con leche de búfalo, tal y como se ha venido haciendo durante siglos.

ARRIBA: Albóndigas con pasta

ALBÓNDIGAS CON PASTA

Tiempo de preparación: 40 minutos
Tiempo de cocción: 55 minutos
Para 4 personas

2/3 taza (100 g) de maccheroni

500 g de carne de ternera picada

1 cebolla picada

1 taza (80 g) de pan recién rallado

2 cucharadas de parmesano recién rallado

1 cucharada de albahaca fresca picada

1 huevo batido

2 cucharadas de aceite de oliva

1 taza (150 g) de queso mozzarella recién rallado

Salsa

1 cebolla cortada en rodajas

1 diente de ajo majado

1 pimiento despepitado y cortado en rodajas

125 g de champiñones cortados en láminas

1/4 taza (60 ml) de puré de tomate (doble concentrado)

1/2 taza (125 ml) de vino tinto

1 Cueza los maccheroni en una olla grande con agua hirviendo y sal, hasta que estén al dente. Escúrralos bien y resérvelos.

2 Mezcle en un cuenco la carne picada con la cebolla, la mitad del pan rallado, el parmesano, la albahaca y el huevo. Tome cucharaditas colmadas de esta mezcla y forme bolitas.

3 Caliente el aceite en una sartén. Añada las albóndigas y fríalas hasta que estén bien doradas. Escúrralas encima de papel de cocina y trasládelas a una fuente resistente al calor. Precaliente el horno a 180°C.

4 Para hacer la salsa, ponga la cebolla y el ajo en la misma sartén y remueva a fuego lento hasta que la cebolla esté tierna. A continuación, añada el pimiento y los champiñones, y cuézalos durante 2 minutos. Incorpore el puré de tomate y a continuación el vino y 250 ml de agua. Llévelo todo a ebullición, removiendo constantemente. Añada los maccheroni, y sal y pimienta al gusto, y remueva. Vierta la mezcla sobre las bolas de carne.

5 Hornee, sin tapar, durante 30 a 35 minutos. Espolvoree con la mozzarella y el resto de pan rallado mezclados. Vuelva a hornear durante 10 minutos más o hasta que esté dorado.

VALOR NUTRITIVO POR RACIÓN: *Proteínas 45 g; grasas 35 g; hidratos de carbono 40 g; fibra dietética 5 g; colesterol 150 mg; 2840 kJ (680 cal)*

PIMIENTOS RELLENOS DE PASTA

Tiempo de preparación: 40 minutos
Tiempo de cocción: 45 minutos
Para 6 personas

150 g de rissoni

1 cucharada de aceite de oliva

1 cebolla picada

1 diente de ajo majado

3 lonchas de bacon sin la corteza y picadas

1 taza (150 g) de queso mozzarella recién rallado

1/2 taza (50 g) de parmesano recién rallado

2 cucharadas de perejil fresco picado

4 pimientos rojos grandes, partidos por la mitad longitudinalmente y despepitados

425 g de tomate triturado de lata

1/2 taza (125 ml) de vino blanco seco

1 cucharada de puré de tomate (doble concentrado)

1/2 cucharadita de orégano molido

2 cucharadas de albahaca fresca cortada en tiras

1 Cueza los rissoni en una olla grande con agua hirviendo y sal, hasta que estén al dente y escúrralos.

2 Precaliente el horno a 180°C. Unte con aceite una fuente no muy honda y resistente al horno.

3 Caliente el aceite en una cacerola. Añada la cebolla y el ajo, y remueva a fuego lento, hasta que la cebolla esté tierna. Agregue el bacon y remueva hasta que esté crujiente. Pase la mezcla a un cuenco grande y añada los rissoni, los quesos y el perejil. Con una cuchara, coloque la mezcla en cada mitad del pimiento y disponga éstas en la fuente.

4 Mezcle en un cuenco el tomate, el vino, el puré de tomate, el orégano, y sal y pimienta al gusto, y cubra con ello la mezcla de rissoni. Espolvoréelo con la albahaca y hornee de 35 a 40 minutos.

VALOR NUTRITIVO POR RACIÓN: *Proteínas 20 g; grasas 15 g; hidratos de carbono 25 g; fibra dietética 5 g; colesterol 35 mg; 1345 kJ (320 cal)*

OTRAS SUGERENCIAS

COL CON ALCARAVEA Corte la col en tiritas y cuézala en agua hirviendo, al vapor o en el microondas, hasta que esté tierna. Fría ligeramente rodajas de cebolla con semillas de alcaravea en mucha mantequilla, hasta que la cebolla esté muy tierna y la alcaravea despida aroma. Agregue la col y remueva. Añada un poco de vinagre de cerveza y sal y pimienta abundantes.

RISSONI
Los rissoni son pasta seca con forma de arroz. Resultan apropiados para sopas y perfectos para rellenar verduras. En los guisos, aportan cuerpo y sustancia sin aumentar el volumen; por esta razón, también son ideales como ingrediente del relleno de la carne de ave.

ARRIBA: Pimientos rellenos de pasta

AJO

La preparación del ajo está condicionada por la intensidad de sabor que se quiera obtener en cada receta. Picado finamente o triturado es cuando su sabor será más intenso, ya que de este modo se desprende más aceite. Si desea un sabor suave sin regusto de ajo, debe usar los dientes enteros, a menudo sin pelar y desecharlos antes de servir el plato. Para conseguir un sabor más fuerte pero que no sea picante, debe pelarlos y partirlos por la mitad.

CANELONES

Tiempo de preparación: 45 minutos
Tiempo de cocción: 1 hora 10 minutos
Para 6 personas

★★

Relleno de carne y espinacas

1 cucharada de aceite de oliva
1 cebolla picada
1 diente de ajo majado
500 g de carne de ternera picada
250 g de espinacas previamente descongeladas
3 cucharadas de puré de tomate (doble concentrado)
1/2 taza (125 g) de queso ricotta
1 huevo
1/2 cucharadita de orégano molido

Salsa bechamel

1 taza (250 ml) de leche
1 ramito de perejil fresco
5 granos de pimienta
30 g de mantequilla
1 cucharada de harina
1/2 taza (125 ml) de nata líquida

Salsa de tomate

425 g de puré de tomate de lata
2 cucharadas de albahaca fresca picada
1 diente de ajo majado
1/2 cucharadita de azúcar

de 12 a 15 canelones instantáneos
1 taza (150 g) de queso mozzarella recién rallado
1/2 taza (50 g) de parmesano recién rallado

1 Precaliente el horno a 180°C. Unte ligeramente con aceite una fuente de horno no muy honda y resérvela.
2 Para hacer el relleno, caliente el aceite en una sartén, añada la cebolla y el ajo, y remueva a fuego lento hasta que la cebolla esté tierna. Agregue la carne picada y dórela bien, deshaciendo los grumos con un tenedor mientras cuece. Incorpore las espinacas y el puré de tomate. Remueva durante 1 minuto y retire del fuego. Mezcle en un bol pequeño el ricotta con el huevo y el orégano, y salpimiente al gusto. Revuélvalo con la carne picada y resérvelo.
3 Para hacer la salsa bechamel, mezcle la leche con el perejil y los granos de pimienta en un cazo pequeño. Lleve a ebullición, retire del fuego

DERECHA: Canelones

y deje reposar durante 10 minutos. Cuele la salsa y deseche los condimentos. Derrita la mantequilla en un cazo pequeño a fuego lento, añada la harina y remueva durante 1 minuto, hasta que la mezcla sea fina. Retírela del fuego y, mientras remueve, añada gradualmente la leche colada. Devuelva el cazo al fuego y remueva constantemente, a fuego medio, hasta que la salsa hierva y empiece a espesar. Reduzca el fuego, deje cocer a fuego lento durante otro minuto y, removiendo, añada la nata líquida, y sal y pimienta al gusto.

4 Para hacer la salsa de tomate, vierta todos los ingredientes en una sartén y remueva hasta que estén mezclados. Lleve a ebullición, reduzca el fuego y cuézalo todo a fuego lento durante 5 minutos. Salpimiente al gusto.

5 Introduzca el relleno dentro de los canelones con una manga pastelera o con una cucharita.

6 Ponga unas cuantas cucharadas de la salsa de tomate en la base de la fuente. Disponga los canelones encima. Vierta la salsa bechamel sobre los canelones y, seguidamente la salsa de tomate restante. Espolvoree con los quesos mezclados. Hornee, sin tapar, durante 35 a 40 minutos, o bien hasta que la superficie esté dorada.

NOTA: Sirva los canelones acompañados con una ensalada verde mixta, o bien con verduras cocidas al vapor: brécol o judías, por ejemplo.

VALOR NUTRITIVO POR RACIÓN: *Proteínas 35 g; grasas 40 g; hidratos de carbono 25 g; fibra dietética 5 g; colesterol 150 mg; 2475 kJ (590 cal)*

TORTILLA ITALIANA

Tiempo de preparación: 20 minutos
Tiempo de cocción: 15 minutos
Para 4 personas

2 cucharadas de aceite de oliva

1 cebolla picada

125 g de jamón troceado

6 huevos

1/4 taza (60 ml) de leche

2 tazas de fusilli o espirales cocidas
　(150 g sin cocer)

3 cucharadas de parmesano rallado

2 cucharadas de perejil fresco picado

1 cucharada de albahaca fresca picada

1/2 taza (60 g) de queso cheddar recién rallado

1 Caliente la mitad del aceite en una sartén. Añada la cebolla y remueva a fuego lento hasta que esté tierna. Agregue el jamón troceado y remueva durante 1 minuto. Pase la mezcla a un plato y resérvela.

2 Bata los huevos, la leche, y sal y pimienta al gusto en un cuenco. Añada la pasta, el parmesano, las hierbas y la mezcla de cebolla, y revuelva.

3 Caliente el aceite restante en la misma sartén. Vierta la mezcla de huevo y espolvoree con queso. Cueza a fuego lento hasta que empiece a cuajarse por los bordes. Déle la vuelta y termine de cocer el otro lado. Córtela en triángulos para servirla.

NOTA: Puede acompañar esta tortilla con una ensalada verde o con una ensalsada mixta.

VALOR NUTRITIVO POR RACIÓN: *Proteínas 25 g; grasas 25 g; hidratos de carbono 30 g; fibra dietética 2 g; colesterol 310 mg; 1925 kJ (460 cal)*

ARRIBA: Tortilla italiana

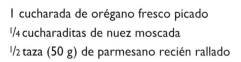

1 cucharada de orégano fresco picado

1/4 cucharaditas de nuez moscada

1/2 taza (50 g) de parmesano recién rallado

Salsa bechamel

60 g de mantequilla

2 cucharadas de harina

1 1/2 tazas (375 ml) de leche fría

150 g de bucatini

1 Trabaje la harina con la mantequilla, el azúcar y la yema en un robot de cocina con 1 cucharada de agua, hasta obtener una bola, añadiendo más agua si es necesario. Amásela sobre una superficie enharinada, hasta dejarla fina. Envuélvala con film transparente y refrigérela.

2 Para hacer el relleno, caliente el aceite en una sartén de fondo pesado y fría la cebolla y el ajo hasta que estén tiernos y algo dorados. Aumente el fuego, añada la carne y fríala hasta que esté dorada, deshaciendo los grumos con un tenedor. Añada el hígado, el tomate, el vino tinto, el caldo, el orégano y la nuez moscada, y salpiméntelo todo bien. Cueza a fuego rápido hasta que hierva; reduzca el fuego, tape y cueza otros 40 minutos. Deje enfriar y mézclelo con el parmesano.

3 Para la bechamel, caliente la mantequilla en un cazo a fuego lento. Añada la harina y remueva durante 1 minuto, hasta que la mezcla esté dorada y fina. Retírela del fuego y, removiendo, añada gradualmente la leche. Devuelva el cazo al fuego y remueva constantemente hasta que la salsa hierva y empiece a espesar. Déjela cocer a fuego lento otro minuto y salpimiente al gusto.

4 Cueza los bucatini en agua hirviendo y sal, hasta que estén al dente. Escúrralos y déjelos enfriar. Unte un molde hondo para tartas de 23 cm de diámetro con aceite o mantequilla derretida, y precaliente el horno a 160°C. Divida la masa en dos partes y extienda una de ellas para cubrir la base y los lados de la fuente. Vierta la mitad de la mezcla de carne en la fuente, cúbrala con los bucatini y extienda la bechamel por encima con una cuchara, dejando que se filtre hacia abajo y empape los bucatini. Coloque la carne restante encima. Extienda la otra mitad de la masa y cubra el pastel. Recorte los bordes y apriete un poco para sellarlo. Hornee durante 50 a 55 minutos, hasta que se haya dorado bien y esté crujiente. Déjelo reposar 15 minutos antes de cortarlo.

VALOR NUTRITIVO POR RACIÓN: *Proteínas 35 g; grasas 50 g; hidratos de carbono 65 g; fibra dietética 5 g; colesterol 270 mg; 3595 kJ (860 cal)*

PASTICCIO

Tiempo de preparación: 1 hora
Tiempo de cocción: 1 hora 50 minutos
Para 6 personas

2 tazas (250 g) de harina

125 g de mantequilla fría picada

1/4 taza (60 g) de azúcar fino

1 yema de huevo

Relleno

2 cucharadas de aceite de oliva

1 cebolla picada

2 dientes de ajo picados finamente

500 g de carne de ternera picada

150 g de hígado de pollo

2 tomates picados

1/2 taza (125 ml) de vino tinto

1/2 taza (125 ml) de caldo de carne concentrado

ARRIBA: Pasticcio

PASTITSIO

Tiempo de preparación: 1 hora
Tiempo de cocción: 1 hora 25 minutos
Para 8 personas

2 cucharadas de aceite de oliva

4 dientes de ajo majados

3 cebollas picadas

1 kg de carne de cordero picada

800 g de tomates pelados en conserva, picados

1 taza (250 ml) de vino tinto

1 taza (250 ml) de caldo de pollo

3 cucharadas de puré de tomate
   (doble concentrado)

2 cucharadas de hojas de orégano frescas

2 hojas de laurel

350 g de ziti

2 huevos ligeramente batidos

750 g de yogur al estilo griego

3 huevos ligeramente batidos, adicionales

200 g de queso kefalotyri o manchego rallado

1/2 cucharadita de nuez moscada molida

1/2 taza (50 g) de parmesano recién rallado

1 taza (80 g) de pan recién rallado

1 Precaliente el horno a 200°C. Para hacer la salsa de carne, caliente el aceite en una sartén grande de fondo pesado y cueza el ajo y la cebolla a fuego lento durante 10 minutos, o hasta que la cebolla esté tierna y dorada.

2 Agregue la carne picada y fríala a fuego rápido hasta que esté dorada, removiendo y deshaciendo los grumos. Añada el tomate, el vino, el caldo, el puré de tomate y las hojas de laurel. Llévelo todo a ebullición, reduzca el fuego, tape y cueza lentamente durante 15 minutos. Destape y cueza durante 30 minutos. Salpimiente.

3 Mientras se hace la carne, cueza los ziti en una olla con agua hirviendo y sal, hasta que estén al dente. Escúrralos y trasládelos a un bol. Añada el huevo, removiendo bien y páselo todo a una fuente de horno, de 4 litros de capacidad y un poco engrasada. Cubra con la salsa de carne.

4 Bata en un bol el yogur, los huevos adicionales, el queso y la nuez moscada y viértalos sobre la salsa de carne. Espolvoree con el parmesano y el pan rallado mezclados. Hornee hasta que la superficie esté crujiente y dorada. Deje reposar 20 minutos y sirva con una ensalada verde.

NOTA: El kefalotyri y el manchego son adecuados para rallar. Puede sustituirlos por parmesano.

VALOR NUTRITIVO POR RACIÓN: *Proteínas 50 g; grasas 40 g; hidratos de carbono 45 g; fibra dietética 5 g; colesterol 250 mg; 3275 kJ (780 cal)*

PASTICCIO Y PASTITSIO

Es fácil confundir estos dos términos (*pastizio*, o *pastetseo*). En la cocina italiana, el pasticcio es un término genérico para definir un pastel en el que las partes que lo componen, como la carne, la pasta y las verduras, son horneadas en capas. De hecho, la lasaña es un tipo de pasticcio, y algunos tienen una costra de masa. El pasticcio se hace para las ocasiones especiales, y puede ser sencillo y de un solo ingrediente, o con una composición e ingredientes bastante elaborados. Se come como plato principal y tradicionalmente se sirve sin nada que lo acompañe, seguido de un plato de ensalada o verduras. El pastitsio es la versión griega, y a menudo ambos son tan similares, que resulta difícil saber por la receta a qué país pertenecen. El pastitsio se suele preparar con cordero en lugar de carne de ternera, y a menudo también lo caracterizan ciertos ingredientes griegos, como las aceitunas y el yogur.

IZQUIERDA: Pastitsio

CALABAZA BONETERA RELLENA DE PASTA Y PUERRO

Tiempo de preparación: 30 minutos
Tiempo de cocción: 1 hora
Para 2 personas como comida ligera,
o para 4 como acompañamiento

 ✬ ✬

1 calabaza bonetera mediana
20 g de mantequilla
1 puerro cortado en rodajas finas
1/2 taza (125 ml) de nata líquida
una pizca de nuez moscada
60 g de linguine o stellini cocidos
1/4 taza (60 ml) de aceite de oliva

1 Precaliente el horno a 180°C. Corte limpiamente la cuarta parte del extremo superior de la butternut pumpkin (donde se une con el tallo), para hacer con ella una tapa. Aplane el otro extremo, para que se mantenga derecha. Raspe las semillas y los nervios de la calabaza y deséchelos. Haga un hueco en el centro para dejar espacio para el relleno. Salpimiente la superficie de los cortes y traslade la calabaza a una fuente de horno pequeña.
2 Derrita la mantequilla en una sartén pequeña, y fría suavemente el puerro hasta que esté dorado. Añada la nata líquida y la nuez moscada y cueza a fuego lento de 4 a 5 minutos, o bien hasta que haya espesado. Condimente con sal y pimienta blanca al gusto, añada la pasta y remueva.
3 Rellene la calabaza con la mezcla de pasta, coloque la tapa encima y rocíela con un poco de aceite de oliva. Introduzca la calabaza en el horno durante 1 hora, o bien hasta que esté tierna. Compruebe que está cocida insertando un pincho en la parte más gruesa de la calabaza.
NOTA: Escoja una calabaza que sea redonda y gruesa, y no de cuerpo alargado.

VALOR NUTRITIVO POR RACIÓN (4): *Proteínas 10 g; grasas 30 g; hidratos de carbono 30 g; fibra dietética 6 g; colesterol 50 mg; 1885 kJ (450 cal)*

BRAZO DE POLLO Y TERNERA CON CHAMPIÑONES Y NATA AGRIA

Tiempo de preparación: 20 minutos
Tiempo de cocción: 1 hora
Para 6 personas

 ✬ ✬

100 g de pappardelle
1/4 taza (20 g) de pan recién rallado
1 cucharada de vino blanco
375 g de carne de pollo picada
375 g de carne de ternera picada
2 dientes de ajo majados
100 g de champiñones botón picados
2 huevos batidos
una pizca de nuez moscada
una pizca de pimienta de Cayena
1/4 taza (60 ml) de nata agria
4 cebolletas picadas finamente
2 cucharadas de perejil fresco picado

1 Engrase un molde para pan de 1 1/2 litros de capacidad. Cueza los pappardelle en una olla grande con agua hirviendo y sal, hasta que estén al dente y escúrralos.
2 Precaliente el horno a 200°C.
3 Empape el pan rallado con el vino y mézclelo en un cuenco con la carne picada de pollo y de ternera, el ajo, los champiñones, los huevos, la nuez moscada, la pimienta de Cayena, y sal y pimienta al gusto. Añada la nata agria, las cebolletas y el perejil, y revuelva.
4 Con las manos, coloque la mitad de la mezcla de carne picada en el molde preparado. Forme una hendidura profunda que vaya de un extremo al otro, a lo largo del molde, y rellénela con los pappardelle. Esparza el resto de la mezcla de carne picada por encima y presiónela. Hornee el brazo de 50 a 60 minutos, retirando la grasa y el líquido sobrantes del molde dos veces durante la cocción. Antes de cortarlo, déjelo enfriar ligeramente.
NOTA: Puede picar los chapiñones en un robot de cocina. No los prepare con mucho tiempo de antelación, puesto que perderían su color y oscurecerían el plato.

VALOR NUTRITIVO POR RACIÓN: *Proteínas 35 g; grasas 20 g; hidratos de carbono 15 g; fibra dietética 2 g; colesterol 205 mg; 1545 kJ (365 cal)*

CALABAZA BONETERA
Las calabazas boneteras tienen un sabor dulce, mantecoso y parecido a la nuez. Cuando son jóvenes, son firmes, sin grietas ni manchas en la piel, mientras que su carne es crujiente, de color vivo y con un bajo contenido de agua.

PÁGINA ANTERIOR:
Calabaza bonetera rellena de pasta y puerros (superior), brazo de pollo y ternera con champiñones y nata agria

PATÉ DE ACEITUNAS VERDES

Cuando se mezcla la pulpa de las aceitunas verdes con aceite de oliva, sal y hierbas, se obtiene un puré que se conoce como pasta o paté de aceitunas verdes. Es ideal para untar el pan y se puede usar para aliñar pasta y verduras. Las sopas y las salsas ganan en color y sabor, y las aves untadas con este paté resultan deliciosas.

ARRIBA: Pasta con paté de aceitunas verdes y tres quesos

PASTA CON PATÉ DE ACEITUNAS VERDES Y TRES QUESOS

Tiempo de preparación: 10 minutos
Tiempo de cocción: 20 minutos
Para 4 personas

400 g de mafalda o pappardelle

2 cucharadas de aceite de oliva

2 dientes de ajo majados

1/2 taza (125 g) de pasta de aceitunas verdes

4 cucharadas de nata líquida

1/2 taza (50 g) de parmesano recién rallado

1/2 taza (60 g) de queso cheddar rallado

1/2 taza (50 g) de queso jarlsberg rallado

1 Precaliente el horno a 200°C. Unte ligeramente con aceite una fuente honda resistente al calor.

2 Cueza la pasta en una olla grande con agua hirviendo y sal, hasta que esté al dente. Escúrrala y vuelva a ponerla en la olla.

3 Mezcle el paté con el aceite de oliva, el ajo y la pasta de aceitunas verdes, y a continuación con la nata líquida. Sazónelo todo con pimienta y viértalo en la fuente.

4 Espolvoréelo con los quesos. Hornee, sin taparlo, durante 20 minutos, o bien hasta que la superficie esté crujiente y los quesos se hayan derretido.

VALOR NUTRITIVO POR RACIÓN: *Proteínas 25 g; grasas 40 g; hidratos de carbono 70 g; fibra dietética 6 g; colesterol 65 mg; 3055 kJ (725 cal)*

CONCHIGLIE GIGANTES CON RICOTTA Y ORUGA

Tiempo de preparación: 50 minutos
Tiempo de cocción: I hora
Para 6 personas

40 conchiglie gigantes

Relleno

500 g de queso ricotta
I taza (100 g) de parmesano rallado
150 g de oruga cortada en tiras finas
I huevo ligeramente batido
180 g de alcachofas adobadas picadas
1/2 taza (80 g) de tomates secados al sol picados
1/2 taza (95 g) de pimientos desecados picados

Salsa de queso

60 g de mantequilla
30 g de harina
3 tazas (750 ml) de leche
100 g de queso gruyere rallado
2 cucharadas de albahaca fresca picada

600 ml de salsa envasada para pasta
2 cucharadas de hojas de orégano frescas
   picadas
2 cucharadas de hojas de albahaca frescas
   ralladas

I Cueza los conchiglie gigantes en una olla grande con agua hirviendo y sal, hasta que estén al dente. Escúrralos y dispóngalos en 2 bandejas de horno antiadherentes, para evitar que se peguen unos con otros.
2 Para hacer el relleno, mezcle todos los ingredientes en un cuenco grande. Con una cuchara, introduzca el relleno en las caracolas, sin llenarlas demasiado, porque podrían romperse.
3 Para hacer la salsa de queso, derrita la mantequilla en una cacerola pequeña a fuego lento. Añada la harina y remueva durante 1 minuto, o hasta que la mezcla esté fina y dorada. Retírela del fuego e incorpore gradualmente la leche. Vuelva a poner la cacerola al fuego y remueva constantemente hasta que la salsa hierva y empiece a espesar. Déjela cocer a fuego lento durante otro minuto. Retírela del fuego y agregue el queso gruyere con la albahaca, y sal y pimienta al gusto.

4 Precaliente el horno a 180°C. Extienda 1 taza de la salsa de queso sobre la base de una fuente para horno de 3 litros de capacidad. Disponga las caracolas rellenas sobre la salsa, cúbralas con la salsa restante, y hornéelas durante 30 minutos, o bien hasta que la salsa esté dorada.
5 Vierta la salsa envasada y el orégano en una cacerola, y cueza a fuego medio durante 5 minutos, o hasta que esté bien caliente. Para servir, distribuya la salsa en los platos individuales, coloque los conchiglie encima y decore con las tiras de albahaca fresca.

VALOR NUTRITIVO POR RACIÓN: *Proteínas 35 g; grasas 35 g; hidratos de carbono 70 g; fibra dietética 8 g; colesterol 145 mg; 3165 kJ (755 cal)*

ARRIBA: Conchiglie gigantes con ricotta y oruga

PASTA RÁPIDA

Olvídese de las comidas preparadas y para llevar: la pasta es la opción más cómoda. Estos platos están listos en unos 30 minutos. La preparación de algunos de ellos es tan rápida que estarán en la mesa antes de que su familia se haya sentado. ¿Sus amigos se presentan inesperadamente? Una buena provisión de pasta seca es la clave para poder prepararles una comida rápida y fácil, y debería formar parte de cualquier despensa bien abastecida. ¿Llaman a la puerta? Ya puede gratinar el parmesano.

ACEITUNAS VERDES

Como el mismo nombre sugiere, las aceitunas verdes son la fruta no madurada del olivo. Cuando las aceitunas empiezan a formarse, no contienen aceite, tan sólo azúcares y ácidos orgánicos, y esto es lo que les proporciona su sabor fuerte. Cuando las aceitunas maduran, su color pasa de verde pálido, a verde vivo, rosa, morado intenso, y negro, y aumenta el contenido de aceite. Su carne pasa de dura y crujiente a suave y más bien esponjosa. Por ello, para que sean comestibles, las aceitunas verdes deben ser tratadas de manera diferente a las negras, y esto explica el contraste de sabor y textura entre ellas.

ARRIBA: Linguine con anchoas, aceitunas y alcaparras

LINGUINE CON ANCHOAS, ACEITUNAS Y ALCAPARRAS

Listo para comer en 30 minutos
Para 4 personas

500 g de linguine

2 cucharadas de aceite de oliva

2 dientes de ajo majados

2 tomates muy maduros, pelados y picados

3 cucharadas de alcaparras

1/2 taza (75 g) de aceitunas negras deshuesadas picadas

1/4 taza (55 g) de aceitunas verdes deshuesadas picadas

1/4 taza (60 ml) de vino blanco seco

3 cucharadas de albahaca o perejil fresco picado

90 g de anchoas en conserva, escurridas y picadas

1 Cueza los linguine en una olla grande con agua hirviendo y sal, hasta que estén al dente. Escúrralos y devuélvalos a la olla.

2 Mientras cuece la pasta, caliente el aceite en una sartén grande. Añada el ajo y remueva a fuego lento durante 1 minuto. Agregue el tomate, las alcaparras y las aceitunas, y déjelo cocer todo durante 2 minutos.

3 Añada el vino, el perejil o albahaca, y pimienta negra recién molida al gusto, y remueva. Lleve a ebullición, reduzca la temperatura y cueza durante unos 5 minutos. Retire la sartén del fuego, añada las anchoas y remueva suavemente.

4 Incorpore la mezcla a la pasta caliente en la olla y revuelva todo bien.

NOTA: En las ocasiones especiales puede añadir una cobertura: caliente aceite de oliva en un cazo pequeño, añada pan rallado fresco y un diente de ajo majado. Remueva hasta que esté crujiente y dorado y espárzalo por encima con parmesano recién rallado.

VALOR NUTRITIVO POR RACIÓN: *Proteínas 20 g; grasas 15 g; hidratos de carbono 90 g; fibra dietética 8 g; colesterol 15 mg; 2525 kJ (600 cal)*

FETTUCINE CON ESPINACAS Y PROSCIUTTO

Listo para comer en 20 minutos
Para 4 a 6 personas

500 g de fettucine de espinacas o al natural

2 cucharadas de aceite de oliva

8 lonchas finas de prosciutto picadas

3 cebolletas picadas

500 g de espinacas

1 cucharada de vinagre balsámico

1/2 cucharadita de azúcar extrafino

1/2 taza (50 g) de parmesano recién rallado

1 Cueza la pasta en una olla grande con agua hirviendo y sal, hasta que esté al dente. Escúrrala y devuélvala a la olla.

2 Mientras se cuece la pasta, caliente el aceite en una cazuela de fondo pesado grande y honda. Agregue el prosciutto y las cebolletas y fría a fuego medio, removiendo de vez en cuando, durante 5 minutos, o hasta que estén crujientes.

3 Retire los tallos de las espinacas, corte las hojas en pedazos y añádalas a la cazuela. Agregue el vinagre y el azúcar, remueva, tape y cueza durante 1 minuto, o bien hasta que las espinacas se hayan ablandado. Salpimiente al gusto.

4 Incorpore la salsa a la pasta y remueva bien para distribuirla uniformemente. Espolvoree el plato con parmesano y sirva en seguida.

VALOR NUTRITIVO POR RACIÓN (6): *Proteínas 20 g; grasas 10 g; hidratos de carbono 60 g; fibra dietética 7 g; colesterol 25 mg; 1825 kJ (435 cal)*

PASTA CON LIMA FRAGANTE Y TRUCHA AHUMADA

Listo para comer en 30 minutos
Para 4 personas

500 g de linguine al natural y de espinacas

1 cucharada de aceite de oliva virgen extra

3 dientes de ajo majados

1 cucharada de piel de lima rallada

2 cucharadas de semillas de amapola

250 g de trucha ahumada, sin la piel ni las espinas

400 g de queso camembert en pedacitos

2 cucharadas de eneldo fresco picado

gajos de lima para servir

1 Cueza los linguine en una olla grande con agua hirviendo y sal, hasta que estén al dente, y escúrralos.

2 Caliente el aceite de oliva en una sartén grande de fondo pesado. Añada el ajo y fríalo a fuego lento durante 3 minutos, o hasta que despida un aroma intenso. Agregue la ralladura de lima, las semillas de amapola y la pasta a la sartén, y remueva para que se mezclen.

3 Incorpore la trucha, el camembert y el eneldo, y cueza a fuego lento hasta que el camembert empiece a derretirse. Remueva la pasta suavemente y sírvala en seguida con unas gotas de lima.

VALOR NUTRITIVO POR RACIÓN: *Proteínas 50 g; grasas 40 g; hidratos de carbono 90 g; fibra dietética 6 g; colesterol 140 mg; 3870 kJ (920 cal)*

ESPINACAS
Las hojas de las espinacas verdes son de color verde oscuro o medio oscuro, y son más pequeñas que las de las acelgas. Los tallos son finos y sólo es necesario retirar el extremo de la base, que es más duro. Se pueden cocer al vapor, freír, hervir ligeramente u hornear en un gratín o en un pastel.

ARRIBA: Fettucine con espinacas y prosciutto

RAVIOLI DE POLLO CON ALIÑO BALSÁMICO DE LIMA

Listo para comer en 30 minutos
Para 4 personas

250 g de carne de pollo picada

1 huevo ligeramente batido

1 cucharadita de piel de naranja rallada

1/2 taza (50 g) de parmesano recién rallado

1 cucharada de albahaca fresca cortada en tiras finas

275 g de láminas de won ton

2 cucharadas de zumo de lima

2 cucharadas de vinagre balsámico

1/2 cucharadita de miel

1 cucharada de aceite

1 Mezcle en un cuenco la carne de pollo picada con el huevo, la ralladura de naranja, el parmesano y la albahaca. Coloque una cucharada colmada de esta mezcla en el centro de cada lámina won ton, unte ligeramente con agua los bordes de la lámina y coloque otra encima. Presione los bordes para sellarlos. Repita la operación con el relleno y las láminas restantes (éste es un método rápido para elaborar ravioli en casa).

2 Cueza los ravioli de pollo en una olla grande con agua hirviendo y sal durante 5 minutos.

3 Mientras tanto, mezcle el zumo de lima con el vinagre balsámico, la miel y el aceite en una jarra pequeña, y bátalos para mezclarlos. Escurra los ravioli y sírvalos regados con el aliño y con cebollino fresco picado por encima. Decore el plato con rodajas de lima, si lo desea.

VALOR NUTRITIVO POR RACIÓN: *Proteínas 30 g; grasas 20 g; hidratos de carbono 50 g; fibra dietética 2 g; colesterol 120 mg; 2020 kJ (480 cal)*

ZITI CON TOMATES ASADOS Y OVOLINI

Listo para comer en 30 minutos
Para 4 personas

200 g de tomates de lágrima amarillos

200 g de tomates cherry rojos

500 g de ziti

200 g de queso ovolini

100 g de alcaparras

3 cucharadas de hojas frescas de mejorana

3 cucharadas de hojas de tomillo de limón frescas

2 cucharadas de aceite de oliva virgen extra

3 cucharadas de vinagre balsámico

1 Precaliente el horno a 200°C. Corte todos los tomates por la mitad y áselos, colocados sobre una bandeja de horno con la piel hacia arriba durante 15 minutos.

2 Mientras tanto, cueza los ziti en una olla grande con agua hirviendo y sal, hasta que estén al dente. Escúrralos y devuélvalos a la olla.

3 Añada los tomates y los otros ingredientes a la pasta, remueva bien y sirva de inmediato.

NOTA: Use cantidades menores de hierbas aromáticas, si lo prefiere. El ovolini es un queso fresco pequeño que se puede adquirir en tiendas especializadas y en algunos supermercados. Si no lo encuentra, use bocconcini cortado en trocitos.

VALOR NUTRITIVO POR RACIÓN: *Proteínas 30 g; grasas 30 g; hidratos de carbono 90 g; fibra dietética 10 g; colesterol 50 mg; 3110 kJ (740 cal)*

OTRAS SUGERENCIAS

ENSALADA DE HIERBAS Mezcle en un cuenco hojas de albahaca frescas, oruga, perejil plano, cilantro y hojas de espinacas pequeñas. Rocíelo todo con un aliño de ajo majado, zumo de limón, miel y aceite de oliva. Remueva y sirva con pimienta negra recién molida.

ENSALADA MIXTA DE TOMATE Mezcle en un bol tomates cherry, tomates de lágrima y rodajas de tomates de pera, con cebolla roja picada y hojas de albahaca cortadas en tiritas. Aliñe con un poco de vinagre de vino tinto y aceite de oliva.

LIMAS

El limero es un árbol tropical cuya fruta cítrica es pequeña, de un color verde amarillento muy característico, casi totalmente redonda y con una piel fina. Su agradable sabor ácido tiene un regusto tropical. Las rodajas de lima sin pelar son muy decorativas, y su jugo y su piel se emplean para realzar tanto sabores dulces como salados. El jugo de la lima es muy adecuado para conservar alimentos, especialmente el pescado.

PÁGINA SIGUIENTE:
Ravioli de pollo con aliño balsámico de lima (superior), ziti con tomates asados y ovolini

ARRIBA DESDE LA IZQUIERDA: Farfalle con guisantes, penne con oruga, penne con aceitunas y pesto de pistacho

FARFALLE CON GUISANTES

Listo para comer en 20 minutos
Para 4 personas

500 g de farfalle
1 ¹/₂ tazas (235 g) de guisantes pequeños
    congelados
8 lonchas finas de pancetta
60 g de mantequilla
2 cucharadas de menta fresca rallada
2 cucharadas de albahaca fresca rallada

1 Cueza los farfalle en una olla con agua hirviendo y sal, hasta que estén al dente, y escurra.
2 Mientras tanto, cueza los guisantes al vapor, en el microondas o hirviéndolos ligeramente, hasta que estén tiernos, y escúrralos. Pique la pancetta y fríala en la mantequilla a fuego medio, unos 2 minutos. Mézclala con la pasta, los guisantes, la albahaca y la menta y condimente el plato con sal y pimienta negra molida.

VALOR NUTRITIVO POR RACIÓN: *Proteínas 20 g; grasas 40 g; hidratos de carbono 90 g; fibra dietética 10 g; colesterol 220 mg; 3470 kJ (830 cal)*

PENNE CON ORUGA

Listo para comer en 20 minutos
Para 4 personas

500 g de penne
100 g de mantequilla
200 g de oruga picada gruesa
3 tomates picados
¹/₂ taza (45 g) de queso pecorino rallado
parmesano recién rallado para servir

1 Cueza los penne en una olla grande con agua hirviendo y sal, hasta que estén al dente. Escúrralos y devuélvalos a la olla. Ponga la olla a fuego lento, agregue la mantequilla, removiendo hasta que se haya derretido y recubra la pasta.
2 Añada las hojas de oruga a la pasta junto con el tomate. Remueva bien, hasta que la oruga pierda lozanía. Incorpore el pecorino, remueva y salpimiente al gusto. Sirva el plato espolvoreado con parmesano recién rallado.

VALOR NUTRITIVO POR RACIÓN: *Proteínas 20 g; grasas 25 g; hidratos de carbono 90 g; fibra dietética 10 g; colesterol 80 mg; 2885 kJ (690 cal)*

PENNE CON ACEITUNAS Y PESTO DE PISTACHO

Listo para comer en 20 minutos
Para 4 personas

☆

500 g de penne
125 g de pistachos descascarados y sin sal
4 dientes de ajo
1 cucharada de granos de pimienta verdes
2 cucharadas de zumo de limón
150 g de aceitunas negras deshuesadas
1 1/2 tazas (150 g) de parmesano recién rallado, parmesano adicional en virutas para servir
1/2 taza (125 ml) de aceite de oliva ligero

1 Cueza los penne en una olla grande con agua hirviendo y sal, hasta que estén al dente. Escúrralos y devuélvalos a la olla.
2 Mientras tanto, triture los pistachos, el ajo, la pimienta, el zumo de limón, las aceitunas negras y el parmesano en un robot de cocina durante 30 segundos, hasta que estén picados gruesos.
3 Sin parar el motor del robot, vierta el aceite de oliva en un fino hilo y tritúrelo todo hasta que se haya convertido en una pasta homogénea. Mezcle este pesto con la pasta caliente y sirva el plato con el parmesano adicional por encima.

VALOR NUTRITIVO POR RACIÓN: *Proteínas 40 g; grasas 60 g; hidratos de carbono 90 g; fibra dietética 10 g; colesterol 35 mg; 4420 kJ (1055 cal)*

OTRAS SUGERENCIAS

ENSALADA DE TOMATE, HUEVO Y ACEITUNAS

Corte 6 tomates maduros en rodajas gruesas y dispóngalas en una bandeja grande, cúbralas con una cebolla roja en rodajas finas, 6 huevos duros en rodajas y 1/2 taza (90 g) de aceitunas negras aliñadas. Esparza hojas de albahaca fresca por encima. Alíñelo con aceite de oliva virgen extra y con abundante sal marina y pimienta negra recién molida.

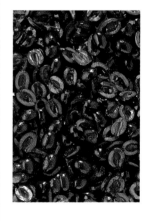

ESPAGUETIS CON SALSA DE CARNE Y CHAMPIÑONES

Listo para comer en 30 minutos
Para 6 personas

- I cucharada de aceite de oliva ligero
- I cebolla grande picada fina
- 2 dientes de ajo majados
- 500 g de carne de ternera magra picada
- 350 g de champiñones de botón, partidos por la mitad
- I cucharada de hierbas secas variadas
- ¹/₂ cucharadita de pimentón
- ¹/₂ cucharadita de pimienta negra molida
- 825 g de tomates de lata triturados
- ¹/₂ taza (125 g) de puré de tomate (doble concentrado)
- ¹/₂ taza (125 ml) de vino tinto seco
- ¹/₂ taza (125 ml) de caldo de carne
- 500 g de espaguetis
- parmesano recién rallado para servir

I Caliente el aceite en una cazuela grande. Añada la cebolla, el ajo y la carne, y cuézalo 5 minutos, rompiendo los grumos de carne con un tenedor. Agregue los champiñones, las hierbas, el pimentón y la pimienta. Reduzca el fuego al mínimo, y, removiendo, añada el tomate triturado, el puré de tomate, el vino tinto y el caldo. Tape y cueza a fuego lento durante 15 minutos.
2 Mientras tanto, cueza al dente los espaguetis en agua hirviendo y sal. Escúrralos y sírvalos napados con la salsa y con el parmesano.

VALOR NUTRITIVO POR RACIÓN: *Proteínas 30 g; grasas 15 g; hidratos de carbono 70 g; fibra dietética 10 g; colesterol 55 mg; 2300 kJ (550 cal)*

OTRAS SUGERENCIAS

ESALADA DE PROSCIUTTO, CAMEMBERT E HIGOS Disponga hojas de lechuga rizada en una bandeja grande y distribuya por encima 4 higos frescos cortados en cuartos, 100 g de camembert y 60 g de prosciutto en lonchas finas y previamente tostado al horno hasta dejarlo crujiente. Haga una salsa vinagreta batiendo 1 diente de ajo majado, 1 cucharada de mostaza, 2 cucharadas de vinagre de vino blanco y ¹/₃ taza (80 ml) de aceite de oliva. Aderece la ensalada con este aliño.

PENNE CON PIMIENTOS ASADOS

Listo para comer en 30 minutos
Para 4 personas

- I pimiento rojo
- I pimiento verde
- I pimiento amarillo o naranja
- I cucharada de aceite de oliva
- 2 dientes de ajo majados
- 6 filetes de anchoa picados
- I cucharadita de pimienta machacada sazonada
- ¹/₃ taza (80 ml) vino blanco seco
- I taza (250 ml) caldo vegetal
- 2 cucharadas de puré de tomate (doble concentrado)
- 500 g de penne
- I cucharada de perejil fresco picado

I Corte los pimientos en trozos grandes y planos y deseche las semillas y las membranas. Áselos en el grill, con la piel hacia arriba, hasta que ésta haya ennegrecido y se hinche. Retírelos del horno, y cúbralos con un paño húmedo. Cuando estén fríos, pélelos y corte la carne en tiras finas.
2 Caliente el aceite en una cacerola grande, añada el ajo y los filetes de anchoa, y déjelos cocer a fuego lento durante 2 o 3 minutos. Agregue las tiras de pimiento, la pimienta sazonada y el vino. Lleve a ebullición, reduzca el fuego y cueza a fuego lento durante 5 minutos. Incorpore el caldo y el puré de tomate, y cuézalo todo a fuego lento durante 10 minutos.
3 Mientras hace la salsa, cueza los penne en una olla grande con agua hirviendo y sal, hasta que estén al dente. Escúrralos, añádalos a la salsa y remueva hasta que esté todo bien mezclado. Agregue el perejil fresco y sirva el plato en seguida, junto con pan italiano crujiente.
NOTA: Si no encuentra pimientos amarillos, emplee otro rojo en su lugar, pues son más dulces que los verdes.

VALOR NUTRITIVO POR RACIÓN: *Proteínas 20 g; grasas 10 g; hidratos de carbono 95 g; fibra dietética 10 g; colesterol 5 mg; 2245 kJ (535 cal)*

NO TODOS LOS PIMIENTOS SON IGUALES
Los pimientos verdes, amarillos, rojos y morados pertenecen a la misma familia, pero tienen características distintas. El color es la más evidente, pero la textura, el sabor y las propiedades digestivas también varían de unos a otros. Los pimientos rojos son los que poseen el sabor más dulce y la carne más tierna, propiedades que cambian cuando se los somete al calor. Son, por consiguiente, los mejores para asar al horno, seguidos de los anaranjados y los amarillos. Los pimientos verdes y morados, por su parte, se emplean en platos en que se precisa una textura crujiente y un sabor bien definido como, por ejemplo, en ensaladas y salteados.

PÁGINA ANTERIOR: Espaguetis con salsa de carne y champiñones (superior), penne con pimientos asados

ESPAGUETIS CON AJO Y GUINDILLA

Listo para comer en *20 minutos*
Para *4 personas*

500 g de espaguetis
¹/₂ taza (125 ml) de aceite de oliva virgen extra
3 dientes de ajo majados
1 guindilla roja picada

1 Cueza los espaguetis en una olla grande con agua hirviendo y sal, hasta que estén al dente. Escúrralos y devuélvalos a la olla.
2 Antes de que los espaguetis estén cocidos, caliente el aceite en una cacerola pequeña. Cuando esté caliente, agregue el ajo y la guindilla y remueva a fuego lento durante 2 minutos. Añada este aceite aromatizado a la pasta y remueva.

VALOR NUTRITIVO POR RACIÓN: *Proteínas 15 g; grasas 30 g; hidratos de carbono 90 g; fibra dietética 10 g; colesterol 0 mg; 2900 kJ (690 cal)*

FUSILLI CON SALVIA Y AJO

Listo para comer en *20 minutos*
Para *4 personas*

500 g de fusilli
60 g de mantequilla
2 dientes de ajo majados
¹/₂ taza (10 g) de hojas de salvia frescas
2 cucharadas de nata líquida
parmesano recién rallado para servir

1 Cueza los fusilli en una olla grande con agua hirviendo y sal, hasta que estén al dente. Escúrralos y devuélvalos a la olla.
2 Mientras la pasta se cuece, derrita la mantequilla en una sartén. Añada el ajo y las hojas de salvia fresca y fríalos a fuego lento durante 4 minutos, removiendo con frecuencia.
3 Agregue la nata líquida y condiméntelo con un poco de sal y pimienta negra recién machacada al gusto. Incorpore la salsa a la pasta

escurrida, y remueva hasta mezclarlo todo bien. Justo antes de servir, esparza por encima el queso parmesano recién rallado.

VALOR NUTRITIVO POR RACIÓN: *Proteínas 15 g; grasas 20 g; hidratos de carbono 90 g; fibra dietética 5 g; colesterol 55 mg; 2510 kJ (600 cal)*

RUOTE CON LIMÓN, ACEITUNAS Y BACON

Listo para comer en 25 minutos
Para 4 personas

500 g de ruote

6 lonchas de bacon

1 taza (125 g) de aceitunas negras en rodajitas

1/3 taza (80 ml) de zumo de limón

2 cucharaditas de piel de limón rallada muy fina

1/3 taza (80 ml) de aceite de oliva

1/3 taza (20 g) de perejil fresco picado

1 Cueza las ruote en una olla grande con agua hirviendo y sal, hasta que estén al dente. Escúrralas y devuélvalas a la olla.

2 Mientras la pasta se cuece, retire la corteza del bacon, córtelo en tiras finas y fríalo en una sartén hasta que empiece a dorarse.

3 Mezcle en un cuenco las aceitunas negras, el zumo de limón, la ralladura de limón, el aceite de oliva, el perejil picado y el bacon. Mézclelo cuidadosamente con la pasta, y revuelva bien. Sirva el plato sazonado con pimienta negra recién molida al gusto.

NOTA: Esta pasta en forma de ruedas de carro resulta muy atractiva, pues los tropezones de la salsa quedan atrapados entre los radios.

VALOR NUTRITIVO POR RACIÓN: *Proteínas 25 g; grasas 25 g; hidratos de carbono 90 g; fibra dietética 10 g; colesterol 30 mg; 2900 kJ (690 cal)*

ABAJO, DESDE LA IZQUIERDA: Espaguetis con ajo y guindilla, fusilli con salvia y ajo, ruedas con limón, aceitunas y bacon

PEREJIL

El perejil de hoja plana y el de hoja rizada són muy utilizados en la cocina cotidiana. El perejil proporciona sabor y color a los platos, tanto fresco como cocido, y es ideal para aderezar cualquier receta. Si no lo cultiva en casa, compre perejil que tenga los tallos firmes y cuyas hojas no estén marchitas. Para conservarlo, sumerja los tallos en agua fría y durará una semana, o bien póngalo en el departamento de las verduras del frigorífico, envuelto en servilletas de papel. El perejil es rico en hierro y en vitaminas A, B y C.

ARRIBA: Espaguetis a la puttanesca

ESPAGUETIS A LA PUTTANESCA

Listo para comer en 25 minutos
Para 4 a 6 personas

★★

500 g de espaguetis

2 cucharadas de aceite de oliva

3 dientes de ajo majados

2 cucharadas de perejil fresco picado

¼ ó ½ cucharadita de guindilla en copos o en polvo

2 latas de 425 g de tomate triturado

1 cucharada de alcaparras

3 filetes de anchoa picados

3 cucharadas de aceitunas negras

parmesano recién rallado para servir

1 Cueza los espaguetis en una olla grande con agua hirviendo y sal, hasta que estén al dente. Escúrralos y devuélvalos a la olla.

2 Mientras cuecen los espaguetis, caliente el aceite en una sartén grande de fondo pesado. Agregue el ajo, el perejil y los copos de guindilla, y fríalos a fuego medio durante 1 minuto, removiendo constantemente.

3 Añada el tomate triturado a la sartén, llévelo a ebullición, reduzca el fuego y cueza lentamente durante 5 minutos.

4 Incorpore las alcaparras, las anchoas y las aceitunas y cueza durante 5 minutos sin dejar de remover. Condimente con pimienta negra. Mezcle la salsa con la pasta hasta que esté bien distribuida y sirva el plato con el queso parmesano rallado por encima.

VALOR NUTRITIVO POR RACIÓN (6): *Proteínas 15 g; grasas 10 g; hidratos de carbono 65 g; fibra dietética 5 g; colesterol 5 mg; 1650 kJ (395 cal)*

ESPAGUETIS CON GUISANTES Y CEBOLLETAS

Listo para comer en 25 minutos
Para 4 a 6 personas

500 g de espaguetis o vermicelli

1 kg de cebolletas de bulbo grande

1 cucharada de aceite de oliva

4 lonchas de bacon picadas

2 cucharaditas de harina

1 taza (250 ml) de caldo de pollo

1/2 taza (125 ml) de vino blanco

1 taza (155 g) de guisantes frescos
   pelados

1 Cueza la pasta al dente en una olla grande con agua hirviendo y sal, y escúrrala.

2 Mientras la pasta se cuece, retire la piel exterior de las cebolletas y corte los extremos, dejando sólo una pequeña sección del tallo verde.

3 Caliente el aceite en una cacerola grande de fondo pesado. Agregue el bacon y las cebolletas y fría a fuego lento durante 4 minutos, o bien hasta que estén dorados. Espolvoree la harina por encima y remueva durante 1 minuto.

4 Añada el caldo y el vino y remueva hasta que la salsa hierva y espese un poco. Incorpore los guisantes y cuézalo todo 5 minutos más, hasta que las cebolletas estén tiernas. Sazone al gusto con pimienta negra y vierta la mezcla sobre la pasta. Remueva con cuidado y decore el plato con ramitas de hierbas aromáticas frescas al gusto.

VALOR NUTRITIVO POR RACIÓN (6): *Proteínas 20 g; grasas 5 g; hidratos de carbono 70 g; fibra dietética 10 g; colesterol 15 mg; 1770 kJ (420 cal)*

ARRIBA: Espaguetis con guisantes y cebolletas

CALABACÍN PEQUEÑO AMARILLO

Este tipo de calabacín es apreciado por su color, tamaño y textura. Es fácil de preparar y no tiene desperdicio. Se presta igual de bien para asar al horno, cocer al vapor o en agua hirviendo, o saltear. Es gracias a esta versatilidad que se ha hecho popular en las cocinas de muchos países.

RIGATONI CON HINOJO Y EMBUTIDO PICANTE

Listo para comer en 25 minutos
Para 4 a 6 personas

500 g de rigatoni

30 g de mantequilla

1 cucharada de aceite

500 g de chorizo picante cortado en rodajas gruesas diagonales

1 bulbo de hinojo en rodajas finas

2 dientes de ajo majados

1/3 taza (80 ml) de zumo de lima

400 g de pimientos morrones de lata cortados en rodajas

100 g de hojas pequeñas de oruga picadas

virutas de parmesano fresco para decorar

1 Cueza los rigatoni en una olla grande con agua hirviendo y sal, hasta que estén al dente. Escúrralos y devuélvalos a la olla.

2 Mientras los rigatoni se cuecen, caliente la mantequilla y el aceite en una sartén grande. Añada las rodajas de chorizo y fríalas a fuego medio hasta que estén bien doradas. Añada el hinojo y déjelo cocer, removiendo de vez en cuando, durante 5 minutos.

3 Añada el ajo a la sartén, y remueva durante 1 minuto. Agregue el zumo de lima y los pimientos morrones, llévelo todo a ebullición, reduzca el fuego y cueza a fuego lento durante 5 minutos más.

4 Incorpore la salsa de chorizo junto con la oruga a la pasta, y remueva bien para mezclar. Esparza las virutas de parmesano fresco por encima para decorar.

NOTA: El chorizo picante es un embutido seco, muy condimentado con ajo y guindilla. Si no dispone de chorizo, puede preparar la receta con salami.

VALOR NUTRITIVO POR RACIÓN (6): *Proteínas 25 g; grasas 35 g; hidratos de carbono 60 g; fibra dietética 5 g; colesterol 80 mg; 2945 kJ (705 cal)*

FUSILLI CON VERDURA

Listo para comer en 30 minutos
Para 4 a 6 personas

500 g de fusilli

3 cucharadas de aceite de oliva

6 calabacines amarillos cortados en rodajas

3 calabacines cortados en rodajas

2 dientes de ajo majados

3 cebolletas picadas

1 pimiento rojo cortado en tiras

1/3 taza (65 g) de maíz dulce

4 tomates picados

2 cucharadas de perejil fresco picado

1 Cueza los fusilli en una olla grande con agua hirviendo y sal, hasta que estén al dente. Escúrralos y devuélvalos a la olla.

2 Mientras tanto, caliente dos cucharadas del aceite en un wok o en una sartén, añada los calabacines y los calabacines amarillos, y saltéelos durante 3 minutos, o hasta que estén tiernos. Agregue el ajo, las cebolletas, el pimiento rojo y el maíz, y saltéelo todo durante 2 o 3 minutos más. Incorpore el tomate y remueva para mezclarlo.

3 Agregue el aceite de oliva restante y el perejil fresco a la pasta, y remueva bien. Sirva la pasta con la salsa de verdura por encima.

NOTA: En esta receta puede utilizar cualquier tipo de verdura: los champiñones, el brécol, los tirabeques y los espárragos son adecuados, y puede añadir otras hierbas frescas, como cebollino o cilantro.

VALOR NUTRITIVO POR RACIÓN (6): *Proteínas 20 g; grasas 20 g; hidratos de carbono 100 g; fibra dietética 15 g; colesterol 5 mg; 2740 kJ (654 cal)*

OTRAS SUGERENCIAS

ENSALADA DE ESPÁRRAGOS Y PARMESANO
Cueza 300 g de espárragos en agua hirviendo, hasta que estén tiernos y de color verde vivo. Enfríelos en agua muy fría y escúrralos. Dispóngalos en una bandeja y esparza por encima virutas de parmesano. Alíñelos con un poco de vinagre balsámico, aceite de oliva virgen extra y abundante pimienta negra machacada.

PÁGINA SIGUIENTE:
Rigatoni con hinojo y embutido picante (superior), fusilli con verdura

PASTA CON CREMA DE CEBOLLA

Listo para comer en 30 minutos
Para 4 personas

500 g de fettucine o linguine
50 g de mantequilla
6 cebollas cortadas en finas rodajas
1/2 taza (125 ml) de caldo de carne
1/2 taza (125 ml) de nata líquida
virutas de parmesano para servir
cebolletas para decorar, opcional

1 Cueza los fettucine en una olla grande con agua hirviendo y sal, hasta que estén al dente. Escúrralos y vuelva a ponerlos en la olla.
2 Mientras cuece la pasta, derrita la mantequilla, agregue la cebolla y fríala a fuego lento, hasta que esté tierna. Vierta el caldo y la nata líquida, y cuézalo todo a fuego lento durante 10 minutos. Salpimiente al gusto.
3 Incorpore la salsa a la pasta y remueva bien. Sirva el plato con las virutas de parmesano y decórelo con cebolletas picadas, si lo desea.

VALOR NUTRITIVO POR RACIÓN: *Proteínas 20 g; grasas 25 g; hidratos de carbono 95 g; fibra dietética 10 g; colesterol 80 mg; 2935 kJ (700 cal)*

FRICELLI ORIENTALES

Listo para comer en 30 minutos
Para 4 a 6 personas

500 g de fricelli de colores
2 cucharadas de aceite de cacahuete
1 cucharadita de aceite de sésamo
2 dientes de ajo majados
1 de jengibre fresco rallado
1/2 col china cortada en tiras finas
1 pimiento rojo cortado en rodajas finas
200 g de guisantes tirabeques
3 cucharadas de salsa de soja
3 cucharadas de salsa dulce de guindilla
2 cucharadas de cilantro fresco picado
cacahuetes o anacardos picados para decorar

1 Cueza los fricelli en una olla grande con agua hirviendo y sal, hasta que estén al dente. Escúrralos y manténgalos calientes.

2 Mientras cuecen los fricelli, caliente los aceites en un wok, añada el ajo y el jengibre y fríalos a fuego medio durante 1 minuto.
3 Agregue la col, el pimiento rojo y los tirabeques al wok, y saltéelos durante 3 minutos a fuego rápido. Añada las salsas y el cilantro, y déjelo cocer todo durante 3 minutos, o hasta que estén bien calientes. Incorpore los fricelli al wok y remueva para mezclarlo. Sirva el plato decorado con cacahuetes o anacardos picados.

VALOR NUTRITIVO POR RACIÓN (6): *Proteínas 15 g; grasas 10 g; hidratos de carbono 65 g; fibra dietética 10 g; colesterol 0 mg; 1780 kJ (425 cal)*

ESPAGUETIS CON SALSA DE LIMÓN CREMOSA

Listos para comer en 20 minutos
Para 4 personas

500 g de espagueti
1 taza (250 ml) de nata líquida
3/4 taza (185 ml) de caldo de pollo
1 cucharada de piel de limón finamente rallada, más un poco de piel de limón cortada en tiras finas, para decorar
2 cucharadas de perejil fresco picado
2 cucharadas de cebollino fresco picado

1 Cueza los espaguetis en una olla grande con agua hirviendo y sal, hasta que estén al dente. Escúrralos y devuélvalos a la olla.
2 Mientras cuecen los espaguetis, mezcle en una cacerola, a fuego medio, la nata líquida, el caldo de pollo y la ralladura de limón. Lleve a ebullición y remueva de vez en cuando. Reduzca el fuego y cueza lentamente durante 10 minutos, o bien hasta que la salsa haya menguado y empiece a espesarse.
3 Añada la salsa y las hierbas aromáticas a los espaguetis y remueva para que se mezcle todo bien. Sirva el plato en seguida, decorado con las tiras de limón.

VALOR NUTRITIVO POR RACIÓN: *Proteínas 15 g; grasas 30 g; hidratos de carbono 90 g; fibra dietética 5 g; colesterol 85 mg; 2850 kJ (680 cal)*

CEBOLLINO
El cebollino está emparentado con la cebolla, pero se usa como hierba aromática, para condimentar y para decorar. Sólo se comen los tallos verdes y deben cortarse justo antes de utilizarlos. Si va a usarlos para decorar un plato caliente, añádalos justo antes de servir. El cebollino desecado no es en absoluto comparable al fresco, en lo que a sabor y textura se refiere.

PÁGINA ANTERIOR DE ARRIBA ABAJO: Pasta con crema de cebolla, fricelli orientales y espaguetis con salsa de limón cremosa

ACEDERA

Es una verdura de hoja amarga, rica en vitaminas A y C, así como en minerales esenciales. Sus hojas tiernas y brillantes, simplemente aclaradas con agua, y sin los tallos más duros, se utilizan en ensaladas verdes. Su sabor puro y fuerte acompaña bien al pescado y a la carne grasa de ave, como el pato o la oca, y se emplea como condimento en guisos y salsas. Si se la somete a una cocción prolongada, se deshace, por lo que resulta ideal para hacer puré. Evite usar cacerolas de acero o de aluminio, puesto que provocarían una reacción química que haría que la acedera resultase acre.

CALDO CON TORTELLINI

Listo para comer en 20 minutos
Para 4 personas

250 g de tortellini
1 litro de caldo de carne de calidad
1/2 taza (30 g) de cebolletas cortadas en rodajas, más algunas adicionales, para decorar

1 Cueza los tortellini en una olla grande con agua hirviendo y sal, hasta que estén al dente. Escúrralos y distribúyalos en cuatro platos de sopa.
2 Mientras los tortellini se cuecen, lleve a ebullición el caldo de carne en una cacerola. Añada la cebolleta y déjela cocer a fuego lento durante 3 minutos. Reparta el caldo por los platos, vertiéndolo sobre los tortellini, y decórelos con la cebolleta adicional cortada en rodajas finas.

VALOR NUTRITIVO POR RACIÓN: *Proteínas 10 g; grasas 1 g; hidratos de carbono 45 g; Fibra deitética 3 g; colesterol 0 mg; 945 kJ (225 cal)*

PASTA CON ALCACHOFA, HUEVO Y ACEDERA

Listo para comer en 25 minutos
Para 4 personas

500 g de conchiglie
2 cucharadas de aceite
3 dientes de ajo majados
315 g de corazones de alcachofa aliñados partidos por la mitad
3 cucharadas de perejil fresco picado
160 g de hojas de acedera picadas gruesas
4 huevos duros troceados
virutas de parmesano fresco para servir

1 Cueza los conchiglie en una olla grande con agua hirviendo y sal, hasta que estén al dente. Escúrralos y manténgalos calientes.
2 Mientras tanto, caliente el aceite en una sartén, añada el ajo y fríalo a fuego medio hasta que esté dorado. Agregue los corazones de alcachofa y el

perejil picado, y cuézalo a fuego medio durante 5 minutos, o hasta que la alcachofa esté caliente.

3 Traslade la pasta a un cuenco grande. Incorpore las hojas de acedera, los huevos y los corazones de alcachofa, y revuelva. Sirva el plato en seguida, coronado con virutas de parmesano fresco y pimienta negra machacada al gusto.

VALOR NUTRITIVO POR RACIÓN: *Proteínas 25 g; grasas 20 g; hidratos de carbono 90 g; fibra dietética 10 g; colesterol 210 mg; 2620 kJ (625 cal)*

PASTA DE ALFORFÓN CON FRÍJOLES Y QUESO

Listo para comer en 30 minutos
Para 4 personas

500 g de fusilli de alforfón

1 cucharada de aceite

2 dientes de ajo majados

1 cebolla picada

300 g de salsa para pasta envasada

$^1/_3$ taza (80 ml) de zumo de naranja

400 g de fríjoles de lata escurridos

1 taza (125 g) de queso cheddar rallado más algo de cheddar adicional, para servir

3 cucharadas de hierbas frescas picadas

1 Cueza los fusilli en una olla grande con agua hirviendo y sal, hasta que estén al dente. Escúrralos y devuélvalos a la olla.

2 Mientras se cuece la pasta, caliente el aceite en una sartén. Agregue el ajo y la cebolla, y fríalos a fuego medio durante 3 minutos, o bien hasta que la cebolla esté dorada, pero no oscura.

3 Añada la salsa para pasta, el zumo de naranja y los fríjoles. Llévelo todo a ebullición, reduzca el fuego y cueza lentamente durante 5 minutos, o hasta que la salsa esté bien caliente.

4 Incorpore la salsa a la pasta, junto con el queso cheddar y las hierbas aromáticas. Remueva hasta que el queso se derrita y sirva en seguida. Decore el plato con el cheddar rallado adicional.

VALOR NUTRITIVO POR RACIÓN: *Proteínas 20 g; grasas 15 g; hidratos de carbono 65 g; fibra dietética 15 g; colesterol 25 mg; 2015 kJ (480 cal)*

ARRIBA DESDE LA IZQUIERDA: Caldo de tortellini; pasta con alcachofa, huevo y acedera; pasta de alforfón con fríjoles y queso

271

ESPAGUETIS CON MEJILLONES AL TOMATE

Listo para comer en 30 minutos
Para 4 personas

16 mejillones negros frescos
500 g de espaguetis
4 cucharadas de aceite de oliva
I cebolla grande picada
2 dientes de ajo majados
850 g de tomate triturado de lata
¹/₂ taza (125 ml) de vino blanco

I Frote bien los mejillones y retire las barbas. Deseche los que estén abiertos.
2 Cueza los espaguetis en una olla grande con agua hirviendo y sal, hasta que estén al dente. Escúrralos, devuélvalos a la olla y mézclelos con la mitad del aceite de oliva.
3 Mientras se cuece la pasta, caliente el aceite restante en un cazo, añada la cebolla y fríala hasta que esté tierna, pero no oscura. Agregue el ajo y fríalo durante otro minuto. Añada el tomate y el vino, remueva y lleve a ebullición. Reduzca el fuego y cueza un poco a fuego lento.
4 Mientras tanto, ponga los mejillones en una olla y añada agua hasta cubrirlos. Cuézalos a fuego rápido durante unos minutos, hasta que se hayan abierto. Agite la olla a menudo, y deseche los que no se hayan abierto en 5 minutos.
5 Incorpore los mejillones a la salsa de tomate, remueva y viértalos sobre la pasta. Decore el plato con ramitas de tomillo, si lo desea.

VALOR NUTRITIVO POR RACIÓN: *Proteínas 20 g; grasas 20 g; hidratos de carbono 95 g; fibra dietética 10 g; colesterol 8 mg; 2825 kJ (670 cal)*

OTRAS SUGERENCIAS

ENSALADA DE ESPINACAS, PANCETTA Y PACANAS

Mezcle 250 g de hojas de espinacas pequeñas, 50 g de pacanas tostadas y 3 huevos duros pelados y picados. Fría o ase 6 lonchas de pancetta finas como el papel, hasta que estén crujientes. Rómpalas en trozos fáciles de comer, y mézclelos con la ensalada. Para hacer el aliño, mezcle bien 100 g de queso azul con ¹/₄ taza (60 ml) de nata líquida, 2 cucharadas de leche y 2 cucharadas de aceite. Una vez mezclado, espárzalo sobre la ensalada y sírvalo inmediatamente.

LINGUINE CON GORGONZOLA Y NUECES TOSTADAS

Listo para comer en 25 minutos
Para 4 personas

³/₄ taza (75 g) de nueces partidas por la mitad
500 g de linguine
75 g de mantequilla
150 g de queso gorgonzola en pedacitos o desmenuzado
2 cucharadas de nata líquida
I taza (155 g) de guisantes frescos pelados

I Precaliente el horno a 180°C. Coloque las nueces sobre una bandeja de horno, en una sola capa, y hornéelas durante unos 5 minutos, hasta que estén ligeramente tostadas. Resérvelas aparte, para que se enfríen.
2 Cueza los linguine en una olla grande con agua hirviendo y sal, hasta que estén al dente. Escúrralos y devuélvalos a la olla.
3 Mientras cuece la pasta, derrita la mantequilla en una cacerola pequeña a fuego lento, y agregue el queso gorgonzola, la nata líquida y los guisantes. Remueva suavemente durante 5 minutos, o bien hasta que la salsa haya espesado. Salpimiente al gusto. Añada la salsa y las nueces a la pasta y remueva hasta que esté todo bien mezclado. Sirva el plato en seguida, espolvoreado con pimienta negra recién molida.
NOTA: Utilice guisantes congelados, si lo prefiere. No es necesario que los descongele, incorpórelos directamente. Si no le gustan los quesos azules demasiado fuertes, como el gorgonzola, emplee otro queso azul que sea más suave, como el castello.

VALOR NUTRITIVO POR RACIÓN: *Proteínas 30 g; grasas 50 g; hidratos de carbono 90 g; fibra dietética 10 g; colesterol 95 mg; 3870 kJ (920 cal)*

PREPARACIÓN Y COCCIÓN DE LOS MEJILLONES

Los mejillones son una variedad de molusco bivalbo con concha negra redondeada y carne suculenta. Como todo el marisco, deben ser comprados y comidos frescos, y hay que limpiarlos antes de cocinarlos. En primer lugar, deseche los que ya estén abiertos. Frótelos con un cepillo duro, y retire las barbas. Si tienen arena, sumérjalos en agua limpia y salada durante I o 2 horas para que la expulsen. Después de un aclarado final, cuézalos al vapor en una cacerola, para que se abran. Una vez abiertos, ya están cocidos. Deseche los que hayan quedado cerrados y los que tengan una carne seca o escuálida.

PÁGINA SIGUIENTE:
Espaguetis con mejillones al tomate (superior), linguine con gorgonzola y nueces tostadas

ESPAGUETIS CON HIERBAS

Listos para comer en 20 minutos
Para 4 personas

500 g de espaguetis
50 g de mantequilla
1/2 taza (30 g) de albahaca fresca rallada
1/3 taza (10 g) de orégano fresco picado
1/3 taza (20 g) de cebollino fresco picado

1 Cueza los espaguetis en una olla grande con agua hirviendo y sal, hasta que estén al dente. Escúrralos y devuélvalos a la olla.
2 Añada la mantequilla a la olla, removiendo bien hasta que se haya derretido y los espaguetis estén bien untados. Agregue la albahaca, el orégano y el cebollino, y remueva hasta que todas las hierbas estén bien distribuidas por la pasta. Condimente al gusto y sirva en seguida.

VALOR NUTRITIVO POR RACIÓN: *Proteínas 15 g; grasas 10 g; hidratos de carbono 90 g; fibra dietética 5 g; colesterol 30 mg; 2175 kJ (520 cal)*

PASTA CON PESTO Y PARMESANO

Listo para comer en 15 minutos
Para 4 personas

500 g de linguine o taglierini
1/4 taza (40 g) de piñones
2 tazas bien prensadas (100 g) de hojas de albacaca fresca
2 dientes de ajo picados
1/4 taza (25 g) de parmesano recién rallado, más algunas virutas de parmesano para decorar
1/2 taza (125 ml) de aceite de oliva virgen extra

1 Cueza la pasta en una olla grande con agua hirviendo y sal, hasta que esté al dente. Escúrrala y devuélvala a la olla.
2 Mientras cuece la pasta, vierta los piñones, las hojas de albahaca fresca, el ajo y el parmesano en un robot de cocina, y tritúrelo todo bien. Sin

ABAJO, DESDE LA IZQUIERDA: Espaguetis con hierbas, pasta con pesto y parmesano, espaguetis calabreses

detener el motor del robot, añada el aceite de oliva virgen extra a chorrito, hasta obtener una pasta homogénea; condiméntela al gusto con sal y pimienta negra recién molida. Mezcle el pesto con la pasta y revuelva hasta que esté bien distribuido. Decore el plato con virutas de parmesano fresco.

VALOR NUTRITIVO POR RACIÓN: *Proteínas 20 g; grasas 45 g; hidratos de carbono 90 g; fibra dietética 5 g; colesterol 15 mg; 3390 kJ (810 cal)*

ESPAGUETIS CALABRESES

Listo para comer en 20 minutos
Para 4 personas

500 g de espaguetis
¹/₃ taza (80 ml) de aceite de oliva
3 dientes de ajo majados
50 g de filetes de anchoa picados

1 cucharadita de guindillas rojas picadas
3 cucharadas de perejil fresco picado

1 Cueza los espaguetis en una olla grande con agua hirviendo y sal, hasta que estén al dente. Escúrralos y vuelva a ponerlos en la olla.
2 Mientras cuecen los espaguetis, caliente el aceite de oliva en una sartén pequeña, añada el ajo, la anchoa y la guindilla roja, y fríalos a fuego lento durante 5 minutos. Procure que no se queme el ajo, o se dore demasiado, puesto que entonces sabría amargo. Agregue el perejil y cueza durante unos minutos más. Condimente al gusto con sal y pimienta negra recién molida.
3 Añada la salsa a la pasta y remueva bien hasta que esté todo bien mezclado. Si lo desea, sírvalo decorado con más anchoas, guindillas rojas cortadas en rodajas y un ramito de hierbas aromáticas frescas.

VALOR NUTRITIVO POR RACIÓN: *Proteínas 15 g; grasas 20 g; hidratos de carbono 90 g; fibra dietética 5 g; colesterol 10 mg; 2600 kJ (620 cal)*

PESTO

Cuando se guarda un pesto ya preparado durante mucho tiempo, la composición de sus ingredientes se altera. Los componentes del queso reaccionan con otros ingredientes, especialmente con la albahaca, y empiezan a volverse rancios. Esta salsa se conserva de 5 a 7 días si se deja en el frigorífico dentro de un tarro hermético, con una capa de aceite de oliva o con un envoltorio de plástico que recubra la superficie. Pero lo mejor es no incorporar el queso y añadirlo justo antes de usar. De esta forma, el pesto se conserva en el frigorífico de 2 a 3 meses, incluso 5 ó 6 si lo congela.

RAVIOLI CON GUISANTES Y ALCACHOFAS

Listo para comer en 30 minutos
Para 4 personas

★

650 g de ravioli de espinacas y queso fresco
1 cucharada de aceite de oliva
8 corazones de alcachofa adobados
   cortados en cuartos
2 dientes de ajo grandes picados
1/2 taza (125 ml) de vino blanco seco
1/2 taza (125 ml) de caldo de pollo
2 tazas (310 g) de guisantes congelados
125 g de prosciutto en finas lonchas picado
1/4 taza (7 g) de perejil plano fresco picado
1/2 cucharadita de pimienta sazonada machacada

1 Cueza los ravioli en una olla grande con agua hirviendo y sal, hasta que estén al dente, y escúrralos.
2 Mientras los ravioli se están cociendo, caliente el aceite de oliva en una cacerola, y cueza los corazones de alcachofa y el ajo a fuego medio durante 2 minutos, removiendo con frecuencia. Añada el vino y el caldo, y remueva hasta que esté todo bien mezclado. Llévelo a ebullición, reduzca el fuego ligeramente y déjelo cocer a fuego lento durante 5 minutos. Incorpore los guisantes (no necesita descongelarlos antes) y déjelos cocer a fuego lento durante 2 minutos más.
3 Añada el prosciutto, el perejil y la pimienta a esta salsa de alchofas. Sirva los ravioli cubiertos con esta salsa por encima.

SAMBAL OELEK
El sambal oelek es una pasta básica de la cocina indonesia. Tradicionalmente, se elabora con guindillas rojas y sal, pero el producto que se ofrece en el mercado a menudo está mezclado con vinagre. Se emplea como condimento, como salsa para mojar el pan o para acompañar otros platos. A veces lo encontrará etiquetado como sambal ulek en supermercados o en tiendas de comida asiática. Resulta práctico tenerlo para siempre que necesite guindilla. Guárdelo en el frigorífico.

PÁGINA SIGUIENTE:
Ravioli con guisantes y alcachofas (superior), fusilli de salmón con salsa al brandy

---

OTRAS SUGERENCIAS

ENSALADA CON SALSA DE MELOCOTÓN
Corte 6 melocotones grandes en gajos y póngalos en un bol. Añada 1 cebolla roja cortada en rodajas finas, 6 tomates de pera cortados en cuartos, 1 taza (200 g) de maíz y un pimiento verde cortado en rodajas. Prepare un aliño mezclando 1 diente de ajo majado, 1 cucharadita de comino molido, 1 guindilla roja finamente picada, 2 cucharadas de zumo de lima recién exprimido y 1/4 taza (60 ml) de aceite. Aliñe la ensalada y remueva bien. Agregue 1/2 taza (15 g) de hojas frescas de cilantro justo antes de servir.

NOTA: Puede adquirir tarros de corazones de alcachofa adobados en supermercados. o bien en tiendas especializadas.

VALOR NUTRITIVO POR RACIÓN: *Proteínas 25 g; grasas 15 g; hidratos de carbono 30 g; fibra dietética 10 g; colesterol 45 mg; 1540 kJ (370 cal)*

FUSILLI DE SALMÓN CON SALSA AL BRANDY

Listo para comer en 30 minutos
Para 2 personas

★

375 g de fusilli
45 g de mantequilla
1 puerro cortado en rodajas finas
1 diente de ajo grande majado
1/4 taza (60 ml) de brandy
1/2 cucharadita de sambal oelek
2 cucharadas de eneldo fresco picado
1 cucharada de puré de tomate
   (doble concentrado)
1 taza (250 ml) de nata líquida
250 g de salmón ahumado troceado
caviar rojo o huevos de lumpo para decorar,
   opcional

1 Cueza los fusilli en una olla grande con agua hirviendo y sal, hasta que estén al dente, y escúrralos.
2 Caliente la mantequilla en una cacerola grande, y fría el puerro a fuego medio durante unos minutos, hasta que esté tierno. Añada el ajo y déjelo cocer durante otro minuto. Agregue el brandy y cueza durante un minuto más. Sin dejar de remover, incorpore el sambal oelek, el eneldo, el puré de tomate y la nata líquida. Cueza a fuego lento durante 5 minutos, hasta que la salsa haya menguado y empiece a espesar.
3 Añada la pasta y el salmón ahumado a la salsa. Remueva para mezclarlos y condimente al gusto con pimienta negra recién molida. Reparta entre dos platos, decórelos con una cucharada de caviar, si lo desea, y un ramito de eneldo, y sírvalos inmediatamente.
NOTA: Lave bien el puerro, pues a veces resulta difícil limpiar la suciedad y la arena de las hojas interiores.

VALOR NUTRITIVO POR RACIÓN: *Proteínas 55 g; grasas 80 g; hidratos de carbono 140 g; fibra dietética 10 g; colesterol 290 mg; 6500 kJ (1550 cal)*

ARRIBA, DESDE LA IZQUIERDA: Pasta Niçoise, bucatini al ajo, espaguetis mediterráneos

PASTA NIÇOISE

Listo para comer en 25 minutos
Para 4 personas

500 g de farfalle
350 g de judías verdes
¹/₃ taza (80 ml) de aceite de oliva
60 g de filetes de anchoa troceados
2 dientes de ajo cortados en rodajas finas
250 g tomates cherry partidos por la mitad
parmesano recién rallado para servir

1 Cueza los farfalle en una olla grande con agua hirviendo y sal, hasta que estén al dente. Escúrralos y devuélvalos a la olla.
2 Mientras se cuece la pasta, vierta las judías en un cuenco resistente al calor y cúbralas con agua hirviendo. Déjelas reposar durante 5 minutos, escúrralas y páselas por agua fría.
3 Caliente el aceite en una sartén, y saltee las judías y los filetes de anchoa durante 2 o 3 minutos. Agregue el ajo y cuézalo durante 1 minuto. Añada los tomates cherry y remueva bien.

4 Incorpore la salsa a la pasta y remueva. Sirva el plato caliente con parmesano recién rallado.

VALOR NUTRITIVO POR RACIÓN: *Proteínas 20 g; grasas 25 g; hidratos de carbono 90 g; fibra dietética 10 g; colesterol 15 mg; 2810 kJ (670 cal)*

BUCATINI AL AJO

Listo para comer en 15 minutos
Para 4 personas

500 g de bucatini
¹/₃ taza (80 ml) de aceite de oliva
8 dientes de ajo majados
2 cucharadas de perejil fresco picado
parmesano recién rallado para servir

1 Cueza los bucatini en una olla grande con agua hirviendo y sal, hasta que estén al dente. Escúrralos y vuelva a ponerlos en la olla.
2 Cuando la pasta esté casi lista, caliente el aceite a fuego lento en una sartén, y fría el ajo durante 1 minuto antes de retirarlo del fuego. Añada a la

pasta el perejil y el aceite con el que ha frito el ajo, y mezcle todo bien. Sirva con el parmesano.
NOTA: Puede añadir aceitunas o tomate cortado en dados. No fría demasiado el ajo, pues podría dar un sabor amargo.

VALOR NUTRITIVO POR RACIÓN: *Proteínas 15 g; grasas 20 g; hidratos de carbono 90 g; fibra dietética 5 g; colesterol 5 mg; 2605 kJ (620 cal)*

ESPAGUETIS MEDITERRÁNEOS

Listo para comer en 30 minutos
Para 4 a 6 personas

500 g de espaguetis
750 g de tomates
½ taza (125 ml) de aceite de oliva virgen extra
2 dientes de ajo majados
4 cebolletas cortadas en rodajas finas
6 filetes de anchoa picados
½ cucharadita de piel de limón rallada

1 cucharada de hojas de tomillo frescas
12 aceitunas verdes rellenas, cortadas en rodajitas
albahaca fresca cortada en tiras para servir

1 Cueza los espaguetis en una olla grande con agua hirviendo y sal, hasta que estén al dente. Escúrralos y devuélvalos a la olla.
2 Mientras se cuece la pasta, haga unos cortes en forma de cruz en la base de los tomates. Póngalos en un cazo con agua hirviendo durante 1 o 2 minutos. Pélelos desde la cruz, y deseche la piel. Córtelos por la mitad horizontalmente. Ponga un colador sobre un bol pequeño, y exprima encima las pepitas y el jugo de los tomates; deseche las pepitas. Pique bien los tomates y reserve.
3 En un cuenco, mezcle el aceite de oliva con el ajo, las cebolletas, las anchoas, la ralladura de limón, las hojas de tomillo y las aceitunas. Añada los tomates picados y su jugo, mezcle bien y sazone al gusto con sal y pimienta negra recién molida. Incorpore la pasta, remueva para mezclarlo y esparza la albahaca por encima.

VALOR NUTRITIVO POR RACIÓN (6): *Proteínas 10 g; grasas 20 g; hidratos de carbono 60 g; fibra dietética 5 g; colesterol 3 mg; 2060 kJ (490 cal)*

TOMILLO

En la cocina se utilizan varios tipos de tomillo, que varían desde el que tiene hojas de color gris verdoso y aroma intenso, al que tiene diminutas hojas de color verde vivo, con un perfume más efímero. De hecho, la fragancia que el tomillo proporciona a los platos es tan importante como su sabor. El tomillo silvestre es refinado y aromático, mientras que el tomillo de limón emana un aroma parecido al del limón cuando se calienta. Es fácil de desecar, gracias a que sus hojas son pequeñas y su contenido de agua, bajo.

ESPAGUETIS CON SALSA DE TOMATE

Listo para comer en 30 minutos
Para 4 personas

500 g de espaguetis
1 cucharada de aceite de oliva
1 cebolla picada finamente
2 dientes de ajo majados
825 g de tomate triturado de lata
1 cucharadita de orégano seco
2 cucharadas de puré de tomate
   (doble concentrado)
2 cucharaditas de azúcar
virutas de parmesano fresco para servir

1 Cueza los espaguetis al dente en una olla grande con agua hirviendo y sal, y escúrralos.
2 Caliente el aceite en una sartén, añada la cebolla y fríala durante 3 minutos, hasta que quede tierna. Incorpore el ajo, y cuézalo otro minuto.
3 Agregue el tomate y lleve a ebullición. Añada el orégano, el puré de tomate y el azúcar; reduzca el fuego, y cuézalo a fuego lento 15 minutos. Salpimiente al gusto y sirva la pasta napada con la salsa de tomate y con virutas de parmesano.

VALOR NUTRITIVO POR RACIÓN: *Proteínas 20 g; grasas 10 g; hidratos de carbono 100 g; fibra dietética 10 g; colesterol 5 mg; 2300 kJ (550 cal)*

TAGLIATELLE CON RICOTTA Y ALBAHACA

Listo para comer en 25 minutos
Para 4 personas

500 g de tagliatelle
1 taza (20 g) de perejil fresco plano
1 taza (50 g) de hojas de orégano fresco
1 cucharadita de aceite de oliva
1/3 taza (50 g) de pimiento desecado
1 taza (250 g) de nata agria
250 g de queso ricotta fresco
1/4 taza (25 g) de parmesano recién rallado

1 Cueza los tagliatelle en una olla grande con agua hirviendo y sal, hasta que estén al dente. Escúrralos y devuélvalos a la olla.

2 Mientras cuece la pasta, pique en un robot de cocina el perejil y la albahaca.
3 Caliente el aceite en una sartén, incorpore el pimiento desecado y fríalo durante 2 o 3 minutos. Añada la nata agria, el ricotta y el parmesano, y remueva a fuego lento durante 4 minutos, o hasta que esté todo bien caliente, pero sin dejar que hierva.
4 Agregue las hierbas y la salsa a la pasta, remueva todo bien y sirva.

VALOR NUTRITIVO POR RACIÓN: *Proteínas 25 g; grasas 35 g; hidratos de carbono 90 g; fibra dietética 5 g; colesterol 120 mg; 3330 kJ (800 cal)*

ESPAGUETIS CARBONARA CON CHAMPIÑONES

Listo para comer en 25 minutos
Para 4 personas

500 g de espaguetis
8 lonchas de bacon
2 tazas (180 g) de champiñones botón cortados
   en láminas
2 cucharaditas de orégano fresco picado
4 huevos ligeramente batidos
1 taza (250 ml) de nata líquida
2/3 taza (65 g) de parmesano recién picado

1 Cueza los espaguetis en una olla grande con agua hirviendo y sal, hasta que estén al dente. Escúrralos y devuélvalos a la olla.
2 Mientras cuece los espaguetis, retire la corteza del bacon y córtelo en trozos pequeños. Fríalo hasta que adquiera un ligero tono tostado y escúrralo sobre servilletas de papel. Agregue los champiñones a la sartén y fríalos durante 2 o 3 minutos, hasta que queden tiernos.
3 Vierta los champiñones, el bacon, el orégano, los huevos y la nata líquida en la olla con los espaguetis escurridos. Cuézalo todo a fuego lento y remueva hasta que la mezcla empiece a espesar. Retire la olla del fuego, añada el queso y remueva. Condimente al gusto con sal y pimienta negra machacada.

VALOR NUTRITIVO POR RACIÓN: *Proteínas 45 g; grasas 40 g; hidratos de carbono 90 g; fibra dietética 5 g; colesterol 320 mg; 3844 kJ (920 cal)*

PURÉ DE TOMATE
El puré de tomate, también llamado concentrado de tomate, se obtiene cociendo a fuego lento tomates enteros hasta conseguir un líquido muy espeso, oscuro y reducido. Sólo se le añade sal, y a veces algo de azúcar. El puré resultante, de sabor intenso, se utiliza en pequeñas cantidades para añadir sabor a salsas, caldos, guisos y sopas. Cada marca comercial lo ofrece con un grado de concentración, por lo que debería probar varias de ellas hasta encontrar la que más le conviene. El puré de tomate italiano también se comercializa según el grado de concentración, por lo que deberá consultar en la etiqueta si es *doppio concentrato* (doble concentrado), o bien *triplo concentrato* (triple concentrado).

PÁGINA ANTERIOR, DE ARRIBA ABAJO: Espaguetis con salsa de tomate, tagliatelle con ricotta y albahaca, espaguetis carbonara con champiñones

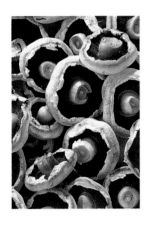

FARFALLE CON GUISANTES, PROSCIUTTO Y CHAMPIÑONES

Listo para comer en 20 minutos
Para 4 personas

375 g de farfalle

60 g de mantequilla

1 cebolla picada

200 g de champiñones cortados en finas láminas

250 g de guisantes congelados

3 lonchas de prosciutto troceadas

1 taza (250 ml) de nata líquida

1 yema de huevo

parmesano fresco para servir (opcional)

1 Cueza los farfalle en una olla grande con agua hirviendo y sal, hasta que estén al dente. Escúrralos y devuélvalos a la olla.

2 Mientras la pasta se está cociendo, caliente la mantequilla en una cacerola, añada la cebolla y los champiñones, y remueva a fuego medio durante 5 minutos, o hasta que estén tiernos.

ABAJO: Farfalle con guisantes, prosciutto y champiñones

3 Agregue los guisantes y el prosciutto. Mezcle la nata líquida y la yema en un tazón, y viértalas en la cacerola. Tape ésta y cueza durante 5 minutos, hasta que esté todo caliente.

4 Mezcle la salsa con la pasta, o bien sirva la pasta napada con la salsa. Decore el plato con parmesano rallado o cortado en virutas.

VALOR NUTRITIVO POR RACIÓN: *Proteínas 25 g; grasas 45 g; hidratos de carbono 75 g; fibra dietética 10 g; colesterol 180 mg; 3280 kJ (785 cal)*

OTRAS SUGERENCIAS

ENSALADA DE NARANJA, HINOJO, Y ALMENDRAS Trocee finamente 1 ó 2 bulbos de hinojo. Pele 3 naranjas, retire toda la piel blanca y córtelas en gajos. Tueste, en una sartén, 100 g de almendras cortadas en láminas, hasta que estén doradas. Mézclelo todo en un bol. Añada 150 g de queso azul cremoso desmenuzado y 50 g de pimiento desecado bien troceado. Haga un aliño mezclando 3 cucharadas de zumo de naranja, 1 cucharadita de aceite de sésamo y 1 cucharada de vinagre de vino tinto. Aderece con ello la ensalada.

PENNE CON LIMÓN Y TOMATES SECADOS AL SOL

Listo para comer en 25 minutos
Para 4 personas

250 g de penne
¹/₄ taza (60 ml) de aceite de oliva
3 lonchas de bacon picadas
1 cebolla picada
¹/₃ taza (80 ml) de zumo de limón
1 cucharada de hojas de tomillo frescas
¹/₃ taza (50 g) de tomates secados al sol picados
¹/₂ taza (80 g) de piñones tostados

1 Cueza la pasta en una olla con agua hirviendo y sal, hasta que esté al dente, y escúrrala.
2 Mientras cuece la pasta, caliente el aceite de oliva en una cazuela grande, añada el bacon picado y la cebolla, y remueva a fuego medio hasta que el bacon se haya dorado y la cebolla esté tierna.
3 Incorpore la pasta a la cazuela, junto con el zumo de limón, las hojas de tomillo, los tomates secados al sol y los piñones. Remueva a fuego lento durante 2 minutos, o hasta que esté todo bien caliente.
NOTA: Si lo desea, puede usar pancetta en lugar de bacon.

VALOR NUTRITIVO POR RACIÓN: *Proteínas 15 g; grasas 30 g; hidratos de carbono 50 g; fibra dietética 5 g; colesterol 15 mg; 2200 kJ (530 cal)*

FARFALLE CON TIRABEQUES Y GRANOS DE PIMIENTA ROSADOS

Listo para comer en 30 minutos
Para 4 personas

400 g de farfalle
1 taza (250 ml) de vino blanco
1 taza (250 ml) de nata líquida
100 g de granos rosados de pimienta en vinagre, escurridos
300 ml de nata líquida para montar
200 g de tirabeques sin las puntas

1 Cueza la pasta en una olla grande con agua hirviendo y sal, hasta que esté al dente. Escúrrala y devuélvala a la olla.
2 Mientras cuece la pasta, vierta el vino en una cacerola grande, llévelo a ebullición, reduzca el fuego y deje cocer lentamente hasta que se haya reducido a la mitad.
3 Añada la nata líquida, lleve la mezcla a ebullición, reduzca el fuego, y deje cocer a fuego lento hasta que se haya reducido, de nuevo, a la mitad.
4 Retire la cacerola del fuego, agregue los granos de pimienta rosados y la nata líquida para montar. Vuelva a ponerla al fuego e incorpore los tirabeques, dejándolos cocer a fuego lento hasta que hayan adquirido un color verde vivo. Rectifique de sal, si es necesario, mezcle la salsa con la pasta y sirva inmediatamente.

VALOR NUTRITIVO POR RACIÓN: *Proteínas 15 g; grasas 55 g; hidratos de carbono 80 g; fibra dietética 8 g; colesterol 175 mg; 3855 kJ (915 cal)*

ARRIBA: Penne con limón y tomates secados al sol

POSTRES
DE PASTA

¿Nunca ha comido pasta de postre? No es usted el único. Pero cuando haya saboreado estas deliciosas recetas, se preguntará por qué no las probó antes. Mezclada con fruta fresca, nata o chocolate, la pasta consigue que el final sea incluso mejor que el principio. Si usted es un fanático incondicional de la pasta, puede empezar y terminar sus comidas con ella. Aunque el procedimiento no sea muy convencional, las posibilidades son ilimitadas. ¿A qué espera para probarlas?

PIEL DE LIMÓN CONFITADA

La piel de limón confitada o escarchada es piel fresca que ha sido conservada en azúcar. El contenido de humedad es sustituido, de forma gradual, por un almíbar de azúcar para que la piel conserve su suavidad y no se deforme. Cuando ha absorbido el azúcar suficiente, se deja secar la piel a fin de que se conserve mejor. Se utiliza en puddings y postres, y como decoración de pasteles y dulces.

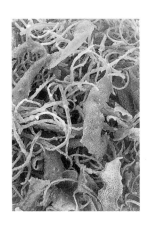

ARRIBA: Pasta al limón rellena de queso dulce

PASTA AL LIMÓN RELLENA DE QUESO DULCE

Tiempo de preparación: 1 hora + reposo
Tiempo de cocción: 25 minutos
Para 4 a 6 personas

★★

2 tazas (250 g) de harina

1/2 cucharadita de sal

1 cucharadita de azúcar extrafino

la piel rallada de 2 limones

2 cucharadas de zumo de limón fresco

2 huevos ligeramente batidos

1 cucharada de grosellas

1 cucharada de brandy

600 g de queso ricotta

5 cucharadas de azúcar glas

3/4 cucharadita de piel de limón rallada

3/4 cucharadita de esencia de vainilla

huevo batido para glasear

4 cucharadas de almendras en láminas, tostadas

aceite vegetal para freír

1 taza (250 ml) de nata líquida: añádale coñac al gusto para darle sabor

hojas de menta y tiras finas de piel de limón al natural o confitada, para decorar (opcional)

1 Mezcle la harina con la sal y la ralladura de limón sobre una superficie de trabajo, y haga un hoyo en el centro. Añada 1 ó 2 cucharadas de agua, el zumo de limón y los huevos, y mezcle gradualmente con la harina, usando un tenedor (a partir de aquí, puede hacer la masa con un robot). Cuando la mezcla esté bastante homogénea, empiece a amasar con las manos; agregue un poco de harina si está demasiado húmeda. Amase de 5 a 8 minutos, hasta dejarla fina y elástica. Cúbrala con film y déjela reposar 15 minutos.

2 Ponga las grosellas a remojar en un bol con el coñac. Mezcle en otro bol el ricotta, el azúcar extrafino, la piel de limón y la vainilla, y reserve.

3 Divida la masa en ocho partes iguales. Extienda cada parte con el rodillo hasta obtener cuadrados de unos 18 cm. Cúbralos una vez hechos.

4 Recorte los bordes de la pasta, para formar cuadrados bien proporcionados. Unte los bordes con huevo batido. Añada las grosellas y las almendras al relleno de ricotta, y coloque una octava parte del relleno en el centro de cada cuadrado. Doble los bordes por encima, para encerrar el relleno, y presiónelos para sellarlos.

5 Vierta el aceite en una sartén, de 1 a 2 cm de espesor, y caliéntelo. Eche un trozo de pasta para comprobar que se dora sin quemarse. Fría las pastas rellenas por tandas de 2 a 3, hasta que estén doradas. Retírelas con una espumadera, escúrralas sobre papel de cocina y manténgalas calientes. Sírvalas con la nata y decórelas con azúcar glas, hojas de menta y piel de limón.

VALOR NUTRITIVO POR RACIÓN (6): *Proteínas 20 g; grasas 45 g; hidratos de carbono 50 g; fibra dietética 3 g; colesterol 185 mg; 2965 kJ (705 cal)*

ROLLITOS DE FRESA CREMOSOS

Tiempo de preparación: 40 minutos
Tiempo de cocción: 50 minutos
Para 6 personas

 ✷ ✷

250 g de fresas limpias

60 g de mantequilla

2 yemas de huevo

1/3 taza (80 ml) de nata líquida

1/3 taza (90 g) de azúcar

1 cucharadita de zumo de limón

6 láminas de lasaña frescas, de 16 cm x 21 cm

1/3 taza (40 g) de almendras tostadas fileteadas, más 1 cucharada para la decoración

azúcar glas para espolvorear

1 Precaliente en horno a 180°C y engrase una fuente para gratinar. Corte las fresas por la mitad, de arriba abajo. Derrita 20 g de mantequilla en un cazo, añada las fresas, remuévalas unos 20 segundos y retírelas del fuego. Derrita otros 20 g de mantequilla en el cazo y vierta las yemas de huevo batidas con la nata líquida, junto con el azúcar y el zumo de limón. Déjelo cocer todo, removiendo a menudo, hasta obtener una masa muy espesa. Retire el cazo del fuego y agregue las fresas. Deje enfriar.

2 Cueza las láminas de lasaña, de dos en dos, en abundante agua hirviendo durante 3 minutos, hasta que estén al dente. Trasládelas a un cuenco con agua fría y déjelas 1 minuto a remojo, antes de ponerlas a secar sobre paños de cocina.

3 Distribuya la mezcla de fresas y las almendras entre las láminas de lasaña, dejando un margen de 3 cm alrededor. Primero doble hacia dentro los bordes largos y, acto seguido, doble el extremo más cercano a usted, y enrolle. Cuando el relleno empiece a salir, coja el extremo final y dóblelo hacia usted. Coloque los rollitos con cuidado en la fuente preparada, con la pestaña hacia abajo y bastante cerca los unos de los otros.

4 Esparza por encima trozos de la mantequilla restante, las almendras adicionales y dos cucharaditas de azúcar glas tamizado. Hornee los rollitos durante 15 minutos y, a continuación, gratínelos bajo el grill durante 5 minutos, hasta que estén ligeramente dorados.

NOTA: Este postre resulta delicioso acompañado con helado de vainilla y coulís de fresa. Para variar, puede usar frambuesas frescas, si es temporada. No precisan cocción, por lo que sólo deberá añadirlas a la mezcla de nata líquida ya preparada.

También puede utilizar arándanos, que se preparan de la misma manera que las fresas, pero sin cortarlos. Puede emplear hojas de lasaña secas pero debe tener en cuenta que, a menudo, resultan más gruesas que las frescas y, por consiguiente, no son tan manejables por ser menos flexibles y más resbaladizas. Si prefiere usarlas a pesar de todo, cuézalas tal y como salen del paquete y recórtelas luego para darles las dimensiones indicadas.

VALOR NUTRITIVO POR RACIÓN: *Proteínas 9 g; grasas 20 g; hidratos de carbono 50 g; fibra dietética 4 g; colesterol 100 mg; 1775 kJ (420 cal)*

FRESAS

Todas las variedades de fresa que se cultivan hoy en día para el mercado internacional son híbridas, descendientes de un cruce original que se hizo entre una variante bastante grande de América del Norte y otra muy sabrosa procedente de Chile.

ARRIBA: Rollitos cremosos de fresa

ALMENDRAS PELADAS

Las almendras sin piel, que se pueden adquirir a granel o empaquetadas, ya están listas para cocinar. Pero la piel también se puede quitar fácilmente en casa: Échelas sin la cáscara en agua hirviendo y cuézalas a fuego lento durante 1 minuto. Escúrralas, y cuando estén lo bastante frías para manejarlas, presiónelas entre los dedos pulgar e índice. La almendra saldrá de la piel. Si necesita almendras molidas para una receta, tal vez merezca la pena comprarlas ya molidas puesto que, con la mayoría de los aparatos de moler caseros, es difícil conseguir que queden bien finas y uniformes, y además pueden segregar aceite, lo que haría que quedasen húmedas y agrupadas en bolas. Es posible evitar, en parte, que esto ocurra si se añaden 2 cucharadas del azúcar de la receta durante la molienda.

ARRIBA: Tarta de rissoni, coco y limón

TARTA DE RISSONI, COCO Y LIMÓN

Tiempo de preparación: 20 minutos
Tiempo de cocción: 1 hora
Para 6 a 8 personas

¹/₃ taza (70 g) de rissoni

¹/₄ taza (30 g) de harina

³/₄ taza (90 g) de harina de fuerza

¹/₂ taza (95 g) de almendras molidas

¹/₂ taza (45 g) de coco desecado

1 cucharada colmada de piel de limón rallada

185 g de mantequilla

¹/₂ taza (160 g) de mermelada de albaricoque

1 taza (250 g) de azúcar extrafino

3 huevos ligeramente batidos

1 Precaliente el horno a 160°C. Unte un molde para tarta de 20 cm de diámetro con mantequilla fundida o aceite. Forre la base y los lados con papel parafinado.

2 Cueza los rissoni en una olla grande con agua hirviendo durante 3 o 4 minutos, o hasta que estén al dente, y escúrralos bien.

3 Mientras tanto, mezcle en un cuenco los dos tipos de harina con las almendras, el coco y la ralladura de limón. Haga un hoyo en el centro.

4 Derrita la mantequilla, la mermelada y el azúcar en un cazo a fuego lento, o bien en una fuente al microondas. Sin dejar de remover, añada los rissoni y, con una cuchara de metal, los ingredientes secos. Incorpore los huevos y remueva. Vierta la masa en el molde y hornéela de 50 a 55 minutos hasta que esté firme y hasta que, al introducir una brocheta en el centro, ésta salga limpia. Deje enfriar de 10 a 15 minutos, antes de desmoldar. Sirva la tarta fría o caliente, con rodajas de limón confitado por encima.

VALOR NUTRITIVO POR RACIÓN (8): *Proteínas 8 g; grasas 30 g; hidratos de carbono 60 g; fibra dietética 3 g; colesterol 125 mg; 2280 kJ (540 cal)*

PUDDING DE RISSONI AL HORNO

Tiempo de preparación: 15 minutos
Tiempo de cocción: 1 hora
Para 4 a 6 personas

¹/₄ taza (50 g) de rissoni

2 huevos ligeramente batidos

¹/₃ taza (80 ml) de jarabe de arce

2 tazas (500 ml) de nata líquida

¹/₄ taza (30 g) de pasas sultanas

1 cucharadita de esencia de vainilla

una pizca de nuez moscada

¹/₄ cucharadita de canela molida

1 Precaliente el horno a 150°C. Cueza los rissoni en una olla grande con agua hirviendo, hasta que estén al dente, y escúrralos bien.
2 En un cuenco, bata los huevos junto con el jarabe de arce y la nata líquida.

3 Sin dejar de remover, añada los rissoni, las sultanas, la esencia de vainilla, la nuez moscada y la canela. Vierta la mezcla en una fuente honda, redonda u ovalada, y resistente al horno. Ponga ésta dentro de otra fuente de horno y vierta dentro de esta última suficiente agua para que cubra hasta la mitad la fuente donde está el pudding. Hornee durante 50 a 55 minutos, o bien hasta que, al introducir un cuchillo en el centro de la masa, éste salga limpio.
NOTA: Si quiere variar este postre puede sustituir las sultanas por albaricoques o pasas desecados y picados; o bien usar dátiles frescos, deshuesados y picados, o, si lo prefiere, frambuesas y arándanos enteros. Con la fruta fresca es posible que el tiempo de cocción necesario sea más largo, porque rezuma parte de su jugo.

VALOR NUTRITIVO POR RACIÓN (6): *Proteínas 5 g; grasas 30 g; hidratos de carbono 25 g; fibra dietética 1 g; colesterol 155 mg; 1700 kJ (405 cal)*

ARRIBA: Pudding de rissoni al horno

*ARRIBA: Dulce
de nata y frutas*

DULCE DE NATA Y FRUTAS

Tiempo de preparación: 15 minutos
Tiempo de cocción: 15 minutos
Para 4 personas

☆

4 láminas de lasaña frescas o secas
abundante aceite para freír
2 tazas (500 ml) de nata líquida
250 g de fresas
250 g de arándanos
250 g de frambuesas
4 frutas de la pasión
azúcar glas para decorar

1 Cueza las láminas de lasaña, de dos en dos, en una olla grande con agua hirviendo, hasta que estén al dente. Añada un poco de aceite al agua, para evitar que las láminas se peguen unas con otras. Escúrralas, aclárelas cuidadosamente bajo el grifo de agua fría. Corte las láminas en tres partes horizontales y séquelas con un paño de cocina.

2 Llene la mitad de una sartén mediana con aceite, caliéntelo a fuego moderado y fría las láminas, de una en una, hasta que estén doradas y crujientes. Escúrralas encima de papel de cocina.

3 Monte la nata. Coloque una lámina de lasaña en cada plato y cúbrala con un poco de nata, fresas, arándanos, frambuesas y pulpa de fruta de la pasión. Espolvoree con azúcar glas y repita el proceso otra vez, terminando con una lámina de lasaña. Vuelva a espolvorear con azúcar glas y sirva el dulce en seguida.

NOTA: Puede usar cualquier tipo de fruta de temporada y picarla o cortarla a su gusto. Y si lo prefiere, puede añadir un poco de azúcar y vainilla a la nata montada, para endulzarla.

VALOR NUTRITIVO POR RACIÓN: *Proteínas 7 g; grasas 50 g; hidratos de carbono 35 g; fibra dietética 10 g; colesterol 145 mg; 2520 kJ (600 cal)*

CESTOS DE PASTA RELLENOS DE RICOTTA Y FRUTA

Tiempo de preparación: 35 minutos
Tiempo de cocción: 30 minutos
Para 4 personas

abundante aceite para freír
6 láminas de lasaña secas

Relleno de ricotta y fruta

350 g de queso fresco ricotta
1 cucharada de azúcar extrafino
60 g de frutas variadas confitadas picadas
   (cerezas, piel de naranja y de limón)
30 g de virutas de chocolate fondant

1 Caliente el aceite en una sartén, que llegue a los 10 cm de espesor. Cueza las láminas de lasaña de una en una, en abundante agua hirviendo, hasta que estén al dente. Retírelas con un colador y sumérjalas en un cuenco con agua fría durante uno o dos minutos. Colóquelas luego sobre un paño de cocina y séquelas por ambos lados. Recorte los extremos de las láminas para que tengan forma de cuadrado.

2 Para el paso siguiente necesitará 3 utensilios que resistan el aceite hiviendo: un cucharón de aproximadamente 9 cm de diámetro; un batidor de mano o un utensilio similar que encaje en el hueco del cucharón para poder sujetar la pasta sin que se deforme; y unas pinzas. Coja un cuadrado de pasta y presiónelo suavemente con la mano contra el hueco del cucharón. Forme un cesto, con las esquinas hacia fuera y ondulaciones entre ellas.

3 Compruebe el aceite: eche un trozo de pasta y, si burbujea y sube a la superficie rápidamente, significa que el aceite ya está listo para freír. Sumerja el cucharón en el aceite. Con las pinzas, levante la pasta y sepárela del cucharón para evitar que se pegue al principio y luego use el batidor para darle forma. Los cestos quedan bastante firmes, por lo que no debe temer que se rompan al manipularlos. Estarán listos cuando los vea crujientes y dorados y se formen burbujas en su superficie. Practique con los dos primeros, que son de repuesto.

4 Una vez hechos, retírelos del aceite y déjelos escurrir boca abajo encima de papel de cocina. Déjelos enfriar antes de servir.

5 Para hacer el relleno dulce de ricotta, mezcle bien el ricotta con el azúcar. No utilice un robot de cocina, pues la textura quedaría demasiado fina. Agregue la fruta y el chocolate y, con ayuda de una cuchara, rellene los cestos de pasta justo antes de servir. Decórelos con virutas de chocolate rizadas.

NOTA: Si los cestos se ablandan o presentan manchas de aceite en la superficie, introdúzcalos en el horno precalentado hasta que vuelvan a estar crujientes. Estas cestitas son ideales para convertir un postre sencillo, como el helado o la macedonia, en un plato elegante. Para hacerlas con mayor facilidad, existen unos cestos de aluminio para barquillos, que podrá encontrar en tiendas especializadas en utensilios de cocina.

VALOR NUTRITIVO POR RACIÓN: *Proteínas 15 g; grasas 15 g; hidratos de carbono 45 g; fibra dietética 2 g; colesterol 40 mg; 1585 kJ (375 cal)*

AZÚCAR EXTRAFINO

El azúcar extrafino, que se obtiene picando el azúcar granulado hasta reducirlo a polvo, es el más apropiado para cocinar porque los granos se derriten con rapidez y se disuelven por completo. El azúcar extrafino tiene un aspecto atractivo y, por esta razón, también se emplea para decorar tartas, puddings y bollería en general. También se utiliza para cubrir dulces y caramelos.

ARRIBA: Cestos de pasta rellenos de ricotta y fruta

AVELLANAS

Las avellanas son el fruto comestible del avellano, *Corylus*, un árbol que pertenece a la misma familia que el abedul. Son sabrosas y ricas en aceite, y se utilizan en repostería y en confitería. Las recetas de cocina a menudo requieren avellanas peladas y tostadas, que pueden prepararse en casa sin problemas. Espárzalas sobre una bandeja y hornéelas a 180°C durante unos 10 minutos, hasta que la piel se arrugue y se desprenda. Envuélvalas en un paño de cocina durante 5 minutos y, a continuación, frótelas enérgicamente con el mismo paño para hacer saltar la piel. Acto seguido, pélelas de una en una, frotándolas entre los dedos.

ARRIBA: Tarta de chocolate y frutos secos

TARTA DE CHOCOLATE Y FRUTOS SECOS

Tiempo de preparación: 30 minutos
+ una noche en el frigorífico
Tiempo de cocción: de 5 a 10 minutos
Para 6 a 8 personas

250 g de stellini

1 taza (140 g) de avellanas tostadas

1¹/₂ tazas (150 g) de nueces

³/₄ taza (100 g) de almendras

3 cucharadas de cacao en polvo

1 cucharadita de canela molida

²/₃ taza (155 g) de azúcar

1 cucharada de piel mezclada

la piel rallada de 1 limón

1 cucharadita de esencia
  de vainilla

2 cucharadas de coñac

60 g de mantequilla

100 g de chocolate negro troceado

1 Engrase y forre la base de un molde de tarta redondo de 20 cm de diámetro. Cueza la pasta en agua hirviendo, hasta que esté al dente, y atempérela con agua fría. Escúrrala bien.

2 Vierta los frutos secos pelados, el cacao, la canela, el azúcar, la piel, la ralladura, la esencia de vainilla y el coñac en un robot. Tritúrelo todo muy fino a intervalos de tiempo cortos.

3 Derrita la mantequilla y el chocolate en un cazo a fuego lento, o bien al microondas.

4 Mezcle la pasta con la mezcla de frutos secos y la mantequilla y el chocolate derretidos. Pase la mezcla al molde y presione con la mano húmeda. Alise la superficie con el dorso de una cuchara mojada y refrigere toda la noche. Desmolde la tarta, córtela en porciones y decórela con cacao y azúcar glas. Es deliciosa con nata montada.

VALOR NUTRITIVO POR RACIÓN (8): *Proteínas 15 g; grasas 45 g; hidratos de carbono 55 g; fibra dietética 7 g; colesterol 20 mg; 2795 kJ (665 cal)*

ÍNDICE

Los números de página en *cursiva* se refieren a las fotografías.
Los números de página en **negrita** se refieren a las notas al margen.

Otras sugerencias para acompañar

Platos de pasta

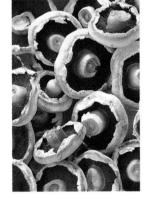

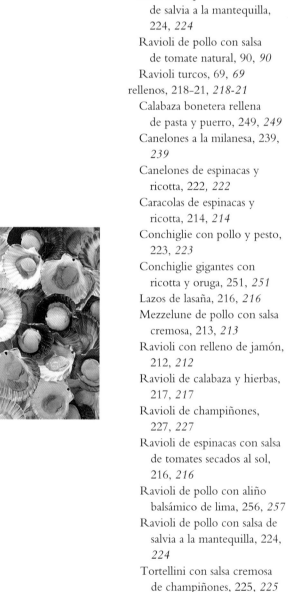

AGRADECIMIENTOS

COLABORADORES: Jo Forrest, Michelle Lawton, Kerrie Mullins, Justine Poole, Kerrie Ray, Chris Sheppard, Dimitra Stais, Alison Turner, Jody Vassallo

RECETAS: Wendy Berecry, Rebecca Clancy, Amanda Cooper, Alex Diblasi, Michelle Earl, Joanne Glynn, Lulu Grimes, Michelle Lawton, Barbara Lowery, Angela Nahas, Sally Parker, Jennene Plumber, Tracey Port, Jo Richardson, Tracy Rutherford, Dimitra Stais, Jody Vassallo

FOTOGRAFÍAS: Jon Bader, Ashley Barber, Joe Filshie, Chris Jones, Luis Martin, Reg Morrison

ESTILISTAS: Amanda Cooper, Carolyn Fienberg, Michelle Gorry, Mary Harris, Donna Hay, Rosemary Mellish

Por su ayuda en la realización de las fotografías, el editor expresa su agradecimiento a: Antico's Northbridge Fruitworld, NSW; Bush Wa Zee Pty Ltd Ceramics, NSW; Dee Why Fruitworld, NSW; Nick Greco Family Delicatessen, NSW; Ma Maison en Provence, NSW; Pasta Vera, NSW.